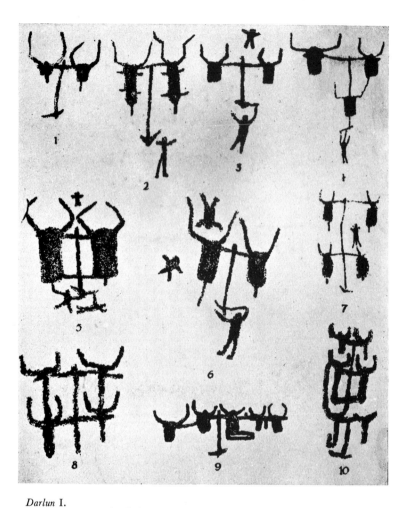

Darlun I.

Cerfiadau ar greigiau yn yr Alpau Eidalaidd.
Diwedd Oes y Pres ac Oes Gynnar yr Haearn.

(*Yn ôl Bicknell*)

YR ARADR GYMREIG

gan

F. G. PAYNE

*Cyhoeddir trwy gydweithrediad
Amgueddfa Genedlaethol Cymru
(Amgueddfa Werin Cymru) a
Bwrdd Gwasg Prifysgol Cymru*

CAERDYDD
GWASG PRIFYSGOL CYMRU
1975

YR ARADR GYMREIG

SBN 7083 0583 0
Argraffiad cyntaf 1954
Adargraffiad 1975

*Argraffwyd yng Nghymru gan
CSP Printing, Caerdydd*

CYNNWYS

RHESTR O'R LLUNIAU

Rhestr o'r Lluniau—*Parhad*

RHAGAIR

TRAETHAWD a gyflwynwyd am radd M.A. ym Mhrif-
ysgol Cymru ydyw'r llyfr hwn. Yn ystod yr amser y
bûm yn casglu'r defnyddiau ar ei gyfer cefais gyn-
horthwy gan lawer un. Gwelir enwau'r cymwynaswyr
hyn ar y tudalennau isod a dymunaf ddatgan fy niolch
cynnes iddynt. Y mae arnaf ddyled arbennig i'm
cyfaill a'm cydweithiwr y Dr. Iorwerth Peate am ei
ddiddordeb cyson yn yr astudiaeth hon ac am ei hwyl-
uso ym mhob ffordd. Y mae fy nyled i adnoddau
Amgueddfa Werin Cymru yn amlwg trwy'r gyfrol.

OCHR Y GWELLT

OCHR Y RHYCH

Ffigur 1.

(Trwy ganiatâd Amgueddfa Genedlaethol Cymru)

RHANNAU'R ARADR.

1. Haeddel fawr, troedhaeddel, llyw, hegl gam. 2. Llaw-haeddel, llaw-lyw.
3. Llyffant. 4. Gwerthydoedd (a). 5 Gwadn, cywer. 6. Sawdl. 7. Ochr (b).
8. Cebystr, cledde. 9. Arnawdd, arnodd, arnod, arnol. 10. Swch. 11. Cwlltwr·
12. Gwarllas. 13. Clust, ffrwyn (c). 14. Ystyllen-bridd, boch asgell, boch astell,
scyfar. 15. Chwelydr, hoelyd. 16. Aden y swch, asgell y swch, cyllell y swch.
17. Dyrnau, cyrn. 18. Y gadair (d). 19. Mortais y cwlltwr. 20. Trwyn y swch.
21. Penlle, trwyn y cebystr (e). 22. Haearn traul (f). 23. Bach (g).

𝑎. Ffyn, ffyn croesion, gwialen, yw'r enwau ar erydr haearn heddiw.
b. plow-plat, lanseid, ar erydr haearn mewn rhai mannau.
c. Ceiliog, copstol, teibo, ar erydr haearn.
d. h. y y man rhwng troed yr haeddel fawr a'r llaw-haeddel.
e. h. y. blaen y gwadn tu mewn i soced y swch.
f. h. y. y plat haearn o dan y gwadn.
g. sef cebystr ôl. Nid oes un ar yr aradr hon : Dangosir ei leoliad yn unig.

PENNOD I

ERYDR YR OESOEDD CYNNAR

Y MAE hynafiaeth fawr y tri gair Cymraeg[1] aradr, iau, ych yn dangos bod gan hynafiaid y Cymry erydr a dynnid gan wedd o anifeiliaid ymhell cyn iddynt groesi o'r Cyfandir i Ynys Brydain. Am ffurf fanwl erydr llwythau'r Celtiaid cyntefig ni wyddys nemor ddim yn uniongyrchol, ond nid oes dim i awgrymu iddynt fod yn wahanol i offer pobloedd cynnar eraill Ewrop. Y mae digon o dystiolaeth wedi goroesi i ddangos mai tebyg mewn hanfodion oedd erydr diwedd Oes y Pres mewn gwledydd mor bell oddi wrth ei gilydd â rhai Môr y Canoldir a rhai Môr Llychlyn a chyffiniau'r Môr Tawch. Nid dyma'r lle i ymdrin â'r holl dystiolaeth hon, ond dylid sylwi'n fyr ar gymaint ohoni ag a rydd inni ryw syniad am erydr a dull aredig ein hynafiaid cynhanesiol ni.

Y dystiolaeth ddiymwad gynharaf am aredig yng ngogledd Ewrop a gafwyd hyd yn hyn ydyw olion cwysi a ddatguddiwyd o dan dwmpathau angladdol a godwyd yn Oes Gynnar y Pres. Yn Gasteren a Wervershoof yn yr Is-Almaen[2] ac yn Vesterlund yn Jutland[3] y mae'r twmpathau hyn ac fe amserir rhai Gasteren cyn 1600 C.C. Y mae olion y cwysi hyn ar lun dwy gyfres o rigolau cyfochrog sy'n croesi ei gilydd o ddau gyfeiriad fel rhwydwaith. Os tynnwyd y cwbl o'r cwysi gwreiddiol ar yr un adeg, yr hyn sy debycaf, dyna braw fod croes-aredig yn arferiad amaethyddol yng ngogledd Ewrop yn y cyfnod pell hwnnw. Ymhellach, trwy gymharu â'i gilydd nodweddion y rhigolau a

---

[1]Yr wyf yn ddyledus i'r Athro Henry Lewis am nodiad ar darddiad dau o'r geiriau hyn. Dyma a ddywed : O'r ffurf Frythoneg *arātron y daw'r Cymraeg aradr. Daw honno yn ei thro o'r ffurf hŷn mewn Celteg *aratron, canys arathar a geir yn yr Wyddeleg. Daw *aratron yn ei dro o'r Indo-Ewropeg *arətrom. Y ffurf a roir i'r bôn I.E. yw *arā-, fel y gwelir yn y Lladin arā-re. Wrth ychwanegu'r olddodiad *-tro- gwanhaodd yr -ā-, a dynodir y radd wan hon gan yr arwydd ə. Yn y rhan fwyaf o'r ieithoedd a darddodd o'r Indo-Ewr opeg cynrychiolir yr ə hon gan a. Ni allasai aradr ddod o'r Lladin arātrum—rhoesai hwnnw i ni arawdr arodr. Gair brodorol yn ddiau yw iau—cytras â'r Lladin, nid benthyciad. Fe'i ceir yn yr enw Galeg Ver-iugo-dumnus, enw Celteg.

[2]A. E. Van Giffen, Grafheuvels Te Zwaagdijk (1944), crynhoad Saesneg tt. 231—240.

[3]Antiquity, XX, td. 38.

geir o dan y twmpathau hyn ac eraill, daethpwyd i'r casgliad
fod dau brif deip o aradr ar gael—y naill â gwadn (Ffig. 1,
Rhif 5) a'r llall hebddo. Ymddengys mai olion gwaith y teip
di-wadn a geir yn y lleoedd a enwir uchod. Ychydig a freudd-
wydiodd yr arddwyr dienw, anghofiedig, hyn fod blaenau eu
sychau yn ysgythru yn yr isbridd gofnod manwl am eu gwaith
a'u hoffer a ddarllennid ymhen 3500 o flynyddoedd.

Yr un mor ddramatig ydyw'r dystiolaeth nesaf. Yng
nghymoedd uchel yr Alpau Deheuol ar gyffiniau Ffrainc a'r
Eidal fe geir wedi eu cerfio ar y creigiau ddarluniadau dirif o
wŷr yn aredig ag ychen.[1] Ceir yn Fontanalba ac yn y Merav-
iglio ugeiniau lawer o'r cerfiadau hyn ynghyd ag ychydig o rai
eraill sy'n darlunio ychen yn tynnu offer a allai fod yn fenni
neu yn ogedi. Ymddengys mai i Oes y Pres y perthyn y rhain,
er bod ymhlith yr ysgythriadau niferus o arfau a geir yno hefyd
beth o waith Oes Gynnar yr Haearn. Gwelir yn Narlun I
ddetholiad o'r cerfiadau hyn. Perthyn yr erydr a ddarlunnir
ynddynt i'r teip di-wadn a adawodd ei ôl o dan yr hynaf o'r
twmpathau angladdol. Gan eu pwysiced i efrydydd hanes
techneg amaethyddol y Cymry, fe ymdrinir â'r cerfiadau hyn yn
fanwl yn nes ymlaen (td. 143). Bodlonaf yma ar ddweud mai
yn eu plith hwy y ceir yr unig ddarluniau o'r dulliau ieuo a
chathrain a ddisgrifiwyd mewn geiriau dros ddwy fil o flyn-
yddoedd yn ddiweddarach yng Nghyfraith Hywel Dda a chan
Gerallt Gymro.

Ceir ychydig o gerfiadau tebyg o Oes y Pres yn Bohuslän,
Sweden, ac fe ddarlunia'r rhain y ddau deip o aradr a nodwyd
eisoes.[2] Ond y defnyddiau pwysicaf a gafwyd yn y gwledydd
o gwmpas Môr Llychlyn ydyw nifer o'r erydr cynhanesiol eu
hunain ynghyd ag amryw rannau unigol ohonynt.[3] Daeth-
pwyd o hyd iddynt o dro i dro mewn mawnogydd yn Denmarc
a gogledd yr Almaen ac yng ngwlad Pwyl. Y mawn, wrth
gwrs, a'u cadwodd rhag pydru, a natur y paill llysieuol a
ymwthiasai i agennau ym mhren yr offer sy wedi galluogi'r

[1]C. Bicknell, *The Prehistoric Rock Engravings in the Italian Maritime Alps* (1902).
Ail arg. 1913.

[2]*Acta Archaeologica*, VII, td. 248.

[3]*ibid*, td. 245 ; XIII, tt. 258, 269 ; XVI, tt. 57, 67, 93 ; *Natur und Volk*, LXIV,
td. 83 ; P. V. Glob, *Ard og Plov* (1951).

botanegwyr i ddarganfod mai i ddiwedd Oes y Pres ac i ddechrau Oes yr Haearn y perthyn yr erydr hyn. Ceir yn eu plith esiamplau o'r erydr a ddarlunnir yn y cerfiadau, ond fe gynrychiolir hefyd deip newydd gan weddillion tra diddorol a ddarganfuwyd yn Tømmerby a Villersø yn Denmarc. Bernir bod y rhain yn perthyn i erydr olwyn ac fe'u hamserir hwynt yn Oes Gynnar yr Haearn.

Gadewch inni yn awr sylwi'n fyr ar y tri math o erydr bore gan ddechrau gyda'r rhai di-wadn. Darlunnir yr erydr hyn yn y cerfiadau Alpaidd yn gystal ag yn rhai Bohuslän, a bernir mai eu holau hwy a welir dan y twmpathau angladdol cynharaf

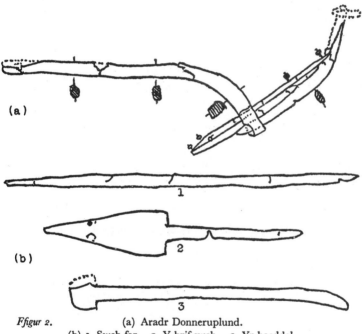

Ffigur 2. (a) Aradr Donneruplund.
(b) 1. Swch far. 2. Y brif swch. 3. Yr haeddel.
(*Ar ôl Glob* : *Acta Archaeologica, XVI*)

yn yr Is-Almaen a Denmarc. Anaml y darganfyddir aradr gynhanesiol mewn cyflwr da. Hawdd deall paham. Ond cyn cael hyd i esiampl gyflawn yn Donneruplund yng nghanoldir Jutland yn y flwyddyn 1944 ni sylweddolwyd bod aradr enghreifftiol y teip hwn a gafwyd yn Døstrup yn 1884 yn anghyflawn a'i bod heb ei rhan bwysicaf, sef ei phrif swch (Ffig. 1, Rhif 10). Canys fe ddengys aradr Donneruplund (Ffig. 2a) fod gan erydr o'r teip hwn ddwy swch, y naill wedi ei gosod am ben y llall. Derw yw defnydd y sychau hyn (Ffig. 2b, 1-2) ac y mae'r fwyaf o'r ddwy ar lun saeth.[1] Gan fod llafn y swch hon dros chwe modfedd o led y mae'n ddigon llydan i dorri cwys sylweddol. Nid yw'r ail swch namyn ffon gref wedi ei blaen-llymu. Fe'i gosodwyd am ben y swch lydan yn y fath fodd fel y torrai'r garw o flaen y swch lydan a'i hamddiffyn rhag cerrig. Mae'n ddiddorol sylwi fod cyn-ddelw y swch bigfain ddiwedd-arach ar gael yn niwedd Oes y Pres. Y peth mwyaf arwydd-ocaol, fodd bynnag, yw gweld arfer swch fain i dorri o flaen swch lydan ; hynny yw gweld dechrau cyflawni rhan o waith cwlltwr diweddarach Oes yr Haearn. Odid na welir yma ddechrau sylweddoli angen y fath erfyn. Ymddengys na bu angen y gwir gwlltwr (Ffig. 1, Rhif 11) yng ngogledd Ewrop drwy gydol Oes y Pres, ond fe ddatblygodd ar ôl dirywiad yr hinsawdd yn niwedd y cyfnod hwnnw.[2] Pwynt diddorol ynglŷn â'r erydr hyn yw fod olion traul yn llawer amlycach ar eu hochrau de nag ar y chwith. Dengys hyn y byddai'r arddwyr yn eu dal ar ogwydd er mwyn gwthio'r rhan fwyaf o'r 'gŵys' i un ochr. Er y gellir gweld yn yr arfer hon[3] y cam cyntaf yng nghyfeiriad datblygu'r ystyllen-bridd (Ffig. 1, Rhif 14), ni ddyfeisiwyd y teclyn hwnnw nes bod dirywiad yr hinsawdd a'i effaith ar y pridd wedi galw amdano. Ceir hyd heddiw wledydd lle na ofynnir am fwy na pharhad o'r hen arfer a

---

[1]Cedwir dwy swch o'r teip hwn a ddarganfuwyd yn yr Is-Almaen yn Amgueddfa Ranbarthol Drente, Assen.

[2]Ni ddefnyddir cylltyrau mewn gwledydd poeth lle amcenir at falurio'r pridd er mwyn atal iddo sychu a cholli ei faeth. Ond mewn gwledydd oer a gwlyb lle troir cwysi solet a chyfain fel y sycho'r tir ac fel y deler â mwy o bridd i'r awyr a'r heulwen y mae'r cwlltwr yn fantais bob amser. Ar y tiroedd trymaf a glwypaf y mae'n anhepgor.

[3]Mae'n debyg y dibynnai'r arfer ar amgylchiadau'r tir, ac y defnyddid yr erydr di-ystyllen fel erydr un-ffordd wrth droi llechweddau. Ni olyga'r term ' un-ffordd ' fod y fath erydr yn troi'r gŵys i'r un ochr yn unig. Hollol fel arall ydyw. Ag aradr unffordd gellir troi'r gŵys i'r ochr a ddewisir. Cyfeiria'r gair unffordd at y modd y gorwedd y cwysi ar y maes. Ag aradr unffordd gellir troi'r gŵys i'r llaw dde wrth fynd ac i'r llaw chwith wrth ddychwelyd. Canlyniad hyn ydyw fod pob cwys yn gorwedd tua'r un cyfeiriad, yr un ffordd. Medrid gwneud hyn â'r aradr ddi-ystyllen drwy ei dal ar ogwydd tua'r dde a'r chwith bob yn ail. Gwerth arbennig aredig unffordd ar y llechweddau oedd y gellid troi pob cwys ar i waered.

Darlun II.   Aredig ym mynyddoedd yr Himalaya.

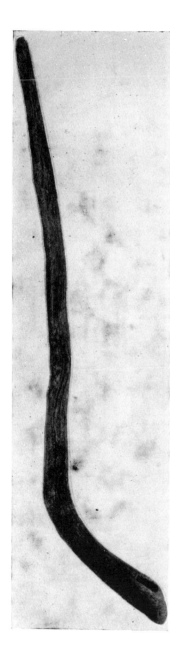

Darlun III.

Arnodd aradr o deip Dostrup, o swydd Dumfries.

(Trwy ganiatâd y Burgh Museum, Dumfries)

Darlun IV.

Swch (*anghyflawn*), Cyfnod Rhufeinig, o'r Diserth, Sir Fflint.
Yn Amgueddfa Genedlaethol Cymru.

(Trwy ganiatâd Amgueddfa Genedlaethol Cymru)

oedd yn addas i amgylchiadau anianyddol gogledd Ewrop yn Oes y Pres (Darlun II).

Erydr gwadn ydyw'r ail deip o erydr cynnar. Offeryn enghreifftiol y teip hwn yw hwnnw a ddarganfuwyd yn Walle, Friesland Dwyreiniol, yn y flwyddyn 1927. Prif nodwedd y teip yw'r gwadn gwastad a rydd rywfaint o sadrwydd i'r offeryn, ac fel rheol, blaen main y gwadn hwn yw'r unig ' swch.' Amrywia ffurf yr arnodd (Ffig. 1, Rhif 9). Weithiau fe ymestyn hyd at iau'r ychen, dro arall, fel ar enghraifft Vebbestrup (Ffig. 3) a berthyn i ddechrau cyntaf Oes yr

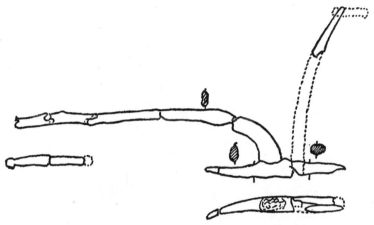

Ffigur 3. Aradr. Oes Gynnar yr Haearn. O Vebbestrup, Jutland.

(*Ar ôl Steensberg : Acta Archaeologica XVI*)

Haearn, ceir arnodd fer a gysylltir â'r iau â thid. Gwelliant pwysig yw'r arnodd fer hon. Ceir yn ei phen blaen res o dyllau, a gellid aredig yn ddwfn neu'n ysgafn yn ôl y twll y sicrheid y did ynddo. Dyna ddechrau ffurf seml effeithiol ar glust aradr (Ffig. 1, Rhif 13) a barhaodd am oesoedd maith. Fe'u gwelir yn ddigyfnewid ar un teip o aradr Gymreig tua diwedd y bymthegfed ganrif (Ffig. 10) a gwelir amrywiadau o'r egwyddor sylfaenol mewn llawer gwlad hyd y bedwaredd ganrif ar bymtheg. Fel y dywedais, blaen y gwadn oedd ' swch ' y teip hwn fel rheol, ond y mae ar gael un esiampl o Dabergotz yn nhalaith Brandenburg (Ffig. 4) sydd â swch debyg i brif swch yr erydr di-wadn.

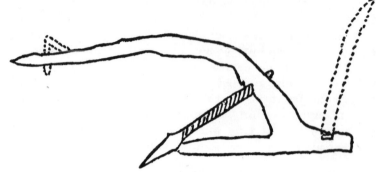

Ffigur 4. Aradr o Dabergotz, ger Hanover.
Diwedd Oes y Pres.

(*Ar ôl Van Giffen : Grafheuvels Te Zwaagdik*)

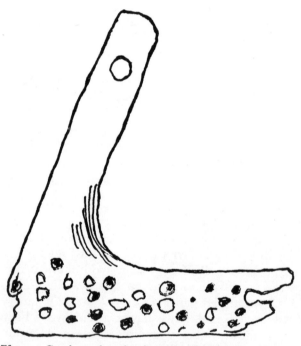

Ffigur 5. Gwadn aradr a cherrig traul. Oes Gynnar yr Haearn.
O Tommerby, Jutland.

(*Ar ôl Steensberg : Acta Archaeologica, VII*)

Soniais uchod am drydydd teip o aradr gynnar, aradr olwyn fel y tybir. Darganfuwyd rhannau o erydr o'r teip hwn yn Tømmerby (Ffig. 5) ac yn Villersø yn Denmarc. Wrth lwc, y rhannau pwysicaf, sef y gwadnau, a gafwyd. Gan gofio mai er mwyn ceisio deall gweddillion prin erydr cynnar Prydain yr ymdrinir â'r offer cyfandirol hyn, ni raid ond cyfeirio at ddyfais hynod a welir yng ngwadnau erydr teip Tømmerby, sef rhesi o dyllau ar hyd un ochr, ochr y gwellt, a cherrig wedi eu gwthio i bob twll. Dyfais i amddiffyn y pren rhag treulio ydyw hon ac y mae'n enghraifft arall o ddyfais gynhanesiol a gafodd hir oes. Fe'i defnyddiwyd yng Nghymru hyd ddiwedd yr Oesoedd Canol i amddiffyn y gwadn a'r chwelydr (Ffig. 1, Rhif 15) er bod hoelion mawr yn cymryd lle'r cerrig y pryd hwnnw ac yn peri i'r gwadn ddisgleirio fel cadwyn. Chwedl Lewis Glyn Cothi wrth ddisgrifio aradr olwyn ei gyfnod :

> gwadn o goed, gadwynog waith,
> chwelydr, hoelion ei lonaid.

Dyna ni wedi sylwi yn fyr a chynnil iawn ar rai o nodweddion tri math o erydr cynhanesiol. Ond dywedwyd digon i ddangos fod yr offer hyn yn fwy cymhleth eu gwneuthuriad nag y tybir yn gyffredin, a bod cryn dipyn o amrywiaeth cynllun o fewn terfynau teip. Mae'n amlwg bod cyfaddasu ar gyfer amgylchiadau arbennig a bod y seiri cynnar wedi arfer eu hamrywiol ddoniau wrth eu gwaith. Ond fe erys un pwynt pwysig eto. Dywedir yn aml gan ein haneswyr a'n harchaeolegwyr mai offer gwael oedd erydr cynnar Prydain ac na allesid eu defnyddio oddieithr ar ' briddoedd ucheldirol ysgafn.' Dywedir ymhellach, ar sail yr un dychymyg noeth, fod hynny yn wir hefyd am yr erydr cyfandirol y sylwasom arnynt uchod. Dywedir hefyd am ryw aradr olwyn neilltuol, ledrithiol, y tybir ei dwyn yma gan y Sacsoniaid mai hi fu'r gyntaf i droi clai trwm yr ynys hon. Oherwydd hyn oll bydd y ffeithiau a ganlyn o fudd. Mewn ardaloedd y mae eu priddoedd yn wahanol iawn i'w gilydd y darganfuwyd erydr di-olwyn teipiau Døstrup a Walle. Tystiolaeth y mannau lle cafwyd hwynt ydyw eu defnyddio ar diroedd ysgafn, ar diroedd cymysg, ac ar glai trwm. Ond ar dir ysgafn y cafwyd y ddwy aradr olwyn.[1]

[1]Gweler erthyglau Glob, *Acta Archaeologica*, XIII, td. 267 ; XVI, td. 110.

Er mwyn cyrraedd safle lle gellir iawn-farnu a deall
gweddillion prinnach erydr cynnar Prydain y buom yn ymdroi
gydag offer y Cyfandir y daeth ein hynafiaid ohono. O hyn
ymlaen bydd gennym syniad pendant am y canrifoedd dirif er
pan afaelodd dyn yn yr aradr yng ngogledd Ewrop. Bydd
gennym hefyd beth o'r dystiolaeth ddiriaethol am dechneg
amaethyddol gymhleth sy'n parhau er cyn dechrau Oes Gynnar
y Pres hyd ddechrau Oes Gynnar yr Haearn.

Gwyddys bod i amaethyddiaeth Prydain ac Iwerddon hanes
hir hefyd, ond ni sylweddolir yn gyffredin na chyfyngwyd yr
amaethyddiaeth honno yn yr oesoedd bore i ryw ranbarth
arbennig yn unig. Iwl Cesar sydd gyfrifol am y dyb na
ddiwylliwyd dim o Ynys Brydain yn ei ddydd ef oddieithr
ymylon y de-ddwyrain.[1] Ond ail-adrodd yr hyn a gawsai gan
arall a wnaeth Cesar. Stori arall a ddatguddir gan raw yr
archaeolegydd, a bydd crybwyll am ychydig o ffeithiau
diymwad yn ddigon i ddangos hynny. Darganfuwyd o dro i
dro yn yr ynysoedd hyn esiamplau o ydau cynhanesiol ac y
mae'n ddiddorol sylwi y cafwyd hwynt mewn mannau ang-
hysbell mor aml ag yn y de-ddwyrain.[2] Er enghraifft,
darganfuwyd gwenith o'r cyfnod Neolithig mewn lleoedd mor
amrywiol â Dyfnaint, Wiltshire, Ynys Fanaw, Ynys Bute a
Wicklow. Cafwyd gwenith o Oes y Pres yn siroedd Morgannwg
(a ddyddir tua 1300 C.C.) a Chaernarfon, Dyfnaint, Fife,
Moray a Berkshire. Ynghyd â'r gwenith o Forgannwg yr oedd
haidd a hadau chwyn nas ceir ond pan ddiwyllir y tir. Cafwyd
haidd eto o'r un cyfnod o sir Benfro, Haddington, Fife ac
Ynysoedd Shetland. Lledaeniad gwasgaredig tebyg sydd i
grymanau medi Oes y Pres a ddarganfuwyd. O'r cant namyn
dau esiampl a astudiwyd gan Fox[3] darganfuwyd 49 ohonynt i'r
de-ddwyrain o linell ddychmygol o enau afon Hymyr hyd enau
afon Hafren, 13 i'r gogledd ac i'r gorllewin o'r llinell honno, a
36 yn Iwerddon. Ac ni chynhwysir un teip o grymanau
Iwerddon yn y ffigurau hyn. Y mae cerrig malu a breuanau yn
fynegai defnyddiol arall i'r mannau lle tyfid ŷd, ac fe geir y

---

[1]B.G. V, 14.
[2]Knud Jessen a Hans Helbæck, *Cereals in Great Britain and Ireland in Prehistoric and Early Historic Times* (1944).
[3]*Proc. Prehist. Soc.*, 1939, td. 222 ; *Arch. Camb.*, 1941, td. 136.

rhain hefyd ar wasgar ym mhob rhanbarth. Nid oes amheuaeth am ledaeniad cyffredinol amaethyddiaeth yn yr ynysoedd hyn ymhell cyn i Iwl Cesar lanio yma.

Yr oedd, bid sicr, weithgarwch amaethyddol nodedig ar weunydd de Prydain tua chyfnod y goresgyniad Rhufeinig. Gellir gweld hyd heddiw olion y gweithgarwch hwnnw ar lun meysydd bychain terasog ar draws y llechweddau. Hyd yn oed lle dinistriwyd y terasau yn llwyr gan aredig diweddarach gellir eu holrain ar ffotograffiau a dynnir o awyrblan. Ymddengys mai yn Oes Ddiweddar y Pres, tua 1000 C.C. y dechreuwyd diwyllio'r rhai cynharaf o'r meysydd hyn, ac enw yr archaeol-egwyr arnynt ydyw'r 'meysydd Celtaidd', ond ni allwyd profi hyd yma mai pobl yn siarad un o'r ieithoedd Celtaidd a drinodd y meysydd hyn gyntaf. Mae'r olion hyn yn nehau'r wlad yn dra helaeth. Mae natur y pridd yno ynghyd â'r ffaith fod cryn lawer o'r meysydd wedi eu hosgoi gan amaethu diweddarach wedi eu cadw yn bur amlwg hyd heddiw. Yn ychwanegol at hyn, y rhan honno o Brydain sydd â thraddodiad hir o gloddio archaeolegol gofalus a goleuedig. Canlyniad naturiol yr amgylchiadau hyn fu rhoddi hysbysrwydd mawr i feysydd cynhanesiol y de ac anwybyddu yn gyffredin olion yr un gyfundrefn amaethu mewn mannau eraill lle mae'n anos eu holrhain a lle bu gweithgarwch yr archaeolegwyr yn llai ac yn anwastad. Yn wir, bu'n bosibl i ŵr a wnaeth lawer i'n goleuo ar bwnc y meysydd deheuol (ond a gamarweiniwyd yn ddifrifol yn yr hyn sy wir bwnc y llyfr hwn) ddweud : ' We have seen that the earlier Celtic field-system does not seem to have reached Wales or Scotland . . . it is futile to expect to learn from any Welsh source what the system of agriculture in Roman Britain was like, for the Welsh seem never to have shared that system.'[1] Er gwaethaf yr amrywiad diweddaraf hwn ar y dyb Gesaraidd wreiddiol, fe geir olion yr un gyfundrefn o feysydd yn y gogledd ac yn y gorllewin ac yn Iwerddon hefyd.

Ni ellir yma ond dethol digon o'r dystiolaeth i awgrymu'r wir sefyllfa. Ceir meysydd Celtaidd ynghyd â rhai o deip cynharach

---

[1] E. C. Curwen, *Plough and Pasture* (1946), td. 75.

yng ngogledd-ddwyrain swydd Efrog,[1] ac, yng ngorllewin yr un
rhanbarth, yn ardal Craven, y mae enghreifftiau gwych a
gyfanheddwyd o'r ail ganrif C.C. hyd y drydedd ganrif O.C.[2]
Yn neheubarth yr Alban, hen Ogledd y Cymry cynnar, y mae
ar gadw olion dyrys tiroedd âr cynnar.[3] Y mae llawer o'r
lleiniau terasog a geir yno o deip gwahanol i'r rhai sy dan sylw
gennym yma ac y mae'n debyg fod y rhan fwyaf ohonynt yn
ddiweddarach na goresgyniad yr Eingl yn yr Oesoedd Tywyll.
O leiaf, dyna farn Mr. A. Graham a wnaeth astudiaeth
arbennig ohonynt yn 1939.[4] Erbyn hyn, fodd bynnag, darganfu
Mr. Graham fod ' a group of homesteads, dated by finds to
some time between the 2nd and 6th centuries of our era and
evidently belonging to a native pre-Anglian culture, is associated
with "Celtic" fields.'[5] Yn swydd Roxburgh y mae'r meysydd
hyn. A throi i orllewin yr ynys, ceir olion eto yn sir Amwythig,[6]
ac yn sir Drefaldwyn fe geir cyfres o feysydd ar y Breiddin a
berthyn i'r cyfnod 75 O.C. hyd y bedwaredd ganrif.[7] Yn sir
Gaernarfon ac ym Môn y mae cryn nifer o feysydd tebyg a
drinid o'r ail ganrif hyd y bedwaredd, ond digon fydd cyfeirio
at rai Clynnog[8] a Rhostryfan.[9] Hyd yn hyn ni chyhoeddwyd
llawer am gyfundrefnau meysydd cynnar Iwerddon, ond
darganfuwyd y teip Celtaidd yn Cush, swydd Limerick.[10]

Dyna ddigon, mi gredaf, i ddangos lledaeniad cyffredinol y
meysydd hyn ac i ddangos nad oes sail i'r dyb na wybu'r
Brythoniaid a'r Cymry cynnar ddim amdanynt. Rhaid
dychwelyd bellach at yr aradr ei hun, ond nid heb amcan y
crwydrais oddi wrthi canys ni ddeellir ei hanes hi o'i ystyried yn
erbyn cefndir annilys a ffug. Ac onis deellir, ofer ceisio olrhain
hanes amaethyddiaeth y Cymry,—heb sôn am amaethyddiaeth
Prydain yn gyffredinol.

---

[1]F. Elgee, *Early Man in North-east Yorkshire* (1930), tt. 137, 146, 214.
[2]*Yorkshire Arch. Journal*, XXXIII, td. 166 ; XXXIV, td. 115.
[3]*Proc. Soc. Antiq. Scotland*, LXII, td. 107 ; LXV, td. 388 ; LXVII, td. 70.
[4]*ibid*, LXXIII, td. 289.
[5]O lythyr dyddiedig 23 : 8 : 47. Diolchaf i Mr. Graham am ganiatâd i'w
ddyfynnu yma.
[6]*Arch. Camb.* LXXXIX, td. 91.
[7]*ibid*, XC, td. 162 ; XCII, td. 112.
[8]*Antiquaries Journal*, XVI, tt. 295-8.
[9]*Arch. Camb.*, LXXVII, tt. 342-4 ; LXXVIII, tt. 292-3.
[10]*Proc. Royal Irish Academy*, XLV, C., tt. 139-145.

Hyd y gwyddys, nid oes ar gadw unrhyw aradr, neu ddarn ohoni, a fu'n arloesi meysydd Prydain yn niwedd Oes y Pres. Fel y cawn weld, fe gafwyd hyd i arnodd aradr o deip Døstrup mewn mawnog yn neheu'r Alban ; ond ni ellir ei hamseru. Darganfuwyd hefyd ddau erfyn pres[1] yr awgrymwyd eu bod yn sychau erydr ; ond ni ellir derbyn yr awgrym a seiliwyd ar eu tebygrwydd arwynebol i sychau modern. Cytunir mai llwythau Celtaidd a ddaeth â'r diwylliannau defnyddio haearn i Brydain tua'r cyfnod 500 C.C., a sychau haearn eu herydr hwy ydyw'r rhannau-aradr cynharaf y gellir eu hamseru a ddarganfuwyd yma hyd yn hyn. Gwyddys i'r newydd-ddyfodiaid barhau i drin hen feysydd Oes y Pres, a chafwyd rhai o'u sychau ynddynt. Cafwyd esiamplau eraill o drigfannau a berthyn i Ddiwylliannau Oes Gynnar yr Haearn A a B. Ffynnodd y diwylliannau hyn hyd ar ôl y goresgyniad Rhufeinig gan gyd-oesi â diwylliant newydd Oes yr Haearn C a ddaeth yma gyda llwythau Celtaidd eraill tua 50 C.C. Oherwydd hyn gall y sychau hyn amrywio yn fawr yn amseryddol, ond eu teip yn hytrach nag ystyriaethau amseryddol sy bwysig yma. Dangosir yn Ffigur 6, rhif 1-7 a 10-13, ddetholiad o'r sychau hyn. Amrywiant mewn hyd o $17\frac{1}{4}$ i $4\frac{1}{2}$ o fodfeddi ac mewn lled o $2\frac{1}{4}$ i $1\frac{1}{4}$, ond y mae'n sicr mai hir-weithio yn y pridd a gyfrif am fychander rhai ohonynt.

Parodd culni'r sychau hyn o'u cymharu â rhai diweddarach i archaeolegwyr yn gyffredin dybio fod yr erydr y perthynent iddynt yn offer digon gwael. Yn eu barn hwy ni allasai swch mor gul ond prin grafu rhigol yn y pridd, heb sôn am dorri cwys.[2] Tybiasant ymhellach fod culni'r sychau hyn yn rhannol esbonio paham yr oedd y meysydd cynnar Celtaidd ar ffurf ysgwâr, neu yn llydan ac ystyried eu hyd. Gwnaed y meysydd yn ysgwâr, meddant hwy, oherwydd na allai'r sychau cul gynhyrchu digon o âr heb groes-aredig, ac er mwyn cael digon o le i aredig felly o ddau gyfeiriad rhaid oedd llunio meysydd tebyg eu hyd a'u lled. Dyna ran o'u hesboniad. Dibynna'r

---

[1]Mae'r naill yn Hull Municipal Museum. Darlunnir ef yn *The North Western Naturalist*, Sept. 1941, Pl. 19, No. 29. Yn Amgueddfa Maidstone y mae'r llall.
[2]Dylid sylwi wrth basio y rhagdybia'r archaeolegwyr hyn fod pobl yr oesoedd bore bob amser a'u bryd ar droi'r tir yn union fel y troir y tir yma yn y cyfnod diweddar. Ni wawriodd arnynt y gallasai fod cyfnod pan alwai hinsawdd a phridd Prydain am driniaeth amgen.

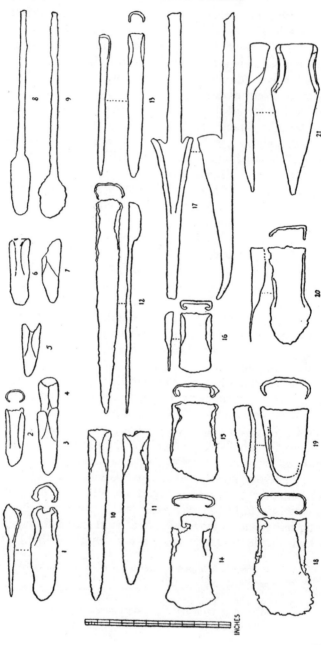

Ffigur 6. Sychau. Oes Gynnar yr Haearn : 1 - 13. Oes yr Haearn C : 14 - 15. Y Cyfnod Rhufeinig : 16 : 21.

(*Trwy ganiatâd The Archaeological Journal*)

rhan arall ar yr ychen gwedd a oedd yn tynnu'r aradr. Tybir, ar sail yr hyn a welir yn *rhai* o gerfiadau Oes y Pres ac ar sail y ddamcaniaeth mai erydr ysgeifn yn trin wyneb tir ysgafn a geid yn ddieithriad yn yr oesoedd bore, mai dau ych yn unig a ieuid wrth bob aradr. Y ddau ych hyn a oedd gyfrifol am y ffaith mai meysydd ysgwâr *bychain* a oedd yn arferol. Ategir y ddamcaniaeth hon drwy gyfeirio at Columella, traethodydd amaethyddol Rhufeinig, a ddywed fod cwys 120 troedfedd yn ddigon hir i ddau ych ei thynnu heb aros i orffwys ennyd. Felly mynn pleidwyr y ddamcaniaeth dwt hon fod y meysydd Celtaidd yn ysgwâr am fod swch yr aradr yn wael a'u bod yn fychain am fod gwedd yr aradr yn wan.

Y mae'r ddamcaniaeth yn argyhoeddiadol *os* caeir allan rhan o'r dystiolaeth berthnasol ac os yw gwybodaeth y damcan-wr am aredig ac am erydr a'u sychau yn brin. Onide ni all sefyll. Mewn erthygl[1] a sgrifennwyd cyn gwybod am y darganfyddiadau yn Denmarc yn ystod y rhyfel, ymosodais ar y ddamcaniaeth uchod gan ddwyn gerbron dystiolaeth a anwybyddwyd. Cyfeiriais, er enghraifft, at feysydd sy'n mesur teirgwaith a phedair gwaith yn hwy nag y caniatâ'r ddamcan-iaeth iddynt fod, at y cerfiadau o Oes y Pres sy'n darlunio mwy na dau ych mewn gwedd aradr, ac at y ffaith fod sychau cul ar arfer hyd y cyfnod diweddar a'u bod yn berffaith gymwys at eu gwaith. Erbyn hyn y mae'r darganfyddiadau diweddar a nodwyd uchod yn gosod y mater tu hwnt i amheuaeth. Gwyddom yn awr fod gan y naill deip o aradr a fyddai'n croes-aredig swch ddigon mawr a llydan i dorri cwys wrth fodd unrhyw archaeolegydd. Gyda golwg ar y teip arall lle gwasanaetha'r gwadn fel swch, gwelir yn Narlun II y gellir cynhyrchu digon o âr ag ef. Ymddengys i mi fod y rheswm dros groes-aredig cyson yng ngogledd Ewrop yn Oes y Pres i'w gael yn yr amgylchiadau hinsoddol cyfamserol. O'u herwydd yr oedd yn rhaid troi a throsi'r pridd dro ar ôl tro fel na chollid ei leithder a'i faeth. Ac nid oedd gwell ffordd o wneuthur hyn nag aredig croesymgroes. Yr oedd, bid sicr, dau reswm ychwanegol dros fod synnwyr cyffredin a phrofiad amaethwr y cyfnod o blaid y dechneg hon. Yn gyntaf, hyd y

---

[1] 'The Plough in Ancient Britain', *Arch. Journal*, CIV, tt. 82—111.

gwyddys, nid oedd ganddo ogedi brathog, a'r aradr ei hun a fyddai'n malurio'r pridd ; yn ail, pan fo gwrtaith yn brin (a rhaid ei fod yn brin yn ôl y dull y cedwid da byw y pryd hynny) y mae trin ac ail-drin y pridd yn cyflenwi rhyw ychydig ar y diffyg. Felly, fe ymddengys yn eglur fod y meysydd Celtaidd yn tueddu at ffurf ysgwâr am y rheswm syml fod croes-aredig yn arferiad amaethyddol o werth arbennig yn y cyfnod. Ni bu'n rhaid wrtho am fod sychau yn gul a'r wedd yn wan, ond yn hytrach fe alwai amgylchiadau amdano. Techneg amaeth-yddol a oedd yn gyfrifol am siâp y maes, nid diffyg ar yr offer a'r ychen.[1]

Credaf ei bod yn bryd inni bellach beidio â synied am sychau cul Oes Gynnar yr Haearn fel arfau 'cyntefig' gwael. Rhaid o leiaf eu derbyn fel ychwanegiadau defnyddiol at erydr a fuasai'n gymwys i drin gwahanol fathau o briddoedd yn y gorffennol. Disgwylid cael bod techneg aredig yn newid ar ôl dyfodiad hinsawdd wlyb Oes yr Haearn a bod gofyn am erydr â mwy o frath ynddynt. Nid ' cyntefig ' mo'r sychau hyn ynteu, ond gwelliant neu gyfaddasiad at amgylchiadau newydd sydd â'i le mewn cyfres o ddyfeisiau megys y swch bigfain, y swch saeth, yr arnodd fer a'i chlust seml, y gwadn gwastad, a'r gwadn â cherrig traul ynddo. Ni ellir credu y darfu am egni dyfeisgar y gorffennol mewn cyfnod pan ledaen-wyd gwybodaeth am y metel sydd, yn anad yr un defnydd arall, yn gwthio ei gymwysterau amaethyddol ar bawb a drino'r tir.

Yn wir, ceir tystiolaeth bendant fod amaethwyr Prydain Oes yr Haearn yn defnyddio'r metel newydd ar gyfer techneg newydd, ddisgwyliedig, o drin tir. Dyfeisio neu fabwysiadu'r cwlltwr, er enghraifft. Fel y sylwyd uchod, cymerwyd cam yng nghyfeiriad y cwlltwr pan ddyfeisiwyd sychau bâr erydr teip Døstrup yn niwedd Oes y Pres ; ond yn awr, yn Oes yr Haearn, ceir tystiolaeth fod y gwir gwlltwr ar gael ym Mhrydain cyn dyfod llwythau'r Belgae tua 50 C.C. Gelwais sylw dro yn ôl[2] at gwlltwr o ffurf gyntefig a ddarganfuwyd ynghyd â dwy swch gul o deip Oes Gynnar yr Haearn yng Nghaer Bigbury yng Nghaint (Ffig. 7, Rhif 1, a Ffig. 6, Rhif 10-11). Fel y gwelir, y

---

[1] Parhawyd i groes-aredig yn ôl fel y bu raid hyd heddiw, bob amser oherwydd rhyw reswm ymarferol ynglŷn â'r pridd.

[2] ' The Plough in Ancient Britain,' *Arch. Journal*, CIV, td. 92.

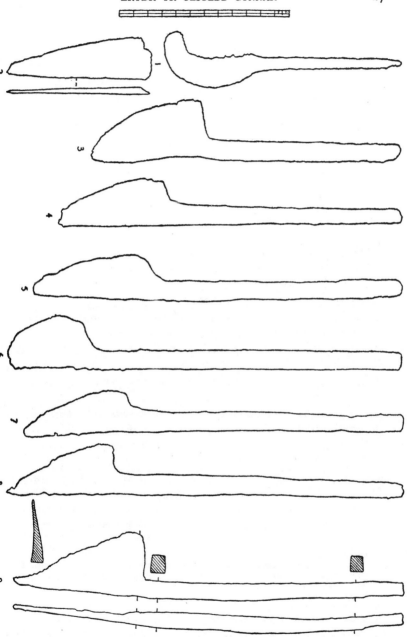

Ffigur 7. Cylltyrau. Oes Gynnar yr Haearn : 1. Oes yr Haearn C : 2 (*Anghyflawn*).
Y Cyfnod Rhufeinig : 3 - 9.

(*Trwy ganiatâd The Archaelogical Journal*)

mae'r cwlltwr hwn ar ddelw cyllell grom neu filwg ac fe
ddichon mai'r offeryn olaf hwn a awgrymodd ei ffurf. Sut
bynnag am hynny, y mae'r cwlltwr hwn yn dra annhebyg o ran
ffurf a phwysau i holl gylltyrau Diwylliant Oes yr Haearn C a'r
cyfnod Rhufeinig. Ar wahân i hynny, dengys y sychau a
gafwyd gydag ef ei fod yn perthyn i'r Diwylliant haearn
cynharach. O'r herwydd y mae iddo bwysigrwydd mawr,
canys arwyddocâd y cwlltwr yn gyffredinol yw nad malurio'r
pridd yn null 'amaethu sych' (ag arfer term modern) a geisir,
ond fod ymdrech i dorri'r tir yn gwysi a chodi'r pridd i
fyny i'r heulwen a'r awyr. A phan fo'r cwlltwr yn newydd-
ddyfodiad, fel yr oedd ym Mhrydain yn Oes Gynnar yr
Haearn, y mae'n arwydd fod y tir yn wlypach nag a fuasai
gynt, a bod dull newydd o aredig ar arfer.

Y mae'n bosibl fod teip arall o swch ar gael ym Mhrydain
yn Oes Gynnar yr Haearn, sef swch â cholsaid hir yn lle soced.
O leiaf dyna'r esboniad a gynigiais i[1] ar nifer o wrthrychau
haearn a ddarganfuwyd yng Nghaer Hunsbury, swydd
Northampton (Ffig. 6, Rhif 8-9). Rhaid imi gyfaddef, fodd
bynnag, nad wyf yn hollol sicr yn eu cylch, er bod tystiolaeth
bendant erbyn hyn fod y teip o aradr a ddefnyddiai'r teip hwn
o swch ar gael ym Mhrydain. Tua'r flwyddyn 1870 y darganfu-
wyd y dystiolaeth pan ddaethpwyd ar draws arnodd aradr o
deip Døstrup (Darlun III) mewn mawnog ger Lochmaben yn
swydd Dumfries. Ni sylweddolwyd bod hyn yn ddarganfyddiad
pwysig ac nis cyhoeddwyd.[2] Ac oherwydd amgylchiadau'r
darganfyddiad ni ellir amseru'r arnodd bellach. Dylid cyfeirio
hefyd at wrthrych arall a all fod yn arnodd anorffenedig o'r un
teip a ddarganfuwyd yn Ynys Afallon.[3] Ymddengys yn lled
sicr hefyd fod teipiau eraill o erydr ar gael ym Mhrydain yn
Oes Gynnar yr Haearn. Mae'n eglur, er enghraifft, mai erydr
â gwadn gwastad fel eiddo teip Walle a ddefnyddiai'r sychau
cul socedig. Cesglir hefyd fod yma erydr o deip Tømmerby

---

[1]*ibid*, td. 93.
[2]Bu'r arnodd yn amgueddfa Kirkcudbright am flynyddoedd. Yn 1950 fe'i
trosglwyddwyd i'r Burgh Museum, Dumfries. Dymunaf ddiolch i Mr. A. F.
Truckell, Ceidwad yr Amgueddfa, ac i Mr. Stuart Maxwell o'r National Museum
of Antiquities of Scotland am dynnu fy sylw at yr arnodd hon ac am dynnu
lluniau ohoni i mi.
[3]Bulleid and Gray, *The Glastonbury Lake Village* (1911), I, Ffig. 131.

oherwydd darganfod caregos o greigrisial a challestr o'r math
neilltuol a ddefnyddid i amddiffyn gwadnau'r teip hwnnw.
Wrth ymlusgo yn erbyn y rhych treuliwyd y cerrig-traul hyn
mewn rhyw ddull neilltuol a gwnaed arnynt grafiadau
nodweddiadol hefyd. Darganfuwyd cryn nifer o garegos sy'n
dwyn y nodau hyn yn swyddi Efrog a Chaerlwytgoed[1] ac fe
gafwyd esiamplau eraill o ddehau'r Alban.[2] Ymddengys na
ellir amseru'r rheiny o swyddi Efrog a Chaerlwytgoed, ond daw
rhai o'r lleill o'r pridd uwchben safleoedd Rhufeinig. Gwelir
felly fod y dystiolaeth, er prinned yw, yn awgrymu'n gryf fod y
tri theip o aradr gynnar y Cyfandir ar gael ym Mhrydain hefyd.
Darganfuwyd ychydig o ieuau ychen cynnar hefyd, yn enwedig
yn yr Alban, ac y mae'n dra thebyg fod un ohonynt[3] o leiaf yn
gynhanesiol. Offeryn arall perthynol i'r ychen gwedd oedd

Ffigur 8. Cethrau Gwiail Galw
1 - 4, Ynys Afallon. 5, Llyswyrny. 6, Traprain Law.

[1]*Proc. Prehist. Soc.* (1938), td. 339.
[2]Dyledus wyf i Mr. R. B. K. Stevenson, Ceidwad y National Museum of
Antiquities of Scotland am dynnu fy sylw at y rhain.
[3]Sef Rhif MP 219 yng nghasgliad y National Museum of Antiquities of Scotland.

cethr gwialen-alw y geilwad. Â'r offeryn hwn y symbylid yr
ychen. Darganfuwyd cryn nifer o'r cethrau hyn. Dangosir yn
Ffigur 8 rai a ddarganfuwyd yn Ynys Afallon, trigfan a berthyn
i Ddiwylliant Oes Gynnar yr Haearn B, ynghyd ag esiamplau
eraill o Lyswyrny, Morgannwg (Oes Gynnar yr Haearn C) ac o
Traprain Law yn yr Hen Ogledd (Cyfnod Rhufeinig).

Gyda'r meysydd a'r sychau a'r cylltyrau a gweddillion gêr y
geilwad yr ymdrinwyd â hwynt uchod y mae hanes aradr y
Cymry yn dechrau. Perthyn y gair Cymry a'r syniad·sydd tu ôl
iddo i gyfnod diweddarach, wrth gwrs ; ond ni ellir gwadu nad
yn llwythau Celtaidd Oes yr Haearn a'u Diwylliannau hwy y
ceir gwreiddiau ein cenedl ni a gwreiddiau ein diwylliant
materol ni hefyd. Un o'r llwythau Celtaidd hyn oedd y Belgae.
Daethant hwy i Brydain rywbryd tua 50 C.C. A barnu wrth yr
enwau personol a geid yn eu plith, Brythoneg oedd eu hiaith.
Arhosodd nifer o'r enwau hyn yn yr iaith ar ôl iddi droi'n
Gymraeg. Er enghraifft, troes yr enw Cassivellaunus yn
Caswallon, Caratacus yn Caradog, Cunobelin yn Cynfelyn,
Dubnovellaunus yn Dyfnwal. Anodd osgoi'r casgliad fod
cyfraniad y llwyth hwn at ein diwylliant yn un pwysig. Mae'n
sicr fod eu cyfraniad at amaethyddiaeth a'i hoffer o'r pwys
mwyaf. Daethant yma â sychau a chylltyrau o deipiau newydd
a allai droi'r priddoedd trymaf. Rhai llydain oedd sychau eu
herydr hwy (Ffig. 6, Rhif 14-15) er bod ar gael esiampl
(Rhif 16) o Gaer Fuddai (Silchester)—a amserir yn y cyfnod
Rhufeinig—sydd mor gul â rhai y Diwylliannau cynharach.
Yr oedd y cylltyrau Belgaidd yn fawr a thrwm, a hwy yw
cylltyrau nodweddiadol y cyfnod Rhufeinig (Ffig. 7, Rhif 2-9).
Tystiolaethir gan y man lle darganfuwyd y llafn cwlltwr
(Rhif 2) fod y llwyth Belgaidd yn aredig y tir mewn lleiniau
hirgul yn lle caeau cyfonglog yr ymsefydlwyr cynharach.

Y mae'n rhaid oedi ychydig gyda'r meysydd newydd hyn
oherwydd eu maglu hwythau yn y ddamcaniaeth yr ymdrin-
iwyd â'i naill hanner uchod, sef mai teip neu effeithioldeb yr
aradr a benderfyna siâp y maes. Yn awr, megys y ceisiwyd
profi mai erydr gwael a gweddoedd gwan a benderfynodd ffurf
y meysydd 'Celtaidd', felly hefyd y ceisiwyd profi mai erydr
da ac effeithiol a gweddoedd cryfion a benderfynodd y meysydd
hirgul. Fel hyn : Daethpwyd ag aradr o deip newydd i'r ynys

hon—aradr fawr, drom, olwynog â chanddi ystyllen-bridd.[1]
Oherwydd bod gan yr aradr hon swch lydan yn ogystal ag
ystyllen-bridd medrid troi cwys ddofn â hi. Oherwydd y gŵys
fawr hon a phwysau mawr yr offeryn ei hun yr oedd yn rhaid
ieuo wyth o ychen yn y wedd. I hyn oll yr oedd tri chanlyniad
anorfod : (1) Yr oedd yr aradr mor gymwys at ei gwaith fel
nad oedd rhaid aredig croesymgroes â hi : aredig unwaith a
wnâi'r tro a chael âr perffaith. Felly nid oedd rhaid wrth
faes llydan. (2) Gallai'r wyth ych dynnu'r aradr bedair gwaith
ymhellach nag y gallai'r hen wedd ddau ych. Felly nid oedd
rhaid wrth faes byr. (3) Tipyn o dasg oedd troi aradr fawr
drom ac wyth o ychen ar y dalar, ac fe gymerai gryn dalar i'w
troi arni. Felly rhaid oedd troi mor anaml ag y gellid a chael
maes digon hir ar gyfer hyn ac ar gyfer talarau mawr. Canlyn-
iad y canlyniadau hyn oedd i'r aradr newydd gerfio iddi ei hun
yr unig fath o faes cymwys at ei rhagoriaethau. A dyna yn dwt
ac yn daclus sut y cafwyd (yn ôl y ddamcaniaeth) y maes hirgul.

Y mae drycsawr y fyfyrgell ar y ddamcaniaeth hon. Nid
oes lle ynddi nac i'r pridd nac i'r hinsawdd nac i'r hen amaeth
a wybu ddiwyllio'r anialwch : y peiriant a fu'n creu fel *robot*
anystywallt a'r peiriannydd truan yn dilyn yn ei sgil o dalar i
dalar bell yn ddiolchgar mai yn anaml y gofynnid iddo
ymgodymu â'i droi yn ei ôl. Credaf y dylid ceisio esboniad
mwy credadwy, gan ddechrau ymhellach yn ôl na dyfeisiad
unrhyw deip newydd o aradr. Dechrau, er enghraifft, gyda'r
rheswm dros geisio teip newydd o *aredig*. Dechrau gyda'r
angen am drin y pridd mewn dull newydd a'i droi yn gwysi
solet yn hytrach na chyda rheidiau dychmygol yr offeryn a
ddyfeisiwyd ar gyfer hynny.

Cofir mai'r hinsawdd yn bennaf a oedd wrth wraidd techneg
malurio'r pridd yn Oes y Pres, ac os edrychir o gwmpas y byd
heddiw gwelir bod yr un hen dechneg a'r un hen erydr yn dal
eu tir mewn gwledydd poeth. Ond yng ngogledd Ewrop fe
ddirywiodd yr hinsawdd yn niwedd Oes y Pres.[2] Lle buasai

---

[1]Ymddengys mai J. B. P. Karslake (*Antiq. Journal*, XIII, tt. 458-9) a awgrymodd
gyntaf fod olwynion gan erydr y Belgae ; ond ni ellir profi hyn (*Arch. Journal*,
CIV, td. 96). Nid oes tystiolaeth i'r ystyllen-bridd ychwaith, ond fel y gwelir yn
nes ymlaen mae'n debyg fod y chwelydr (Ffig. 1, Rhif 15) ar gael, ond nid yr un
peth yw hwnnw.

[2]Gweler yr Atodiad i'r bennod hon.

rhaid gofalu na chollid lleithder y pridd wrth ei drin, bellach y gamp oedd cael gwared o rywfaint o'r dŵr gormodol a throi'r pridd i fyny at yr heulwen brinnach. Yr oedd yn rhaid i'r amaethwr gefnu ar ddulliau ' amaethu sych,' ac y mae'n bosibl olrhain peth o'i ymbalfalu tuag at ddulliau amgenach. Crybwyllwyd eisoes am y cyfnewidiadau arwyddocaol yn yr erydr : y glust at reoli dyfnder y gŵys ; a swch-far bren sy'n rhagredegydd y cwlltwr ; y cwlltwr haearn cynnar ei hun ; cylltyrau trwm y Belgae. Rhaid troi'n ôl at y rhai olaf am ennyd (Ffig. 7). Gwnaed llafnau'r cylltyrau hyn drwy forthwylio'r bâr haearn, a ffurfia'r golsaid, ar un ochr yn unig. Effaith hynny oedd gosod min y llafn i'r neilltu. Weithiau drwy blygu'r llafn i gyd ychydig ymhellach i'r un cyfeiriad trefnwyd bod y min tuhwnt i arwynebedd y golsaid (Ffig. 7, Rhif 9).

Cynlluniwyd y cylltyrau yn y modd hwn fel y gallent dorri mor bell ag oedd bosibl tuag at lanseid (Ffig. 1, Rhif 7) yr aradr. Dengys hyn yn eglur drefniant pendant ar gyfer troi'r gŵys i ochr arall yr aradr—ochr y rhych—bob amser.[1] Dengys y trefniant ei hun yn ei dro fwriad yr arddwr, sef codi grynnau.[2] Wrth godi grynnau cesglir cwysi solet o gwmpas cefnau, gan adael rhych rhwng pob grwn â'i gilydd. Dyna'r dull arferol o aredig yma heddiw, wrth gwrs, ond yr hyn a ddymunir ei bwysleisio yw nad erddir yn y dull hwn ond lle bo'r hinsawdd yn oer ac yn wlyb, lle bo'r pridd yn llaith a'r haul heb fod yn danbaid. Tystiolaeth ychwanegol y cylltyrau hyn, ynteu, yw fod yr hinsawdd wedi newid. Dyna'r *rheswm* dros gael dull newydd o aredig a threfnu'r erydr ar ei gyfer. A'r dull newydd ac nid unrhyw newid yn yr offer a effeithiodd ar ffurf y maes. Bellach yr amcan wrth aredig oedd agor y pridd a'i godi a'i adael i'r awyr a'r heulwen,—nid ei fynych-falurio o bob cyfeiriad. Felly collasai croes-aredig ei hen bwysigrwydd ac

[1]Term cyfleus i wahaniaethu rhwng aradr fel hon a'r rhai a'i rhagflaenodd yw ' aradr un-ochr.' Gelwir yr aradr gynharach yn ' aradr un-ffordd ' oherwydd trefn y cwysi ar y maes (td. 16, Nodiad 3). Gelwir aradr y Belgae (a'n haradr nodweddiadol ni heddiw hefyd) yn aradr un-ochr oherwydd mai ag un o'i hochrau yn unig y troid y gŵys. Gellir cyferbynnu'r ddwy aradr fel hyn : Troir cwysi aradr un-ffordd i'r llaw dde ac i'r llaw chwith ac fe orweddant ar y maes yn yr un cyfeiriad. Troir cwysi aradr un ochr i'r llaw dde yn unig ac fe orweddant ar y maes mewn dau gyfeiriad.

[2]Datguddiwyd olion grynnau Oes yr Haearn a'r Cyfnod Rhufeinig gan ffotograffiaeth o'r awyr. Rhai hir, o 500 troedfedd i 1000 troedfedd, ydynt. Gweler Crawford a Keiller, *Wessex from the Air*, Plates XIX, XX, XXII.

Darlun V.

Aradr, rhan olaf y ddegfed ganrif.

(Trwy ganiatâd yr Amgueddfa Brydeinig)

Darlun VI.   Aradr, tua 1340.   O Sallwyr Luttrell.

(Trwy ganiatâd Yr Amgueddfa Brydeinig)

oherwydd hynny peidiodd lled y maes a bod mor bwysig. Felly wrth dorri a diwyllio darn newydd o dir gellid estyn hyd y maes ar draul ei led a thrwy hynny lleihau'r amser a gollid ar y talarau. Canlyniad yr ennill damweiniol hwn oedd fod cwysi'r erw yn hwy ac yn llai niferus, hynny yw fod y maes yn hirgul.

Dyna f'esboniad i. Yn namcaniaeth yr archaeolegwyr llwyr-anwybyddir ffaith sylfaenol yr hinsawdd ac ni chanfyddir ymateb deallus yr amaethwr iddi.[1] Yn lle hynny gwelir dyfais yn rheoli'r dyfeisydd. Ceir y gert o flaen y ceffyl bob tro, a thrinir effaith fel achos. Gorsymleiddio fydd pob esboniad ar broblem ddyrys. Gan hynny rhaid pwysleisio na ddaeth y maes hirgul yn ffasiwn pawb ar unwaith. Gwyddys na newidiwyd ffiniau hen gaeau a oedd wedi eu hen sefydlu. Gwyddys hefyd i gaeau newydd gael eu ffurfio ar y cynllun hynafol ar ôl dyfod dulliau newydd aredig. Ond, fel y gŵyr pawb, gellir camp newydd ar hen lwyfan ac felly yn ddiau yr oedd gynt.

Mae'n bryd yn awr droi at erydr llwythau eraill y Brythoniaid. Sychau mawr, tebyg i rai'r Belgae, a ddefnyddid gan Frythoniaid yr Hen Ogledd yn y cyfnod Rhufeinig (Ffig. 6, Rhif 18-20). O Eckford, swydd Roxburgh, ac o Blackburn Mill, swydd Berwig, y daw Rhif 18 a 19, ac o gaer Traprain Law, swydd Haddington, y daw Rhif 20.[2] Yr oedd y gaer hon yn un o 'drefi' pwysig Lleuddinawn. Fe'i cyfanheddwyd o Oes y Pres ymlaen, ac fe ddywedir mai yma y preswyliai Lleuddwn Lluyddawg.[3] Y mae ar gael hefyd esiampl arall (nas darlunnir) o Oxnam, swydd Roxburgh.[4] I'r cyfnod 150—200 O.C. y perthyn y tair swch a enwyd gyntaf ac fe welir eu pwysigrwydd yn hanes yr aradr Gymreig pan sylwedd-olir mai yng ngwlad llwyth y Gododdin y cafwyd hwy. Oddi yma tua'r flwyddyn 395 y daeth Cunedda a'i feibion i ym-sefydlu yng Ngwynedd, ac, fel y gŵyr pawb, cenedlaethau

---

[1] Arwydd arall o'r newid hinsoddol yw ymddangosiad y bladur yn ystod Oes yr Haearn. Gyda dirwyiad y tywydd aeth porthi anifeiliaid yn broblem ac fe ddatblygwyd y bladur fel offeryn cymwys i ladd llawer o wair yn gyflym. Byddai porthi da dan do yn y gaeaf yn achos ychwaneg o dail i'r meysydd âr a thrwy hynny yn achos ychwanegol dros beidio â chroes-aredig.

[2] *Proc. Soc. Antiq. Scotland*, LXVI, tt. 315, 366, a LVIII, td. 255.

[3] *Map of Britain in the Dark Ages, North Sheet* (1938), td. 16.

[4] *Berwickshire Naturalists Club*, XXVII, td. 104. Ymdriniaeth anfoddhaol. Mae'r swch ar gadw yn y National Museum of Antiquities of Scotland.

diweddarach y llwyth hwn a'r llwythau cyfagos a gynhyrchodd y farddoniaeth Gymraeg hynaf a'r traddodiadau Cymreig hynaf sydd ar gael. Cynrychiolir dwy ffurf ymhlith y sychau hyn. Y mae ffurf yr esiamplau o Eckford, Traprain, ac Oxnam yn debyg i rai La Téne III o'r cyfandir[1] ac i eraill o Iwerddon na ellir eu hamseru.[2] Ymddengys i'r teip oroesi'r cyfnod Rhufeinig gan fod y dystiolaeth am swch Oxnam yn awgrymu ei bod hi yn perthyn i ddechrau'r Oesoedd Tywyll. Parhaodd ffurf y swch o Blackburn Mill am gyfnod maith hefyd canys fe ddarganfuwyd esiampl debyg yng nghaer Leacanabuaile yn Iwerddon[3] a berthyn i'r Oesoedd Tywyll. Dengys y sychau hyn fod erydr Brythoniaid yr Hen Ogledd yn hollol gymwys at ofynion amaethu yr oes ac fe ddengys blaenau irai a gafwyd ym Mumrills ym Manaw Gododdin, a Traprain yn Lleudd-inawn (Ffig. 8) a Newstead (Trimontium llwyth y Selgovae) mai ag ychen y tynnid yr erydr. Ni soniaswn am beth mor amlwg â'r ychen gwedd onibai fod rhai archaeolegwyr a gamarweiniwyd gan un o'r Trioedd ffug yn credu na thynnwyd erydr y Cymry gan anifeiliaid tan y bumed ganrif O.C. ![4] Parthed teip yr erydr ni wyddys dim i sicrwydd. Fel y dywed-wyd yn barod, darganfuwyd cerrig traul o wadnau erydr teip Tømmerby yn yr ardaloedd hyn, ond nid oes modd eu hamseru yn fanwl. Gan hynny ni ellir hawlio yn bendant mai i erydr o'r teip hwnnw y perthyn y sychau uchod. Darganfuwyd rhai o'r cerrig ar safleoedd caerau Rhufeinig Newstead ac Inveresk, felly y mae'n bosibl fod erydr o'r teip ar gael yno yn y cyfnod ; ond ni ellir bod yn fwy pendant na hynny.

A throi o'r Hen Ogledd at ein Gogledd ni heddiw. Y mae ar gadw esiampl ddiddorol o swch a ddarganfuwyd dan seiliau Castell Diserth, sir y Fflint (Darlun IV). Trigiannwyd ar y man lle saif y castell canoloesol yn fore. Bu trigolion yno yn yr Oes Neolithig, yn Oes y Pres, ac yn ystod y drydedd ganrif O.C. Awgrymir yn gryf gan y man y cafwyd y swch mai i'r drydedd ganrif y perthyn.[5] Y mae nodweddion y swch ei hun hefyd o

---

[1]Déchelette, *Manuel D'Archéologie* (1914), td. 1379, Rhif 2-3.
[2]*Journal Royal Soc. Antiq. Ireland*, LXXIV, Pt. III, Ffig. 5, Rhif 1-2.
[3]*ibid*, Rhif 3.
[4]E. C. Curwen, *Air-photography and the Evolution of the Cornfield* (1938), td. 24 ; *Plough and Pasture* (1946), td. 75.
[5]*Arch. Camb.* 1915, td. 66.

blaid ei hamseru yn y cyfnod hwnnw. Er bod rhan o'i soced ar goll a'i phig wedi ei phlygu mae'r swch yn ddigon cyflawn i ddangos na chyfetyb ym mhob dim ag unrhyw swch a ddangosir yn Ffigur 6. Er hynny fe geir ei phrif nodwedd—pig hir gref— ar yr esiampl ' frodorol ' o Bloxham (Rhif 13) ac ar honno o *villa* Box (Rhif 17). Mae'n wir bod pigau hir i'w cael ar sychau diweddarach ond y maent hwy yn wahanol eu gwneuthuriad, yn fwy *streamlined* ys dywedir. Y mae'r gyfatebiaeth rhwng pigau swch Diserth a'r ddwy arall a enwyd yn gyfryw fel na ellir amau mai i'r un cyfnod y perthynant. Mae'n werth sylwi fel y ceir y fath nodweddion neilltuol ar offer aredig y trigfannau ' brodorol ' a'r rhai ' Rhufeinig ' yn ddiwahaniaeth.

Cyfyd y cwestiwn, a oedd unrhyw wahaniaeth hanfodol rhwng erydr y 'brodorion ' ac erydr y ' Rhufeiniaid ' ? Ofer yw rhagdybied y dylasai offer y goresgynwyr ymerodrol fod yn ' well ' na'r lleill. Fel y pwysleisiwyd droeon yn y llyfr hwn, y tywydd a gofynion y pridd a reolai'r offer aredig. Gwelsom yn barod nad yw sychau Belgae'r deheudir yn ' well ' na sychau Gododdin y Gogledd. Os cymherir hwynt â'r swch o Lundain Rufeinig (Ffig. 6, Rhif 21) ni welir rhagoriaeth yn yr olaf. Gwelir cyfaddasu ei phig ar gyfer pridd caregog, ond odid, ond nid yw cyflwr y lleill yn ddigon da inni fedru eu cymharu â'i gilydd yn fanwl. Gwelsom eisoes nodwedd sydd gyffredin i sychau ' brodorol ' Diserth a Bloxham ac i swch *villa* Box. Hyd y gwyddys ni ddarganfuwyd eto esiampl o gylltyrau'r Hen Ogledd, ond nid oes gwahaniaeth rhwng cwlltwr cynharaf y Belgae a'r enghreifftiau ' Rhufeinig ' o *villa* Great Witcombe (Ffig. 7, Rhif 9) ac o Great Chesterford,[1] Essex. Darganfuwyd darlun o aradr o deip Walle mewn llawr brithwaith *villa* yn Ynys Wyth.[2] Fe'i gwnaethpwyd rywbryd yn y cyfnod 50—350 O.C. Darganfuwyd model pres o aradr o'r un teip mewn bedd o'r un cyfnod yn Sussex.[3] Ceir hefyd fodel pres arall o'r un cyfnod eto a ddarganfuwyd yn Piercebridge, swydd Caerweir ; ond y mae'r model hwn yn debycach i deip Døstrup[4]. Ond, fel

---

[1] *Arch. Journal*, XIII, td. 6, Pl. 2.
[2] Ceir copi o'r darlun yn Passmore, *The English Plough* (1930), td. 66.
[3] Cedwir y model yn yr Amgueddfa Brydeinig. Fe'i darlunnir yn *Arch. Journal*, CIV, td. 97.
[4] Cedwir y model yn yr Amgueddfa Brydeinig.

y gwelsom yn barod, yr oedd y teipiau hyn ar gael ym Mhrydain cyn y cyfnod Rhufeinig. Perthyn diddordeb arbennig i'r model o Sussex, fodd bynnag, gan fod iddo chwelydr ar bob ochr. Dyma'r dystiolaeth ddiriaethol gynharaf i'r chwelydr ym Mhrydain ; ond eto, y mae'r grynnau cynnar y soniwyd amdanynt uchod eisoes wedi tystiolaethu i'r angen am y fath ychwanegiad i'r aradr, oni phrofant fodolaeth y peth ei hun. Rhaid sylwi, fodd bynnag, nad model o aradr y dull newydd o amaethu sydd yma. Nid oes iddo gwlltwr. Yr hyn a awgrymir gan y darlun a'r modelau Rhufeinig yw fod dau hen deip yn dal eu tir a bod pobl yn eu cymhwyso fel y byddai rhaid. Profir gan golsaid swch Box yr arferid y naill deip, teip Døstrup, ar dir *villa*. Profir gan gwlltwr Great Witcombe yr arferid erydr y Belgae hefyd ar dir *villa*. Felly, yr unig ateb i'n cwestiwn a ganiateir gan y dystiolaeth yw y defnyddid yr un teipiau o erydr ym meysydd y ' brodorion ' a'r ' Rhufeiniaid ' yn ddiwahaniaeth. Ond, a bwrw nad oedd gan y goresgynwyr offer aredig newydd i'w cyfrannu at amaethyddiaeth Prydain, a ellid dysgu ganddynt ddulliau gwell o drin y tir ? A gafodd eu hystadau *villa* ddylanwad llesol ar yr amaethyddiaeth frodorol ? Os do, a gyfyngwyd y dylanwad hwnnw i ddeheu Prydain yn unig ? Yr oedd yr ystadau *villa* yn llawer mwy niferus yn neddwyrain yr ynys nag yn y gweddill, ond nis cyfyngwyd hwy i'r rhan honno. Darganfuwyd eisoes olion hanner cant ohonynt tu hwnt i'n llinell ddychmygol o enau Hymyr hyd enau Hafren,[1] ugain ohonynt yng Nghymru a'r gororau. Felly os oedd rhyw fudd amaethyddol newydd i'w gael o esiampl y sefydliadau hyn nid oedd yn rhaid i'r gogledd a'r gorllewin fod heb gyfran ohono. Nid gwelliant, wrth gwrs, fuasai adfer rhai o ddulliau dehau Ewrop. Darfuasai am y rhain yma yn ôl gofynion yr hinsawdd. Ond fel enghraifft o welliant Rhufeinig, cymerer yr odyn grasu. Cyn dyfod y Rhufeiniaid fe arferid crasu ŷd ar gyfer malu mewn dull digon cyntefig, ond erbyn y bedwaredd ganrif yr oedd y dull Rhufeinig wedi treiddio i bob man. Darganfuwyd nifer o odynau crasu'r cyfnod, y rhan fwyaf ohonynt yn odynau piben o ddau deip. Ceir hwynt mewn sefydliadau Rhufeinig a brodorol o bob math ym mhob

[1]Ordnance Survey, *Map of Roman Britain*, 2nd ed. 1928.

rhanbarth. Gellir nodi fel enghreifftiau trefi fel Caer Fuddai[1] (Silchester), a Chaerwent,[2] sir Fynwy ; caer filwrol fel Balmuidy,[3] ger Glasgow ; ffermydd *villa* fel Atworth,[4] Wiltshire, a Langton,[5] swydd Efrog ; pentrefi amaethyddol fel Thundersbarrow Hill,[6] Sussex, ac Elmswell,[7] swydd Efrog. Dyma enghraifft, ynteu, o un gwelliant amaethyddol Rhufeinig a ledaenwyd drwy'r wlad. Os bu newyddbethau cyffelyb eraill disgwylid eu lledaenu yr un modd. Awgrymir gan hyn oll na chyfyngwyd yr hyn a oedd newydd mewn amaethyddiaeth i ddeau Prydain yn y cyfnod Rhufeinig mwy nag yn y cyfnodau blaenorol.

Fel y gwelir yn y bennod nesaf, credir yn gyffredin i'r Eingl a'r Saeson ddwyn offer a dulliau newydd i Brydain a achosodd chwyldroad amaethyddol yma yn ystod yr Oesoedd Tywyll. Dywedir ymhellach mai gan y goresgynwyr newydd hyn y dysgodd y Cymry y dechneg a'r drefn amaethyddol a adlewyrchir yng nghyfraith Hywel Dda. Anodd iawn gan neb a ddarllenodd y tudalennau uchod gytuno â hynny. Ond ar drothwy cyfnod digon tywyll nid drwg o beth fydd crynhoi yma ychydig o'r hyn sydd sicr am offer aredig Prydain ar derfyn y cyfnod Rhufeinig, pryd yr oedd y Frythoneg yn troi yn Gymraeg a Chenedl y Cymry yn ymffurfio :

1. Parheid i ddefnyddio dau o deipiau'r erydr cynhanesiol fel y prawf soced a cholseidiau'r sychau a ffurfiau'r modelau pres.

2. A barnu wrth y cerrig-traul y mae'n debyg fod y trydydd teip (Tømmerby) ar gael hefyd.

3. Cymhwyswyd yr erydr at aredig ' un-ffordd ' ac aredig ' un-ochr.' Tystion i'r olaf—y dull newydd—ydyw'r cylltyrau Belgaidd a'r grynnau.

4. Awgrym pendant y dystiolaeth a oroesodd yw fod yr un mathau o erydr ar gael drwy'r wlad.

5. Parheid i ddefnyddio sychau teip Oes Gynnar yr Haearn ochr yn ochr â theipiau llydain diweddarach. Ceid hefyd

---

[1]*Archaeologia*, LIX, td. 336, Fig. 1.
[2]*ibid*, td. 308 ; LX, td. 124.
[3]S. N. Miller, *The Roman Fort at Balmuidy* (1922), td. 27.
[4]*Wiltshire Arch. Mag.*, XLIX, tt. 73-4.
[5]Philip Corder, *Excavations at Elmswell, East Yorks*, 1938, td. 14.
[6]*Antiq. Journal*, XIII, td. 121.
[7]Philip Corder, *op. cit.*, tt. 12-3.

sychau a oedd yn gyfuniad o'r ddau deip. Dengys amrywiaeth
y ffurfiau y trinid priddoedd amrywiol eu hansawdd.

6. Yr oedd dau deip o gwlltwr ar gael cyn y Goresgyniad ;
parheid i ddefnyddio'r teip Belgaidd a oedd yn gymwys at y
priddoedd trymaf.

7. Awgrymir gan y model pres o Sussex fod y chwelydr ar
gael. Ategir hyn gan yr arfer o aredig grynnau.

8. Prawf cerfiadau aredig yr Alpau Deheuol fod trefniadau
nodweddiadol gweddoedd ychen Cymru'r Oesoedd Tywyll yn
hen. Gan nad oes mymryn o debygrwydd fod y trefniadau hyn
wedi eu dwyn i Brydain ar ôl y cyfnod Rhufeinig, rhaid bod
gweddoedd amrywiol eu trefn a'u maint ar arfer yn y cyfnod
hwnnw.

9. Prawf y cethrau gwiail-galw a ddarganfuwyd drwy'r wlad
o lannau'r Môr Udd hyd Fanaw Gododdin nad oedd rhan o
diroedd y Brython heb ychen gwedd.

ATODIAD

YN y bennod uchod fe bwysleisir fod dyfeisio'r cwlltwr a chodi grynnau wrth aredig yn Oes yr Haearn yn arwyddion fod hinsawdd Prydain wedi newid, wedi gwaethygu. Yma fe geisir cyfeirio yn gynnil iawn[1] at dystiolaeth arall dros y fath ddirywiad yn yr hinsawdd. Cafwyd y dystiolaeth hon drwy ymchwiliadau botanegwyr i gyfansoddiad mawnogydd. Cyfansoddir mawnog o weddillion cenedlaethau olynol o blanhigion y naill yn gorwedd ar ben y llall drwy drwch y fawnog. Bu'r mawnogydd yn ymffurfio yn barhaus drwy filoedd lawer o flynyddoedd. Weithiau, yn yr haenau uchaf, diweddaraf fe ddeuir o hyd i arfau a gwrthrychau eraill o waith dyn, a'r mawn sy wedi eu cadw sydd hefyd yn cadw yn ei gyfansoddiad ei hun gofnod cyfoesol o'r planhigion a ffynnai yn y cyfnod. Trwy ddadansoddi'r deunydd llysieuol hwn gellir egluro natur yr hinsawdd pryd yr aeth yr arfau i'r mawn. Felly y mae'n bosibl darganfod perthynas rhwng cyflwr hinsoddol a'r cyfnod pan wnâi dyn deip arbennig o arf.

Ar y cyfandir yr astudiwyd yr agweddau hyn ar fawnogydd fwyaf, ac un o'r ffenomenau amlycaf y sylwyd arni oedd fod y mawn wedi ymrannu yn fras yn haen uchaf, ieuanc a haen isaf, hen. Nodweddid wyneb yr hen haen gan haenennau o blanhigion a dystiai mai sych oedd yr hinsawdd pan ffurfient hwy wyneb y fawnog. Uwchben yr hen wyneb hon gorweddai'r mawn uchaf, ieuangaf a'i gyfansoddiad o'r un natur ag eiddo'r mawn sydd yn ymffurfio heddiw mewn hinsoddau oer, gwlyb. Yn Sgandinafia a'r Almaen, drwy ddarganfod gwrthrychau archaeolegol mewn mawnogydd a thrwy ddadansoddi'r paill a lynai wrthynt, fe ddangoswyd y cyfetyb yr ymraniad rhwng y mawn isaf a'r mawn uchaf,—ymraniad sy'n dyst o newid hinsoddol—i'r cyfnod yn niwedd Oes y Pres a dechrau Oes yr Haearn, tua 600—500 C.C.

Gorsymleiddiad, na ellir ei osgoi mewn crynodeb fel hwn, a geir uchod. Gwyddys y dilynwyd hen fawn gan fawn ieuanc drachefn a thrachefn ; ond y ffenomenon a bwysleisir uchod, ac a enwir gan y botanegwyr yn RY III, oedd yr amlycaf a hi sydd a wnelo â'n problem ni yma.

Hyd yn hyn nid astudiwyd mawnogydd ym Mhrydain i'r un graddau ag ar y cyfandir. Serch hynny fe gafwyd eisoes gryn dipyn o dystiolaeth gyffelyb yma. Mae'n amlwg hefyd yr ychwanegir ati. Er enghraifft, darganfu Godwin a Mitchell yng Nghors Goch Glan Teifi yr wyneb mawn RY III a dystiai i newid hinsoddol ar y

---

[1]Seilir yr hyn a geir yma yn bennaf ar ddau bapur, y naill gan H. Godwin yn *Proc. Prehist. Soc.*, 1946, tt. 1—11, a'r llall gan H. A. Hyde yn *The Antiq. Journal*, XIX, tt. 391—402.

cyfandir. Darganfu Godwin ef eto yn Westhay, Gwlad yr Haf, mewn cyswllt agos â thystiolaeth bendant annibynnol am ddirywiad hinsoddol yn niwedd Oes y Pres. Fe welodd yno lwybr coed a osodwyd i lawr yn y cyfnod hwnnw ar ben llwybr naturiol a fuasai gynt yn llwybr digon caled a sych dros wyneb yr hen fawn. Bodlonwyd Godwin mai codiad yn lefel y dŵr yno a fu'n achos gwneuthur y llwybr pren. Ategir dyddio'r haenen RY III a'r llwybr pren yn niwedd Oes y Pres gan waywffon o deip Oes Ganol y Pres a ddarganfuwyd mewn haenen arall (a ymddengys ei bod yn cyfateb i RY IV) islaw'r llwybr. Darganfuwyd yr haenen RY III gan Hyde hefyd wrth iddo archwilio mawnog Ffos Ton Cenglau ar fynydd Beili Glas ym Morgannwg. Dangosodd Hyde fod yr haenen honno yn tystio i ddirywiad yn yr hinsawdd yno hefyd. Cafwyd llawer o dystiolaeth gyffelyb o fawnogydd Iwerddon.

Wrth fwrw golwg dros yr holl dystiolaeth gwêl Godwin yr arwyddion pendant cyntaf o'r dirywiad yn Oes Ganol y Pres, tua 1200 C.C. Digwydd y cam nesaf yn niwedd Oes Ddiweddar y Pres a dechrau Oes yr Haearn, tua 600—500 C.C. Yn Iwerddon fe ymddengys bod y cam cyntaf yn y dirywiad yn waeth o lawer nag ydoedd ar y cyfandir. Yng ngwledydd gogleddol y cyfandir yr ail gam oedd yr amlycaf. Ym Mhrydain rhyw gyflwr canolig a geid. Yr hyn sydd sicr ydyw fod hinsawdd Prydain wedi dirywio i'r hyn ydyw heddiw erbyn Oes yr Haearn.

PENNOD II

YR OESOEDD TYWYLL

GELLIR cyffelybu safle efrydydd y pynciau hanesyddol arferol sydd wedi cyrraedd terfyn y cyfnod Rhufeinig i safle teithiwr ym mhen pont a dorrwyd. Gwêl tu hwnt i'r bwlch o'i flaen y graig gadarn lle bu pen draw'r bont, a llwybr da yn arwain ymlaen oddi wrthi. Gŵyr y teithiwr mai parhâd o'i lwybr ef yw hwnnw sydd i'w weld yr ochr draw, a gŵyr, os gall dramwyo'r bwlch rywsut, y daw yn ddiogel i ben ei daith. Ysywaeth, nid ydym ni yn y llyfr hwn mor ffodus â'r teithiwr hwnnw, efrydydd y pynciau arferol. Mae'n wir bod gennym sail gref o Rufeinwaith o dan ein traed, a phan edrychwn o'n blaenau gwelwn sail yr un mor gadarn o waith seiri Cyfraith Hywel Dda yr ochr draw i'r bwlch. Ond credir gan rai yn ein plith na phontiwyd y gagendor rhwng y ddwy erioed ac nad parhâd o'n llwybr ni a welir yr ochr draw ond yn hytrach lwybr newydd o darddle arall. Gan hynny, fel yr eir ymlaen yn gytûn, ni ellir cymryd dim yn ganiataol ; rhaid archwilio tarddiad y llwybr draw a chwilio hefyd yn nyfnder y bwlch ei hun am unrhyw faen a allasai fod wedi cwympo iddo gan ddwyn tystiolaeth fod pont ar gael gynt.

O'm rhan fy hun, nid oes gennyf ddim amheuaeth am ddilysrwydd na phont na llwybr. Os edrychir yn ôl ar ddeunydd amaethyddol Brythoniaid y bedwaredd ganrif, yn offer ac yn ddulliau, ac yna bwrw golwg ymlaen at gyflwr amaethyddol y Cymry fel y darlunnir ef yng Nghyfraith Hywel y mae'n eglur fod parhâd didor o'r naill i'r llall. Eithr fel arall y credir gan lawer, ac efrydwyr hanes Cymru yn eu plith. Dyma rediad eu stori hwy fel y'i crynhoir gan Dr. E. C. Curwen ;[1] Pobl fugeiliol hanner-crwydrol oedd hynafiaid y Cymry hyd ddiwedd y cyfnod Rhufeinig neu'n ddiweddarach. Â hofiau y byddent yn trin y tir gan na wyddent ddim am erydr a chaeau Prydain Rhufeinig. Daeth yr Eingl a'r Saeson i Brydain â'r aradr drom a'r maes hirgul. Dysgodd y Cymry

[1] E. C. Curwen, *Plough and Pasture* (1946), tt. 63, 69—70, 75.

ganddynt sut i aredig a derbyn ganddynt hefyd eu herydr a'u cyfundrefn o gyfaru, a chyfaddasu'r cwbl at eu cyfundrefn lwythol eu hunain.

Seilir rhan gyntaf y druth hon yn bennaf ar un o'r trioedd ffug[1] sy'n honni adrodd bod y Cymry cynnar yn trin y tir ag ' aradr arsang.'   Wedyn tybir bod yr offeryn dychmygol hwnnw yn cyfateb i *caschrom* yr Hebrides a dywedir bod cyfaddasiadau ohono ar lun erydr wedi goroesi hyd y ganrif ddiwethaf yng Nghernyw ac yn Llydaw.   Ni raid inni ym-drafferthu gyda hyn : gwrthbrofwyd y cwbl yn llwyr gan dystiolaeth y bennod flaenorol.   Parthed yr erydr o Lydaw a Chernyw a lusgwyd gerfydd eu clustiau i'r cawl rhyfedd hwn, ymdriniwyd â hwynt eisoes mewn lle arall.[2]   Hoffwn petai modd cael gwared o haeriadau rhan olaf y stori mewn cyn lleied o eiriau, ond ni eliir hynny.   Darbwyllwyd cynifer ohonom fod y Cymry cynnar yn grwydriaid diorffwys a droesai sychau eu tadau yn gleddyfau a bod y Saeson cynnar yn amaethwyr goleuedig, diwyd a chyfannedd, a'u bryd ar droi eu gwaywffyn yn bolion haf fel y tueddir i gredu fod ' rhywbeth ' yn yr awgrym am ddylanwad Seisnig ar drefniadau amaeth-yddol y Cyfreithiau, ac mai aradr Alfred Fawr oedd yn nwylo amaeth Hywel Dda.   Ar wahân i hyn oll, y mae'r llawysgrifau hynaf o Gyfraith Hywel sydd ar gael yn ganoloesol.   Gan hynny y mae'n rhaid chwilio rhannau perthynol y Gyfraith i geisio penderfynu pa mor hen ydyw'r deunydd ac i edrych a oes olion arferion y Saeson arno.   Ond, yn gyntaf oll, y mae'n rhaid inni gael allan pa beth a oedd gan y Saeson cynnar i'w roi ar fenthyg i'r Cymry cynnar.   A oedd ganddynt well erydr na'r rhai a ddefnyddid ym Mhrydain gan y Brythoniaid ?   Beth oedd nodweddion eu harferion aredig a chyfaru ?   Oni cheisiwn ateb y ddau gwestiwn hyn difudd fydd troi at y Gyfraith gan nad adnabyddwn ynddi nac offer nac arferion benthyg os gwelwn hwynt.

Ystyriwn yr offer yn gyntaf.   Gellir dweud ar unwaith nad oedd gwahaniaeth rhwng erydr cartrefi cyfandirol yr Eingl a'r Saeson yn y cyfnodau cynhanesiol ac erydr rhanbarthau eraill Ewrop.   Fel yr eglurwyd yn y bennod gyntaf, gellir dosbarthu

<hr />

[1] *Myvyrian Archaiology of Wales*, ail. arg., td. 406, rhif 56.
[2] *Arch. Journal*, CIV, td. 101 ; *Antiquity*, XXI, tt. 151-5.

erydr y cyfandir hyd ran gyntaf Oes yr Haearn yn dri theip ac fe geir tystiolaeth fod y tri ar gael ym Mhrydain hefyd. Yr un ydyw'r safle yn ystod y cyfnod Rhufeinig : nid ydyw'r sychau a'r cylltyrau a gafwyd yng ngwledydd gogleddol y cyfandir yn wahanol i rai Prydain. Ni ddengys y modelau pres a gafwyd yng nghyffiniau'r afon Rhein[1] unrhyw ragoriaeth ar fodelau pres cyfamserol Prydain. Paham ynteu y credir y gallasai'r Eingl a'r Saeson ddwyn i Brydain well offer amaeth-yddol nag a oedd yma eisoes ? Ai oherwydd rhyw dyb fod y Saeson cynnar yn well amaethwyr na'r Prydeinwyr y camhysbyswyd Cesar yn eu cylch ? Os felly, iawn yw sylwi ar eiriau Cesar am lwythau'r Almaen hefyd : ' Sêl dros amaethyddiaeth nid oes ganddynt, a'r rhan fwyaf o'u bwyd ydyw llaeth, caws, a chig.'[2] A dywed Tacitus amdanynt : ' Ni ellwch eu perswadio i aredig y tir ac aros am enillion y flwyddyn mor hawdd a'u perswadio i herio'r gelyn ac ennill clwyfau.'[3] Ychwanega mai diraddiol ganddynt yw ennill â chwys yr hyn a ellir ei ennill â gwaed, ac wrth sôn am yr Aestii (pobl Lithuania) dywed : ' Tyfant ŷd a chynnyrch arall y tir gydag amynedd na chydwedda â difrawder arferol yr Almaenwyr.'[4]

Ond er gwaethaf y diffyg tystiolaeth faterol a llenyddol fod gwaddol amaethyddol y Saeson yn well nag eiddo pobloedd eraill maentumir iddynt ddwyn i Brydain erydr mawr, trwm, olwynog o fath newydd. Oherwydd eu pwysau a'r cwysi mawr a drowyd â hwynt fe'u llusgwyd â gweddoedd wyth ych. Dywedir bod yr ychen yn fewnforion hefyd ac mai creaduriaid nobl oeddynt, a'u bod yn fwy ac yn gryfach nag ychen Prydain. Ni chytuna hyn â disgrifiad Tacitus ohonynt. Dywed ef fod preiddiau a gyrroedd henwlad y Saeson yn lluosog ond, gan mwyaf, o faint llai na'r cyffredin : ' Hyd yn oed ar y gwartheg y mae diffyg tegwch cynhenid a thalcennau mawreddog.'[5]

Hyd yn hyn ni allodd neb *brofi* fod erydr o'r fath gan y goresgynwyr na chan eu disgynyddion yn y canrifoedd nesaf. Nid oes tystiolaeth o fath yn y byd iddynt. Cyn 1950 ni chafwyd

---

[1]Paul Leser, *Entstehung und Verbreitung des Pfluges*, Abb. 25, 26.
[2]*B.G.*, VI, Pen. 22.
[3]*Germania*, Pen. 14.
[4]*ibid*, Pen. 45.
[5]*ibid*, Pen. 5.

yr un darn o aradr ar safle unrhyw drigfan Seisnig o'r Oesoedd
Tywyll, ond yn y flwyddyn honno fe ddarganfu Mr. G. M.
Knocker, o'r Castle Museum, Norwich, swch aradr wrth
gloddio ar safle tref Sacsonaidd Thetford. Yr oedd y swch yn
ymyl llestri pridd o fath sydd yn perthyn i ran gyntaf y ddegfed
ganrif neu i ran olaf y nawfed ganrif. Cesglir felly fod y swch
yn perthyn i'r un cyfnod â hwynt. Bu Mr. Knocker mor
garedig ag anfon y swch imi i'w harchwilio. Dangosir ei ffurf
yn Ffigur 9, ac fel y gwelir, y mae yn union yr un teip â'r swch

Ffigur 9.

Swch Sacsonaidd
tua 900, o
Thetford. Yn y
Castle Museum,
Norwich.

(*Trwy ganiatâd y
Castle Museum,
Norwich*)

o'r Cyfnod Rhufeinig a ddarlunnir yn Ffigur 6,
Rhif 21. Y mae hefyd bron yr un faint yn
gymwys. Felly, yr unig beth a brofir gan yr
unig ddarn o aradr Seisnig gynnar a ddargan-
fuwyd hyd yn hyn ydyw bod Saeson tua'r
flwyddyn 900 yn parhau i ddefnyddio sychau
o deip a ddefnyddid yma yn y Cyfnod
Rhufeinig.

Ac ystyried y cymeriad amaethyddol a
roddir i'r Saeson cynnar gan haneswyr di-
weddar y mae'n rhyfedd gyn lleied o dystiol-
aeth ategol y cafwyd hyd iddi. Nid o ddiffyg
cloddio ar safleoedd eu trigfannau y bu hynny.
Darganfuwyd llu o arfau rhyfel ond prin i'w
ryfeddu yw offer amaethyddol o unrhyw fath.
Hyd y gwyddys ni ddarganfuwyd yma olion yr
un maes y gellir ei ddyddio i gyfnod y Saeson
cynnar. Ar ba beth, ynteu, y seilir damcaniaeth
aradr chwyldroadol y Saeson cynnar? Hyd y
gellir darganfod, prif awdurdodau coleddwyr y
ddamcaniaeth ydyw nifer o ddarluniau mewn llawysgrifau,
yn arbennig y rhai hynny a geir yn Llsgr. Cotton Tiberius
B.V., a Julius A. VI., a Llsgr. Caedmon. Ymdrinais yn fanwl
â darluniau aredig y llawysgrifau hyn mewn lle arall[1] fel
nad oes raid gwneuthur mwy na rhoddi crynodeb o'r ffeithiau
pwysicaf.

Amserir y tair llawysgrif hyn yn ail hanner y ddegfed ganrif,
yn yr unfed ganrif ar ddeg, a thua'r flwyddyn 1000. Felly y

---

[1]*Arch. Journal*, CIV, tt. 103-6.

mae'r darluniau tua phum canrif yn ddiweddarach na chyfnod
yr aradr dan sylw ! Gwaeth fyth, yr un darlun aredig sydd yn y
ddwy lawysgrif a enwir gyntaf ac nid Lloegr Seisnig ydyw ei
darddle. Gwaethaf oll, nid yr aradr y dywedir ei bod yn
nodweddiadol o'r Saeson cynnar a ddarlunnir yn y darlun
hwn ond aradr olwyn ' unffordd '[1] a chanddi ysgyfar symudol
yn lle ystyllen-bridd (Darlun V). Hynny yw, ceir yma aradr o
deip adnabyddus nas defnyddid i'r gwaith arbennig a gysylltir
gan ' draddodiad ' neu gan y ddamcaniaeth ag aradr fawr y
Saeson cynnar. A dyfynnu Duhamel du Monceau, ' these
ploughs with movable ears being intended only for fields in
good tilth, . . . are never used for breaking up lands.'[2] Ni
thynnir yr aradr hon ychwaith gan yr wyth ych y sonnir
amdanynt ac nid yw eu gyrrwr yn eu dilyn yn ôl dull
traddodiadol y Saeson. Dau ddarlun aredig sydd yn y llaw-
ysgrif arall, llawysgrif Caedmon,[3] gan ddau arlunydd o ysgol
ddarlunio Rheims. Unwaith eto y mae'r darluniau yn bum
can mlynedd yn ddiweddarach na'n cyfnod, a'u tras tu hwnt i
ffiniau'r ynys hon. Ni ddangosir ynddynt erydr mawr
' traddodiadol ' y Saeson ac nid oes ond dau ych yn y wedd.

Cyfeirir yn aml at ddwy lawysgrif arall fel ffynonellau
gwybodaeth am yr offeryn dan sylw sef llawysgrifau Harley 603
a Choleg y Drindod Caergrawnt R.17.1. Ond copïau o
ddarluniau Sallwyr Utrecht sydd ynddynt ill dwy a phrin y
gellir eu derbyn fel darluniau o offer y Saeson cynnar ym
Mhrydain. Heblaw hynny, o'r pum aradr a ddarlunnir nid
oes yr un ohonynt o'r un teip a'r aradr ' adnabyddus ' a
ddisgrifir mor hyderus ar dystiolaeth na ellir ei chael.

Ni cheir llawer o oleuni ar y pwnc yn llenyddiaeth Hen
Saesneg ychwaith. Yn wir, ychydig iawn o flas amaethyddol
sydd ar y llenyddiaeth honno. Ceir yn Llyfr Exeter[4] bos neu
' ddychymyg ' am yr aradr a all fod mor hen â'r wythfed
ganrif. Cyfeirir ynddo'n ddigon eglur at y rhannau-aradr
canlynol : haeddel, cwlltwr, swch, gwadn. Mae'n bosibl fod

---

[1]Am ystyr ' unffordd ' gweler nodiad 3, td. 16.
[2]*The Elements of Agriculture*, cyf. P. Miller (1764), II, td. 23.
[3]Sir Israel Gollancz, *The Caedmon Manuscript of Anglo-Saxon Biblical Poetry* (1927),
tt. 54, 77.
[4]W. S. Mackie (ed.), *The Exeter Book*, Pt. II, E. E. T. Soc., 1934, td. 110.
R. K. Gordon, *Anglo-Saxon Poetry*, Everymans Lib., td. 327.

y cyfeiriad at yr aradr yn cael ei chludo ar wagen (*wegen on waegne*) yn dystiolaeth dros olwyni ; ond ni ellir gwasgu allan dystiolaeth i'r ystyllen-bridd hefyd, fel y gwnaeth Passmore,[1] heb dreisio gramadeg. Pa fath bynnag o aradr a oedd ym meddwl awdur y pos hwn, ni rydd y pos ei hun dystiolaeth i ddim nas ceid ar erydr Oes yr Haearn o deip Tømmbery. Ceir nifer o enwau ar rannau'r aradr yn y geirfaoedd,[2] ond yn y rhai sy'n gynharach na'r unfed ganrif ar ddeg nid enwir mwy na swch (*scear,*) haeddel (*handle*), gwadn (*sulesreost, cipp. proc*), arnodd (*sulhbeam*)—anhepgorion pob aradr erioed. Ymddengys na oroesodd yr enw Hen Saesneg ar ystyllen-bridd ac mai'r cyfeiriad cynharaf at y rhan hon mewn Saesneg Canol yw hwnnw mewn rhigwm Ffrangeg gan Walter de Bibelsworth (bu farw rhwng 1277 a 1283) lle ceir *the cheld-brede* fel glos ar *l'eschuchoun*.[3] Wrth gwrs, ni wrth-brofir dim gan y ffaith nad oes disgrifiad manwl o erydr y Saeson cynnar yn eu llenyddiaeth ; ond, a hyn sy bwysig, ni phrofir dim ychwaith. Ni cheir gan lenyddiaeth mwy na chan archaeoleg a chelfyddyd y mymryn lleiaf o dystiolaeth fod gan yr Eingl-Saeson ymfudol erydr amgenach nag oedd yma eisoes yn nwylo'r amaeth Cymreig. Mewn geiriau eraill, nid oes sail i'r dyb fod erydr Cymru cyfnod Hywel Dda yn ddyledus i offer y Saeson. Dyna ateb ein cwestiwn cyntaf uchod.

A throi at yr ail gwestiwn. Beth am y dylanwad Seisnig y tybir ei weld ar drefniadau cydaredig a gweddoedd aredig Cyfraith Hywel ? Ai dulliau Seisnig a geid gan y Cymry ? Yn anffodus nid oes ar gael nac yn Hen Saesneg nac yn Saesneg Canol yr un ymdriniaeth ar y pwnc sydd mor llawn a manwl â'r adran berthynol yng Nghyfraith Hywel.[4] Eithr fe geir gan Aelfric yn ei werslyfr adnabyddus[5] adran ar fywyd beunyddiol yr arddwr o Sais ac fe ddywed ddigon i ni allu canfod a ydyw ei ddyletswyddau yn cyfateb i rai'r arddwr

---

[1] *The English Plough* (1930), td. 3. Ymddengys bod y cyfieithiad a ddefnyddiwyd gan Passmore yn amheus yn y rhan hon. Dymunaf gydnabod cymorth yr Athro E. C. Llewellyn ynglŷn ag anawsterau'r pos hwn.

[2] T. Wright, *A Volume of Vocabularies* ; R. P. Wülcker, *Anglo Saxon and Old English Vocabularies* (1884).

[3] T. Wright, *op. cit.*, 168-9.

[4] *Llyfr Du o'r Waun*, tt. 107-12.

[5] W. H. Stevenson, *Early Scholastic Colloquies*, td. 77.

Cymreig. Âi arddwr Aelfric â'r ychen i'r maes yn y bore a'u hieuo wrth yr aradr. Gosodai'r swch a'r cwlltwr ar yr aradr. Ar ôl gorffen aredig gollyngai'r ychen o'u hieuau[1] a llenwi eu presebau â gwair a rhoi dŵr iddynt a chlirio'r sarn o'r beudy. Unig gydymaith yr arddwr ar y maes fyddai bachgen i symbylu'r ychen. Hyd y gwn ni cheir yn unman ddisgrifiad geiriol o ddulliau ieuo Seisnig. Ond os ydyw'r lluniau aredig Seisnig dilys (rhai Sallwyr Luttrell a Piers Plowman Coleg y Drindod Caergrawnt, er enghraifft) yn dangos dull traddodiadol y Saeson—ac nid oes reswm dros amau hynny—, yna fe ieuid yr ychen yn ddeuoedd yn unig. Parthed y llanc gyda'r swmbwl, fe ddengys y lluniau iddo gerdded tu ôl i'r anifeiliaid. Yn ymyl yr arddwr, tu cefn i'r wedd, dyna safle traddodiadol gyrrwr ychen y Sais, llanc neu beidio. Chwedl bardd o'r bedwaredd ganrif ar ddeg am wraig droednoeth rhyw arddwr tlawd :
' His wyf walked him wip—wip a long gode.'[2]

Dyna drefniadau aredig traddodiadol y Saeson ac wrthynt hwy yn unig y gellir barnu peth o ddyled dybiedig yr amaeth Cymreig i'w gymar Seisnig. Canys os dysgodd Cymry'r Oesoedd Tywyll y grefft aredig gan y Saeson, fel y mynnir, ni welaf sut y gallasant osgoi mabwysiadu rhai o ddulliau nodweddiadol eu hathrawon wrth ymarfer â'r grefft honno. Gellir dweud ar unwaith nad oes ôl y dulliau hyn ar y trefniadau Cymreig fel y ceir hwynt yng Nghyfraith Hywel. Yn ôl y Gyfraith nid yr amaeth a âi â'r ychen a'r heyrn i'r maes ond y sawl o blith y cyfarwyr a oedd piau hwy. Nid yr amaeth a fyddai'n ieuo'r ychen ; dyletswydd y geilwad oedd hynny, ond fe gâi gymorth yr amaeth i'w dal. Ni byddai'r amaeth yn gosod y swch a'r cwlltwr ar yr aradr ychwaith ; dyletswydd perchennog yr heyrn oedd hynny. Ar ôl gorffen aredig ni ollyngai'r amaeth ond y ddau ych nesaf at yr aradr. Nid âi â'r ychen o'r maes a'u porthi fel y gwnâi'r arddwr o Sais, gwaith perchnogion yr anifeiliaid oedd hynny. Nid y geilwad oedd unig gydymaith yr amaeth yn y maes ; yr oedd yn ddyletswydd ar bob cyfarwr ddyfod â'i ych neu'i heyrn neu beth bynnag a fyddai ei gyfraniad ef at y cyd-aredig. Onid e ni allai hawlio'i

---

[1]Ychwanegir y pwynt hwn wrth drafod dyletswyddau'r bugail gwartheg, ibid, td. 78.
[2]Pierce the Ploughmans Crede, ed. W. W. Skeat, E.E.T.Soc., llinell 433.

gyfran o'r âr. Parthed y geilwad ei hun, yr oedd ganddo ragor o ddyletswyddau nag a oedd gan y gyrrwr ychen Seisnig. Heblaw ' galw ' 'r wedd byddai'n ieuo'r ychen, a'u gollwng namyn dau wedi'r gwaith. Ac ef a fyddai'n gyfrifol am drefnu'r gêr a'r ieuau yn ôl fel y defnyddid yr hir-iau neu'r hir-wedd. Ond pwysleisir y prif wahaniaeth rhyngddo a'i gymar Seisnig gan ei enw, geilwad. Gyrrwr, yn cerdded ar ôl yr ychen, oedd y Sais ; ond cerdded yn wysg ei gefn *o'u blaenau* a'u ' galw ' a wnâi'r geilwad Cymreig. Yn olaf, dyna'r dulliau ieuo. Fel y gwelsom, unig ddull y Sais oedd yr hir-wedd lle ceid yr ychen yn ddeuoedd, y naill bâr o flaen y llall ; ond arferai'r Cymro ddull ychwanegol sef yr hir-iau lle trefnid y cwbl o'r ychen ochr yn ochr â'i gilydd o dan un iau hir. Ond beth am yr hir-wedd a geid yng Nghymru yn gystal ag yn Lloegr ? Ai dyma enghraifft o fenthyg gan y Saeson ? Ni welaf fod unrhyw reswm dros dybio hynny. Yn gyntaf oll, dull ieuo arferol rhan fawr o Ewrop ydoedd. Yn ail, ceir y ddau drefniad, yr hir-iau a'r hir-wedd, wedi eu darlunio yng ngherfiadau Oes y Pres gogledd yr Eidal. Yn drydydd, os edrychir ar y detholiad o'r cerfiadau hynny a roir yn Narlun I fe welir y ffigur cynefin yr ymdriniwyd ag ef uchod, sef y geilwad yn cerdded yn wysg ei gefn o flaen yr ychen a'i freichiau ar led gan eu galw ymlaen. Ceir yn y cerfiadau hyn ddarlun cywir o holl nodweddion anseisnig techneg amaeth a geilwad Cymru gynt, a rhai eu cymheiriaid yn Iwerddon a'r Alban[1] hefyd. Heb unrhyw amheuaeth o gwbl y mae'n rhaid cysylltu tras y dechneg honno yn bendant â'r bobl hynafol a gerfiodd y darluniau aredig cynnar hyn. Dyna ateb yr ail gwestiwn a ofynnwyd uchod ac wrth ei ateb eglurwyd tri pheth, sef nad oes ôl y Saeson ar ddulliau aredig y Cymry, bod y dulliau hynny wedi eu cyd-wau â phatrwm cyfaru brodorol, a'u bod yn hanfod o'r cyfnod cyn-hanesiol.

Y mae darganfod yr un manylion technegol amaethyddol yng ngherfiadau Oes y Pres ac ar femrynnau Cyfraith Hywel yn dystiolaeth bwysig i hynafiaeth fawr peth o gynnwys y gyfraith honno. Y mae'n ateg gadarn i ddilysrwydd ambell awgrym nad trefniadau newydd, canoloesol, ydyw prif gynnwys amaethyddol y llawysgrifau a oroesodd. Cymerer er enghraifft

---

[1]Gweler td. 154.

yr awgrym o hynafiaeth a geir gan y glos ar y gair ' tir ' wrth
drafod mesurau'r wlad a'r erw gyfreithiol :[1] 'try troeduet yny
cam try cham yny neyt try neyt yny tyr. Sew yu y tyr o
gymraec newyd grvn.' Mae'n debyg nad esboniad ysgrifennydd
y Llyfr Du o'r Waun yn y ddeuddegfed ganrif a geir yma gan
fod y gair ' o gymraec newyd ' hwn yn ddigon hen a thraddod-
iadol yn y ganrif honno i gael lle yng nghanu Llywarch ap
Llywelyn.[2] Ond pa gopïwr bynnag o'i flaen ef a biau'r glos,
mae'r glos ei hun yn dangos bod y darn yr ychwanegwyd ef ato
yn gynnar.

Dychwelwn yn awr i'r man y safem yn nechrau'r bennod hon.
Gwyddom bellach mai parhâd o'n llwybr ni ydyw hwnnw a
welir draw tu hwnt i'r bwlch o'n blaen. Ni all fod ddim
amheuaeth na chysylltid y ddau gynt a gallwn chwilio'n
hyderus yn y bwlch ei hun am olion y bont ddiflanedig. Y mae
i bob tameidyn amaethyddol a loffir yno werth deublyg. Gall
ategu'r dystiolaeth a gasglwyd o'r cyfnod bore a gall egluro
ymhellach hynafiaeth cyfundrefn amaethu Cyfraith Hywel.

Wrth ymdrin â'r elfen amaethyddol yn nhroadau ymadrodd
y beirdd yng nghyfnod y cywydd[3] dangoswyd yn ogystal
bwysiced oedd yr elfen honno ym mywyd beunyddiol Cymry'r
cyfnod hwnnw. Gellir gwneuthur yr un peth yn hollol am y
cyfnodau cynharach hefyd ; canys nid datblygiad newydd yng
ngeirfa beirdd y bedwaredd ganrif ar ddeg oedd y trosiadau
a'r cyffelybiaethau amaethyddol. Fe'u ceir yn addurno iaith y
canu Cymraeg hynaf a oroesodd. Felly fe geir ynddynt hwy
dystiolaeth bwysig i barhâd didor bywyd amaethyddol y
Cymry o'r chweched ganrif ymlaen. Wrth gwrs ni ddisgwylir
cael yng ngweddillion prin canu'r cynfeirdd mo'r doreth
defnyddiau a geir yng nghynhyrchion dirif y cywyddwyr ; ond
er eu prinned y mae'r esiamplau cynnar yn dra gwerthfawr i'n
pwrpas yn y llyfr hwn. A dychwelyd i'n ffigur ni, ychydig o'r
meini nadd a gwympodd i'r bwlch pan dorrwyd y bont ydynt.

Gwelir defnyddio'r gair aredig yn ffigurol mor gynnar â'r
chweched ganrif pan sonia Taliesin am waith ofer fel ' mor

---

[1] *Llyfr Du o'r Waun*, td. 65.
[2] *Myvyrian Archaiology of Wales* (1870), td. 216.
[3] *Y Llenor*, XXVI, tt. 3—24.

eredic '[1] sef aredig y môr. Sonnir am aredig tir gan Aneirin[2]
tua diwedd yr un ganrif, ac fel swch aradr yn gwthio drwy'r
pridd y gwelodd y bardd waith un o'i arwyr yn gwthio drwy'r
gelyn : ' sychyn yg gorun en trydar.'[3] Ac y mae'r gŵys a
dorrir o'r ddaear â'r swch yn simbol o'r bedd i Daliesin wrth
alaru ar ôl Rhun a oedd yn gorwedd dan ' kywys a thytwet.'[4]
I heuwyr yn hau had ar y cwysi y cyffelyba Aneirin ryfelwyr
yn bwrw cawodau o waywffyn i rengoedd y gelyn : ' heessit eis.'[5]
Defnyddia'r ffigur drachefn a thrachefn :

> heessit waywawr y glyw
> y ar llemenic llwybyr dew[6]
>
> heessyt onn o bedryollt
> y law.[7]
>
> heyessit e lavnawr rwng dwy vedin.[8]

Ar ôl hau fe dyf y dywysen, a defnyddia'r gair hwn fel trosiad
am meysydd yd :

> Pan vuost di kynnivyn clot
> en amwyn tywyssen gordirot.[9]

Dro arall y mae'r gair yn y lluosog yn drosiad am reng flaen y
fyddin :

> Aer dywys ry dywys ryvel
> gwlat gordgarei gwrduedel.[10]

Gyda'r gair olaf dyna gyrraedd y medelwr gwrdd, y dyn sy'n
medi'r tywysennau. Y mae enghreifftiau eraill o'r troad hwn
yn y Gododdin : ' oed eruit uedel,'[11] ' aer gennin vedel '[12]
' medel e alon.'[13] Sonia Aneirin am ruddfedel ryfel[14] a rhydd
ddarlun gwaedlyd o Farchlew yn medi'r gelyn â'i holl egni fel
y bydd medelwyr ar dywydd ansicr :

> val pan vel medel ar vreithin
> e gwnaei varchlew waet lin.[15]

[1]Ifor Williams, *Canu Aneirin*, 1469.
[2]*ibid*, 296.   [3]*ibid*, 933.
[4]*Y Cymmrodor*, XXVIII, td. 209.
[5]*Canu Aneirin*, 262.   [6]*ibid*, 302.
[7]*ibid*, 306.   [8]*ibid*, 431.
[9]*ibid*, 528.   [10]*ibid*, 904.
[11]*ibid*, 161.   [12]*ibid*, 164.
[13]*ibid*, 1335.   [14]*ibid*, 793.
[15]*ibid*, 310.

Ceir yr un trosiad gan Daliesin hefyd : ' medel galon.'[1]

Fe gofir sut y byddai'r cywyddwyr yn arfer y gair ' ych ' fel term moliant ac am y defnydd ffigurol mynych o iau neu wedd yr ychen. Ceir ' ych eurdorchawr '[2] gan Aneirin hefyd, a gwêl yn ffurf fwaog pen rhyw farch brychlas ffurf iau'r ychen gwedd : ' Gorwyd erchlas penn wedaur.'[3] A chyffyrddiad amaethyddol cynefin arall yw'r defnydd a wneir o'r gair ' erw ' : ' ni cilius taro trin let un ero.'[4]

Gwelir felly y gellir cael cipolwg ar gefndir amaethyddol y Cymry hyd yn oed yng nghanu arwrol y chweched ganrif. Yn yr hen Ogledd, yn neau'r Alban ac yng ngogledd Lloegr, y lleolir yr hen ganu hwn a'r bywyd amaethyddol a adlewyrchir ynddo, ond fe geir ôl yr un bywyd ddwy ganrif yn ddiweddarach pan oedd tiroedd y Cymry wedi crebachu bron i'w ffiniau presennol. Yng nghanu Llywarch Hen, a amserir tua 850 ac a leolir yng nghyffiniau Powys, ceir sôn am rychau rhudd y gwanwyn a'u hegin crych ac am y cynhaeaf a'r sofl melyn.[5] Yr oedd eto yn gyfnod o ryfel diarbed ond fe barheid i aredig y meysydd er nad oedd sicrwydd pwy a fyddai'n eu medi. Fel y galara'r bardd :

> Pereid y rycheu.
> Ny phara a'e goreu.[6]

Erys y rhychau ond nid erys y gwŷr a'u gwnaeth. Nid o blith cenedl fugeiliol hanner-crwydrol y daw canu fel hyn :

> Y dref wenn rwng Trenn a Throdwyd,
> Oed gnodach ysgwyt tonn yn dyuot o gat
> Nogyt ych y echwyd.

> Y dref wenn rwng Tren a Thraual
> Oed gnodach y guaet ar wyneb [y] gwellt
> Noc eredic brynar.[7]

A dywedir mewn man arall : ' Nyt erdit vyn tir i heb waet,'[8] bygythiad na cheid mohono eithr mewn cymdeithas amaethyddol sefydlog.

Yn anffodus ni wyddys llawer am yr erydr a fyddai'n troi braenarau'r canrifoedd hyn. Gellir bod yn weddol sicr y

[1]*Llyfr Taliesin*, 67.23.   [2]*Canu Aneirin*, 452.   [3]*ibid*, 962.
[4]*ibid*, 941.   [5]Ifor Williams, *Canu Llywarch Hen*, td. 9.
[6]*ibid*, td. 44.   [7]*ibid*, td. 40.   [8]*ibid*, td. 20.

parheid i ddefnyddio sychau tebyg i rai'r hen Ogledd hyd ddyddiau Hywel Dda. Fel y gwelwyd yn y bennod gyntaf y mae'n debyg bod y swch o Oxnam yn ddiweddarach na'r cyfnod Rhufeinig ac fe geir enghraifft o deip Blackburn Mill (Ffig. 6, Rhif 19) ymhlith y rhai a ddarganfuwyd yn Iwerddon mewn preswylfeydd o'r Oesoedd Tywyll.[1] Gwyddys bod erydr olwynog ar arfer erbyn cyfnod Hywel Dda, ond y mae'n eithaf posibl fod y teip hwn, fel y sychau, yn gymunrodd arall o'r Brythoniaid.

Ceir yn y glosau[2] Hen Gymraeg a Chernyweg nifer o eiriau a thermau amaethyddol ac yn eu mysg fe enwir rhai o rannau'r aradr. Ond ni theifl y rhain fwy o oleuni ar nodweddion erydr y cyfnod nag y teflir gan y glosau Hen Saesneg. Yn wir, glosau ar yr un geiriau Lladin ydynt ac, fel y dywedwyd eisoes, anhepgorion noeth unrhyw aradr a enwir yn unig. Cymerer er enghraifft y rhai Cymraeg a geir yn llawysgrif Ox. 2, llawysgrif a sgrifennwyd rywle ar oror De Cymru yn y ddegfed ganrif : cultir, suh, edil, ciluin—cwlltwr, swch, haeddel, a'r ' ciluin.' Y mae tri o'r geiriau hyn ar arfer heddiw ond ni cheir y gair olaf yn un man arall : fe'i dodir yn y llawysgrif fel glos ar *buris* sef bôn ffrâm yr aradr Rufeinig. Pwysigrwydd y geiriau hyn i ni yma ydyw eu bod yn perthyn i'r ddegfed ganrif a'u bod felly yn gyfamserol â Chyfraith Hywel. Ond, fel y gwelir yn nes ymlaen, nid ydynt yn help inni ddeall rhai o'r enwau a roir ar rannau'r aradr yn y gyfraith honno. Iawn felly yw tybio bod yma ddarn arall o gynnwys amaethyddol y Gyfraith sydd lawer iawn hŷn na chyfnod y Llyfr Du o'r Waun. Ysywaeth, darn ydyw na welodd yr un copïwr yn dda roi esboniad arno yn ei ' gymraec newyd.'

---

[1] *Journal Royal Soc. Antiq. Ireland*, LXXIV, Pt. III, Ffig. 5, Rhif 3.
[2] Loth, *Vocabulaire Vieux-Breton* (1884) ; *B.B.C.S.*, IX.

PENNOD III

YR ARADR YNG NGHYFRAITH HYWEL

FEL y dywedwyd yn y bennod flaenorol, fe enwir nifer o
rannau'r aradr yng Nghyfraith Hywel Dda. Ceir yr enwau
hyn yn yr adran lle rhestrir arfau a chelfi o bob math ynghyd
â'u gwerthoedd cyfreithiol. Yn Llyfr Blegywryd a Llyfr
Cyfnerth rhoddir gwerth y swch,—dwy geiniog, a'r cwlltwr,—
pedair ceiniog, a ffrâm bren yr aradr,—dwy geiniog ; ond yn
Llyfr Gwynedd fe enwir a phrisir rhai o rannau'r ffrâm ar
wahân. Gan hynny defnyddiaf y rhestr a geir yn y Llyfr Du o'r
Waun am mai'r llawysgrif honno yw'r llawysgrif Gymraeg
hynaf o'r gyfraith yn ôl dull Gwynedd. Fe dybir ei sgrifennu
tua'r flwyddyn 1200 ond y mae'n amlwg wrth nodweddion ei
hiaith ei bod yn gopi o lawysgrif hŷn o lawer. Ni all y rhestr o
werthoedd fel y cyfryw fod yn hŷn na chyfnod rhyw Yoruerth
vab madauc, y cyfreithiwr a'u hychwanegodd hwynt at y llyfr.
Eto ni wnaeth ef yma ond enwi a phrisio pethau a oedd eisoes
yn bod, ac felly ni ellir casglu pa mor hen yw rhai o'r enwau
dieithr a geir yn y rhestr. Dyma'r pethau sydd a wnelo ag
aredig ynghyd â'u gwerthoedd :[1]

> penfest aredar. i.
> oluyneu. ii.
> probuyllyeu ar racarnaut. i.
> pop yeu ae ypestelyeu. i.
> pystyl. fyr.
> carthpren. i.
> yre. i.

Yn awr cyn troi at yr amryw gynigion a wnaed i esbonio rhai
o'r geiriau hyn, y mae'n fuddiol nodi yma rhai pethau a wyddys
i sicrwydd am aradr y Gyfraith ac sydd yn help inni i ddeall y
rhestr uchod : (i) Dwy geiniog gyfraith oedd gwerth yr aradr
heb yr heyrn.[2] (ii) Cysylltid yr aradr wrth yr iau neu'r ieuau

---

[1]Gwenogvryn Evans, *Facsimile of the Black Book of Chirk*, td. 104.
[2]Wade Evans, *Welsh Medieval Law*, td. 107 ; S. Williams & E. Powell, *Llyfr
Blegywryd*, td. 97 ; *The Cambrian Register*, II, td. 335 ; Aneurin Owen, *Anc. Laws &
Inst. of Wales*, II, td. 865 ; T. Lewis, *The Laws of Howel Dda*, td. 41.

â thid wden.[1] (iii) Gan mai dwy geiniog yn unig oedd gwerth
yr aradr heb yr heyrn, y mae'n eglur nad oedd yr olwyni yn
rhan anhepgorol ohoni ; canys dwy geiniog oedd eu gwerth
hwythau hefyd yn ôl y Llyfr Du o'r Waun.

Y mae'n amlwg wrth (iii) uchod fod dau fath o aradr ar
gael,—rhai olwynog a rhai rhydd, heb ddim gwahaniaeth
sylfaenol rhwng ffrâm y naill a ffrâm y llall. Felly, gan an-
wybyddu'r olwyni, a chan gofio'n barhaus mai dwy geiniog
yn unig oedd gwerth ffrâm bren yr aradr ac mai â thid wden y
tynnid hi, gallwn droi at y pethau yn y rhestr y mae'n rhaid eu
bod at ei gilydd yn cyfansoddi'r ffrâm honno. Dyma hwy
mewn orgraff heddiw : penffestr aradr, probwyllau a'r rhag-
arnawdd.

Esboniwyd y termau hyn gan amryw bobl mewn amryfal
ffyrdd. Er enghraifft, esboniwyd ' penffestr aradr ' fel rhan o'r
aradr ac fel dau air hollol gyfystyr :

(i) Penffestr = rhan o'r aradr. Mae'n amlwg mai dyna'r
ystyr mewn dwy o'r pedair llawysgrif a ddefnyddiai Aneurin
Owen wrth lunio'r rhan hon o'i destun,[2] sef y Llyfr Du o'r
Waun (c. 1200) a Llsgr. Titus D II (c. 1282). Fel y gwelsom
' penffest aredar ' a geir yn y naill, ac, yn ôl Wotton,[3] ' Penffesd
aradr ' sydd yn y llall. Cyfieitha Wotton y geiriau fel Stiva
aratri (= haeddel fawr neu lyw—Ffig. 1, rhif 1) ; ond yn ôl
Aneurin Owen eu hystyr yw A plough-head (= gwadn—Ffig. 1,
rhif 5). Tuedda Mr. Timothy Lewis i gytuno ag Owen,[4] ond
gesyd ? ar ôl ei esboniad. Ni cheir y term o gwbl gan Mr.
Robert Richards yn ei ymdriniaeth ar aradr y Gyfraith,[5] ond fe
rydd y term ' Pen yr aradr ' fel petasai'n digwydd yn y Gyfraith.
Ni welais y term hwn erioed o'r blaen ac ni chlywais ef ar
lafar ; ond gan i Mr. Richards ei roddi gyferbyn â Sharebeam
Fitzherbert a Plough-head Markham, fe gesglir mai ei esboniad
ac aralleiriad ar penffestr ydyw.

(2) Penffestr = yr aradr ei hun. Dyma'r ystyr yn y ddwy
lawysgrif arall a ddefnyddiodd Aneurin Owen at y rhan hon o'i

[1]Gweler td. 148, 150.
[2]Anc. Laws, I, td. 308.
[3]Leges Wall., td. 274.
[4]A Glossary of Med. Welsh Law, td. 243.
[5]Cymru'r Oesau Canol, td. 120.

destun, sef Peniarth 32 (c. 1380) a Peniarth 40 (1469). ' Aradyr neu penffest ' ac ' Aradyr neu benffest ' a geir yn y rhain,[1] Cyfieitha Owen yr amrywiadau hyn fel *A plough or muzzle*, gan roi i *penffestr* ei ystyr ddiweddar arferol. Ond aradr yw ei ystyr yn ôl y geiriadurwyr a ganlyn : William Salesbury,[2] Gruffudd Hiraethog,[3] John Jones Gelli Lyfdy,[4] Dr. John Davies,[5] Thomas Jones,[6] John Rhydderch,[7] Edward Williams,[8] John Walters,[9] Thomas Richards.[10]

Gwelir felly fod dwy lawysgrif o'r Gyfraith yn trin penffestr fel rhan o'r aradr a bod dwy lawysgrif arall sydd heb fod agos mor hen yn awgrymu mai'r aradr ei hun ydyw. A gwelir bod y dehonglwyr a'r geiriadurwyr yn ymrannu o blaid y naill syniad neu'r llall.

Pedair esiampl o'r gair mewn cyd-destun llenyddol sy'n hysbys i mi. Dyma hwy yn nhrefn amser :

> Aradr o serch annerchion
> A rof fry ar erw y fron ;
> A swch o wawd gnawd gnydau,
> Cwylldwr mwyn yw'r callder mau ;
> Penffestr glanwaith, mydriaith mad,
> Addail cur a ddeil cariad.
>
> Dafydd ap Gwilym.[11]

> Lle'r oedd gadr-sad aradr-swch
> ar did lle rhwmid yr hwch
> ar penffestr ungrest angraff
> ar hen ystrodyn ar rhaff.
>
> Tudur Penllyn.[12]

> . . . neu ddal penffestr gwasgarbridd mewn
> mynydd-dir cownwellt . . .
> Llythyr Huw Conway.[13]

---

[1]Rhoir darlleniadau'r llawysgrifau hyn yn yr Atodiad i'r bennod hon.
[2]*A Dictionary in Englyshe and Welshe* (1547).
[3]Llsgr. Peniarth 138 (c. 1562) : *B.B.C.S.* II, td. 234.
[4]Llsgr. Peniarth 308 (1639), Rhan I, td. 1, a Rhan II, td. 3.
[5]*Dict. Duplex* (1632).
[6]*Y Gymraeg yn ei Disgleirdeb* (1688).
[7]*The English and Welsh Dictionary* (1725).
[8]*Cyneirlyfr* (1826).
[9]*An English and Welsh Dictionary* (1828).
[10]*A Welsh and English Dictionary*, 4ydd arg. 1839.
[11]Argraffiad 1789, td. 399.
[12]' Lloffion Bob Owen,' *Y Genedl*, 8 Chwef., 1937.
[13]Dafydd Jones, *Cydymaith Diddan* (1824), td. 43.

> . . . yr hwn sydd yn dal y penffestr, ac y
> sydd a'i hoffter yn yr irai.
>
> Llyfr Ecclesiasticus.

Gwelir yr un gwahaniaeth parthed ystyr y gair yn y dyfyniad-
au uchod. Dechreua Dafydd ap Gwilym drwy enwi'r aradr
gyflawn. Wedyn fe â ymlaen i sôn am rai o'i rhannau,—swch,
cwlltwr, penffestr. Felly y cwestiwn yw a olyga penffestr yma
ryw ran arbennig o'r ffrâm bren neu ynteu'r ffrâm gyfan heb
yr heyrn.

Enwi pentwr o bethau a oedd yn llanastr mewn tŷ cybydd a
wna Tudur Penllyn. Yn eu plith fe geir swch aradr a ' penffestr
ungrestr angraff.' Ni welais y gair ungrestr mewn unrhyw
eiriadur, ond fe ddigwydd ei ail elfen mewn geirfa o tua 1588
lle ceir ' krest, krestr : arfau.'[1] Gan hynny mae'n debyg mai
ystyr y llinell yw ' penffestr ag un arf bwl.' Yn awr, dwy
arf—swch a chwlltwr—sy gan aradr, a chan yr enwyd y naill, y
swch, yn barod mewn llinell flaenorol, y mae'n anodd osgoi'r
casgliad mai ffrâm yr aradr ynghyd â'r cwlltwr a ddisgrifir
yn y llinell hon, ac mai penffestr=yr holl ffrâm bren. Y mae'n
amlwg mai aradr gyflawn—pren a heyrn—yw ystyr y gair yn y
ddau ddyfyniad olaf.

A barnu wrth a gafwyd uchod, fe ymddengys i mi mai
rhywbeth tebyg i hyn fu hanes y term. Ar un adeg fe olygai ran
arbennig o'r aradr, ac yna ymhen amser dechreuwyd arfer
enw'r rhan am y cwbl.[2] Ond pa ran oedd y penffestr i ddechrau,
ai'r ffrâm bren i gyd neu ynteu rhyw ran ohoni ? ' Gwydd ' yw
gair y Gyfraith am y ffrâm. Ceir yr ymadrodd ' y gwydd a'r
heyrn,' ond nid oes enghraifft o ' y penffestr a'r heyrn.'

Prawf fod y penffestr a'r probwyllau a'r rhagarnawdd oll
yn rhannau o'r ffrâm yw'r ffaith mai dwy geiniog oedd eu
gwerth gyda'i gilydd, canys, fel y cofir, dyna oedd gwerth
aradr heb yr heyrn. Gellir casglu felly fod y rhannau hyn yn
cyfansoddi holl bren yr aradr. Dyna a ddeallwyd gan y rhai a
fu'n ymdrin â'r pwnc, ac, ag eithrio Wotton a Mr. Timothy

---

[1] *B.B.C.S.*, I, td. 326.

[2] h.y., fe drinid ' penffestr aradr ' yn union fel y trinid ' gwydd aradr.' Gynt y
ffrâm bren yn unig oedd y gwydd ond erbyn hyn fe olyga'r aradr i gyd mewn rhai
ardaloedd. Eng. arall yw dweud ' cyrn yr aradr ' yn lle'r haeddeli. Rhan yn
unig o'r haeddeli yw'r cyrn, sef y rhan lle gafaelir â'r dwylo.

Lewis, fe ymddengys iddynt ddeall ystyron y geiriau anodd hyn yn ddigon rhwydd hefyd. O leiaf, Wotton a Mr. Lewis yn unig a fynegodd eu hamheuon—y naill trwy beidio â chyfieithu dau ohonynt a'r llall trwy roi ? ar ôl dau o'i esboniadau. A chystal imi ddweud yn y fan hon nad wyf innau'n honni gwybod beth a olygir gan y geiriau dan sylw. Rhaid i mi roi cynnig i'w hesbonio, mi wn. Disgwylir hynny mewn ymdriniaeth ar yr aradr Gymreig, ond dealler nad wyf ond yn ymbalfalu trwy'r tywyllwch yn aml yn ystod y bennod hon.

Fel y dangosir yn nes ymlaen, oherwydd y ddwy ffaith gyntaf a nodir ar dudalen 53[1] y mae'n debyg fod y gair 'rhagarnawdd' yn ffurf ar y gair arnawdd. Os felly, mae'r ddau air arall ar gyfer y gweddill o'r ffrâm. Oni ddylai fod yn hawdd penderfynu prun yw prun ? Edrycher yn gyntaf oll ar y darlun o'r aradr yn Ffigur 1. Fe welir yno enwau ar gyfer pob rhan o aradr rydd, enwau a gasglwyd o wahanol ardaloedd ac o ffynonellau llenyddol sy'n amrywio mewn oedran. Ond ni welir cysgod 'probwyllau' yn yr un ohonynt. Parthed 'penffestr,' ai 'cebystr' (rhif 8 yn Ffig. 1) yw ?

Cystal i mi ddechrau gyda'r posibilrwydd hwn. Ystyr fwyaf cyffredin y ddau air heddiw yw *halter* at arwain ceffyl. Er mai rhan fechan o'r aradr yw'r cebystr, y mae'n rhan bwysig : 'the keye and the chiefe bande of all the plough' chwedl Fitzherbert gynt.[2] Ei swydd yw clymu'r gwadn wrth yr arnodd mewn man lle ceir dau dyniad gwrthwynebol. Rhaid iddo fod yn ddarn o bren eithriadol o wydn. Eto ni allaf weld fod ei werth mewn arian yn gyfartal â'r gweddill o'r ffrâm i gyd,—a dyna oedd gwerth y penffestr, cofier. Mewn cymhariaeth â'r rhannau eraill, aros tua'r un maint a ffurf a wnaeth y cebystr am ganrifoedd, ac felly fe ddisgwylid y cadwai ei werth ariannol ar gyfartaledd. Ond mewn cofnodau diweddarach ychydig oedd ei werth wrth y rhannau eraill. Er enghraifft, fe dalodd Bulkeley o Dronwy, geiniog am gebystr yn y flwyddyn 1632 ond fe gostiodd arnodd swllt a phedair ceiniog iddo yn 1633 a dau swllt a dwy yn 1635.[3]

---

[1]sef mai dwy geiniog oedd gwerth yr aradr ac y tynnid hi â gwden.

[2]*The Book of Husbandry* (1534), arg. 1882, td. 10.

[3]'Diary of Bulkeley of Dronwy, Anglesey,' *Trans. Anglesey Antiq. Soc. & Field Club*, 1937.

Ni phrisir cebystr aradr Ceredigion ar wahân gan Lewis Morris tua chanol y ddeunawfed ganrif, ond fe ellid ei gael ynghyd â'r chwelydr a'r gwerthydoedd am ddwy geiniog tra costiai'r arnodd swllt.[1] Ar wahân i'r anhawster amlwg ynglŷn a'r gwerth ni allaf weld sut y gallai'r gair penffestr ddyfod i olygu'r ffrâm ac yna'r aradr gyfan os nad oedd yn dynodi llawer mwy na'r cebystr yn unig i ddechrau.

Beth ynteu am gynnig Aneurin Owen a Mr. Timothy Lewis (a Mr. Richards hefyd os deallaf ef yn iawn) mai'r gwadn (Ffig. 1, rhif 5) yw'r penffestr ? Y cwbl a welaf i o blaid hyn yw'r enw Saesneg a roir weithiau ar y rhan hon sef *plough-head*. Ac yma eto y mae gwerth cymharol y gwadn yn rhy isel o lawer. Y mae'n wir fod gwadnau'n amrywio mewn hyd a phraffter ond y mae'n amhosibl dychmygu am yr un ohonynt a oedd yn gyfwerth â'r gweddill o'r ffrâm i gyd. Tair ceiniog a phedair ceiniog a dalodd Bulkeley am wadnau, ac fel y gwelsom yn barod, lawer iawn mwy na hynny am arnodd yn unig. Costiai gwadn aradr Ceredigion chwe cheiniog a'r arnodd yn unig dau gymaint.

Gan gadw ail ystyr penffestr, sef *halter*, mewn cof, edrycher ar Ffigur 1 eto. Ai rhif 1, y rhan lle gafaelir yn yr aradr a'i llywio, y llyw neu'r haeddel-fawr, ydyw ? Fel y gwelsom, dyna fel y deellid y gair gan Wotton ac ni chredaf ei fod ymhell o'i le. Hyd yn oed os yr haeddel-fawr yn unig yw, y mae yn hawdd gweld sut y gallai'r ymadrodd ' dal penffestr ' ddyfod i olygu ' dal aradr ' a'r ddau enw ddyfod yn gyfystyr gydag amser. Yn anffodus ni rydd Bulkeley bris haeddel-fawr yn ei ddyddiadur ; ond y mae bil Lewis Morris yn awgrymu nad oes ar yr ochr ariannol lawer iawn yn erbyn y dyb mai'r rhan hon ydyw'r penffestr. Swllt yr un oedd pris haeddel ac arnodd aradr Ceredigion.[2] Ond fe gofir bod y penffestr yn gyfwerth â'r rhagarnawdd *a'r probwyllau* yn y Llyfr Du o'r Waun. Ceisir

---

[1]Gweler Darlun IX.

[2]Dylid bod yn ochelgar iawn wrth ddefnyddio llyfrau cownt amaethyddol, etc. i ategu neu i wrthbrofi ymresymiadau o'r fath uchod. Amrywiai erydr yn eu maint a'u ffurf hyd yn oed ar yr un fferm, ac felly fe amrywiai maint a gwerth y rhannau unigol. Felly fe ellid yn ddiarwybod hel at ei gilydd nifer o rannau erydr o'r llyfrau cownt a fyddai'n cyfansoddi aradr gyfan—ar bapur ; ond na allesid byth eu ffitio â'i gilydd ar lawr y cartws ! Dyna pam y mae gwerth arbennig i'm pwrpas i yn y bil a rydd Lewis Morris. Canys rhannau *un* aradr a geir ganddo ac fe ellir cymharu gwerth y rhannau hyn â'i gilydd yn hyderus.

ymdrin â'r probwyllau yn nes ymlaen : y cwbl a ddywedaf
yma yw fy mod yn tybio eu bod yn rhannau lled fychain a'u
gwerth ar wahân yn isel. Er hynny y mae'n rhaid inni gymryd
eu gwerth i ystyriaeth boed hwnnw mor isel ag y bo, canys y
mae'n rhaid cael y penffestr yn gyfwerth â'r gweddill i gyd.
Dyna ran o'r rheswm paham na allaf dderbyn cynnig Wotton.

Cyn cynnig fy esboniad i, y mae'n rhaid dweud gair am
Ffigur 1, darlun y cyfeiriwyd ato droeon. Darlun o aradr
ddiwedd y ddeunawfed ganrif yw ac fe ddefnyddir ef fel mynegai
neu allwedd i'r aradr yn y llyfr hwn am ei fod yn dangos
lleoliad nifer fawr o'r rhannau pwysicaf yn dda ac yn eglur.[1]
Heblaw hynny, y mae'n amlwg mai erydr mwy neu lai tebyg
eu cyfansoddiad a oedd ym meddyliau'r sawl a fu'n ceisio deall
y rhestr o eiriau dan sylw. Oherwydd hyn fe barheir i gyfeirio
ato wrth ystyried eu gwahanol esboniadau. Ond, wedi'r cwbl,
darlun o aradr sydd ganrifoedd yn ddiweddarach na chyfnod y
Gyfraith ydyw. Mae'n bosibl nad ymddengys ynddo yr un
rhan na ellid ei chael yn y cyfnod pell hwnnw, ond ar yr un
pryd ni ddengys y darlun rai amrywiadau pwysig a allai
ddigwydd mewn ffurf a chynllun rhyw ran neu'i gilydd. Os
troir i Ffigur 10 fe eglurir y pwynt. Darlun o'r bymthegfed

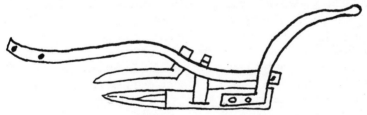

Ffigur 10. Aradr, 15fed ganrif. O Lawysgrif Llansteffan 116.
(*Trwy ganiatâd Llyfrgell Genedlaethol Cymru*)

ganrif yw. Efallai yr ymddengys yn aradr gyntefig iawn yr
olwg, ond peidier â chamsynied yn ei chylch. Defnyddid rhai
erydr heb ystyllen-bridd lawn y pryd hwnnw, ac yn ddiwedd-
arach hefyd, mewn llawer gwlad ; ac fe geid erydr un haeddel
ym Mhrydain hyd ein dyddiau ni.[2] Ond y pwynt sy gennyf yn

---

[1]Ni wn am ddarlun, nac aradr ychwaith, sy'n cynnwys pob rhan y gellid ei
defnyddio ar ryw aradr neu'i gilydd.
[2]Na thybier bod y sôn am olwynion yn y Gyfraith yn anghydnaws ag aradr un
haeddel. Un haeddel oedd gan aradr enwog Norfolk yn 1794.

awr yw *ffurf* yr haeddel fawr yn y darlun hwn. Gwelir ei bod yn lled debyg i goes a throed. Wrth gofnodi'r enw ' troedhaeddel ' am yr haeddel fawr fe ychwanegodd John Jones, Gelli Lyfdy, y geiriau ' ar wedd troed,' ac y mae'n sicr mai'r teip hwn a oedd yn ei feddwl.[1] Gwelir ' troedhaeddel ' debyg ar erydr o'r ddeunawfed ganrif o sir Forgannwg (Darlun X) a hefyd ar erydr Cernyw a Dyfnaint yn niwedd y ganrif honno (Darlun XI). Weithiau fe gafwyd ' troed ' yr haeddel yn llawer mwy ei maint, mor fawr nes iddi wasanaethu fel gwadn i'r aradr. Gwelir enghraifft nodedig o droed-haeddel o'r teip hwn yn Darlun V.

A dychwelyd at y gair penffestr. Fy nghynnig i yw fod y gair i ddechrau yn golygu'r haeddel fawr o'r teip hwn, hynny yw ei bod yn cynnwys y gwadn ynddi ei hun. Ond nid af mor bell ag awgrymu bod pob penffestr bob amser yn un darn o bren. Tybiaf y byddai yn un darn neu'n ddwy ran yn ôl fel y byddai gan yr amaeth, neu'r saer erydr, bren pwrpasol.

Os gwir y ddamcaniaeth hon y mae'n hawdd gweld sut y gallai'r gair penffestr ddyfod yn raddol i ddynodi holl wydd yr aradr, ac o hynny ddyfod yn gyfystyr â'r aradr gyfan. Byddai'r penffestr yn cynnwys oddeutu hanner yr aradr, yr hanner y gafaelir ynddo ac sydd yn troi'r pridd. Byddai peidio â gwahaniaethu rhwng ' dal penffestr ' a ' dal aradr ' yn naturiol ddigon. Ond a fyddai rhan fel hon,—haeddel + gwadn—yn gyfwerth â'r gweddill o'r ffrâm? Yr unig arweinydd diogel sydd gennyf yw bil Lewis Morris. Yn ôl hwnnw, gwerth holl ddefnyddiau pren aradr Ceredigion oedd tri swllt, a'r haeddel a'r gwadn gyda'i gilydd yn costio'n gymwys hanner y swm hwnnw.

Deuwn at yr hanner arall o'r ffrâm, ' y rhagarnawdd a'r probwyllau ' sydd yn gyfwerth â'r penffestr. Gair dieithr arall nas gwelais yn un man arall yw ' rhagarnawdd.' Mae'n amlwg ei gyfansoddi o rhag + arnawdd. Y mae ail elfen y gair yn gynefin heddiw yn y ffurfiau arnodd, arnod, arnol (Ffig. 1, rhif 9). Anwybyddwyd y gair gan y mwyafrif o'r geiriadurwyr, ond *plough handle* yw esboniad Thomas Richards. Fel y cawn weld wrth drafod y gair ' probwyllau,' yr un esboniad sydd gan

[1]Llsgr. Peniarth 308, Rhan II, td. 3.

Aneurin Owen. Dan y gair ' probwyll ' y sylwa William Owen [Pughe] ar ' ragarnawdd ' gan ei gyfieithu yn *fore handle*. Ni chlywais fod y fath beth gan aradr erioed. Yn ôl Mr. Robert Richards[1] *plough sheath* yw'r ystyr. Y gair mwyaf arferol am y rhan honno trwy'r wlad o'r bymthegfed ganrif o leiaf hyd heddiw yw ' cebystr ' (Ffig. 1, rhif 8) ond yn ôl Lewis Morris ceid y gair ' cledde ' yng Ngheredigion.[2]

Cyfieitha Mr. Timothy Lewis y gair fel *a plough beam*, ac fel y dywedais yn barod y mae'n debyg gennyf ei fod yn ei le, a hynny oherwydd y ddwy ffaith gyntaf a nodais ar dudalen 53, sef mai dwy geiniog oedd gwerth y ffrâm ac mai â gwden y tynnid yr aradr. Onibai am y did wden hon yn arbennig fe'm gorfodid i anghytuno â Mr. Lewis.[3] Byddai'n rhaid deall y gair fel arnodd-flaen, sef *fore-beam* neu *draught-pole*. Yr oedd y fath beth ar gael mewn amryw wledydd gynt, ac am a wn i y mae ar gael o hyd. Pawl hir ydoedd a gysylltid â phen blaen y wir arnodd â thorch wden neu ddolen raff. Ymestynnai ymlaen rhwng yr ychen bôn a'i glymu neu'i fachu wrth ganol yr iau fôn. Ond gan y defnyddid gwdyn i'r pwrpas hwn yn ôl y rhan o'r Gyfraith sy'n cofnodi dyletswyddau'r geilwad, hollol ddieisiau fuasai arnodd-flaen o'r fath. Felly y mae'n rhaid deall y gair rhagarnawdd fel arnawdd. Heblaw hyn, onid arnodd ydyw, y mae'n amhosibl cael hyd i'r gwerth ceiniog o'r ffrâm sydd eto'n eisiau ! Fel y gwelsom ar dudalennau blaenorol, ac fel y gellir credu wrth sylwi ar ddarluniau o erydr un haeddel, mae'r arnodd bron yn gyfwerth â'r gweddill ar ei phen ei hun.

Fe erys y 'probwyllau' i gwblhau ffrâm yr aradr. A oes raid inni ymdrafferthu ymhellach â hwy ? Onid digon fydd troi at ddarluniau o'r erydr un haeddel a chael hyd i'r rhannau coll drwy dynnu ymaith y penffestr a'r arnodd ? Nage, yn anffodus. Fel y dywedais o'r blaen, ymbalfalu trwy'r tywyllwch a wnaf yn aml yn y bennod hon. Fe ddichon i mi fethu ac y dangosir hynny gan y cynigion a wnaed eisoes i esbonio'r probwyllau. Ond methu neu beidio, nid unfryd unfarn fu esbonwyr y gair

[1]*op. cit.*, td. 120.
[2]cymh. ' cledde cart ' = darn o bren dan waelod cart sy'n cadw estyll y gwaelod at ei gilydd, a ' cledde drws ' darn cyffelyb ar gefn drws.
[3]Fel y gwelir yn y bennod ar y wedd, ni cheir sôn o ddiwedd yr Oesoedd Canol ymlaen am unrhyw offer at dynnu'r aradr yng Nghymru ar wahân i did wden neu sug haearn neu weddeufe.

hwn hyd yn hyn, ac os methasant hwythau y mae'n fuddiol
dangos hynny hefyd.

Sylwn yn gyntaf oll ar orgraff y gair dieithr hwn. Yn y
Llyfr Du o'r Waun dynodir y sillaf gyntaf gan arwydd a arferid
am ' pro ' yn yr Oesoedd Canol. Sgrifennir y gweddill o'r gair
fel ' buyllyeu.' Yn ôl Wotton ' probwylleu ' yw ffurf y gair yn
Llsgr. B.M.Titus D II. Ni welais y gair yn un man ond y
Gyfraith. Esboniwyd ef mewn dwy ffordd gan rai o'r geiriadur-
wyr. Deil Pughe, Edward Williams, Silvan Evans, ac Anwyl
mai'r ffyn, neu'r gwerthydoedd, rhwng yr haeddeli yw'r ystyr
(Ffig. 1, rhif 4). Ar y llaw arall fe esbonia Thomas Richards[1]
a Mr. Timothy Lewis y gair fel yr haeddeli eu hunain, ond bod
Mr. Lewis yn amlygu ei amheuon unwaith eto. Ymddengys
bod Silvan Evans yn esbonio'r gair y ddwy ffordd yn yr un
geiriadur ![2] Y mae Aneurin Owen a Mr. Robert Richards o
blaid yr esboniad cyntaf, sef gwerthydoedd.

Bydd yn eglur ar unwaith na ellir cael ffyn neu werthydoedd
rhwng yr haeddeli onid oes dwy haeddel i'w derbyn. Felly os
yw'r esboniad cyntaf yn gywir fe gyfyd anhawster sy'n gwbl
annorchfygol, sef darganfod dau[3] enw arall yn ein rhestr dri
gair ar gyfer y ddwy haeddel hon. Heblaw hyn, ni allaf weld
unrhyw reswm dros enwi'r ffyn bychain hyn a'r rhagarnawdd
gyda'i gilydd, a'r naill yn rhwym wrth gynffon yr aradr a'r llall
yn cynnwys y cwbl o'i phen blaen.

Mae'n debyg fod Aneurin Owen yn sylweddoli'r anawsterau
hyn oblegid fe gyfieitha'r holl ymadrodd ' probwyllau a'r
rhagarnawdd ' fel *bars and stilt*, gan leoli'r cwbl ym mhen ôl yr
offeryn. Ond sut y gallodd Owen *fforddio* cyfieithu fel hyn ?
Canys dyna fo wedi gwario'r tri gair sydd gennym ar gyfer yr
holl ffrâm a'u cyfieithu yn *plough-head, bars and stilt* ; h.y. dim
ond hanner aradr sydd ganddo wedi'r cwbl ! A hanner aradr
go ddilun ac un haeddel yn unig i dderbyn y gwerthydoedd.
Y rheswm yw fod ganddo air ychwanegol yn ei restr ef, sef
' arnawdd.' Fel y gwyddys fe geisiodd Owen lunio testun cyfan-

---

[1]Fe gofir i Richards esbonio'r gair ' rhagarnawdd ' fel *a plough handle* hefyd,
felly dyma dair haeddel ar ei aradr ef !

[2]*s.v.* bar ' bars of a plough—probwyllau,' *s.v.* plough ' The stilts of a plough—
probwyll.'

[3]Ni wna lluosog *un* gair mo'r tro fel y dangosir yn nes ymlaen.

sawdd o'r Gyfraith drwy bentyrru cynnwys y gwahanol lawysgrifau am ben ei gilydd. Ymddengys na ddeallodd arwyddocâd y ffaith fod rhai llawysgrifau yn rhoi'r gair 'rhagarnawdd' ac un diweddarach yn defnyddio'r ffurf 'arnawdd' *yn ei le*.[1] Ni sylwodd ychwaith ei fod yn ychwanegu at bris cyfreithiol yr aradr trwy chwyddo'i restr fel hyn. Gwelir yn awr sut y gallai Owen wario'r tri gair gwreiddiol ar hanner aradr ac eto cael hyd i ddigon i orffen yr offeryn—ar wahân i'r ail haeddel ! Ymddengys i mi nad un restr o rannau'r aradr sydd ganddo yn ei destun cyfansawdd ef, eithr clytwaith o ddwy fersiwn ohoni. Oherwydd hyn gwaith ofer yw ceisio ad-lunio aradr y Gyfraith ar sail y rhestr gyfansawdd hon.

Beth am yr esboniad a grybwyllir uchod, sef mai'r haeddel Ffig. 1, rhif 1 a 2) yw'r probwyllau? Ni ddywedir wrthym ar ba sail yr esboniwyd y gair felly ; ond mae'n bosibl mai oherwydd bod y gair yn y rhif lluosog.[2] Mae'n bosibl hefyd y tybiwyd gan rywun fod y gair yn deillio o'r Lladin *propello* canys y mae'n dra anodd cael hyd i air arall y gallasai 'probwyll' darddu ohono, ac yr un mor anodd yw ymgodymu â'r gair am bum munud heb ddyheu am ddarganfod ei darddle a chael gwared ohono. Yn awr, gan mai ystyr *propello* yw gwthio neu symud ymlaen, ni allai neb a fedr aredig dderbyn y ddamcaniaeth *propello* > *probwyll* = *haeddel*. Rhaid i aradwr ymarferol wrthod naill ai'r tarddle tybiedig neu ynteu'r esboniad. Oherwydd ni symudir yr aradr ymlaen â'r haeddeli : llywio'r aradr a chadw rheolaeth arni a wneir â hwy.

Gan hynny ystyriwn y ffaith bod probwyllau yn enw lluosog. Beth bynnag oeddynt, yr oedd mwy nag un ar yr aradr. Ni ddywedaf na cheid dwy haeddel ar rai erydr yn y ddegfed ganrif.[3] Ond wrth ddadlau o blaid pâr o haeddeli

---

[1]Gweler yr Atodiad i'r bennod hon am ddarlleniadau llsgr. D a K yr *Anc. Laws*.

[2]Gallasai hyn fod wedi awgrymu'r esboniad cyntaf—' ffyn ' ; ond fel a ganlyn yr esbonia Pughe y gair yn ei eiriadur : ' Probwyll *s.m. & pl.* (pro-pwyll) What passes through cross-wise ; the bars between the handles of a plough.'

[3]Ceid hefyd yn yr Oesoedd Canol un haeddel ddeugorn a naddwyd o un darn fforchog. Gweler Darlun V a Leser tud. 85. Rhaid gwahaniaethu rhyngddi a dwy haeddel annibynnol. Hawdd eu cymysgu â'i gilydd oherwydd yr arfer ddiweddar o alw'r ddwy haeddel yn ' gyrn.' Pen yr haeddel yn unig oedd y corn (Ffig. 1, Rhif 17). Ni ellir defnyddio gair yn y lluosog am enw haeddel ddeugorn yr Oesoedd Canol am yr un rheswm na ellir galw coes fforchog cribin yn ' coesau.' Un ran, un darn o bren ydyw.

ar sail ffurf luosog y gair probwyllau, yr ydys yn euog unwaith eto o'r bai o synied am hen deip o aradr o safbwynt modern ac yn gadael i ffurf yr aradr fodern gam-lunio'r darlun. Dau gymar cydwedd cyfwerth yw dau fraich erydr y wlad hon bellach ; ond nid felly yn yr oesoedd gynt. Un haeddel neu lyw a oedd gan yr hen erydr, ond, weithiau, fe ychwanegwyd math o haeddel neu lyw arall a oedd yn fwy neu lai cyfochrog â hi. I wahaniaethu'r braich yma oddi wrtn y llall fe'i gelwid yn ' llaw-haeddel ' neu ' llaw-lyw,' ac ar yr un pryd fe bwysleis-iwyd pwysigrwydd yr haeddel gysefin drwy ychwanegu at ei henw hi yr ansoddair ' fawr.'[1] Mae'r enw ' llaw-haeddel ' cystal â diffiniad ; nid oedd y peth ei hun yn fwy na help-llaw, fel petai, at ddal yr aradr yn ei chwrs. Weithiau fe fanteisiwyd arni at bwrpas arall yn ychwaneg, megis helpu'r gŵys i droi,[2] neu fel ateg i ystyllen-bridd o'r math arferol.

Gwelir felly nad pâr oedd yr haeddel a'r llaw-haeddel gynt, eithr yn hytrach dwy ran annibynnol a oedd *weithiau* tua'r un hyd ac *weithiau* yn lled debyg o ran ffurf. Ond llawn mor aml fe fyddent yn wahanol eu hyd a'u ffurf, ac ni byddai'r llaw-haeddel byth mor braff a chadarn â'r haeddel ei hun. Dangosir y gwahaniaeth sylfaenol rhyngddynt yn Ffig. 1 ac mewn darluniau eraill yn y llyfr hwn. Sylwir bod y naill wedi'i morteisio'n gadarn yn y ffrâm a bod y llall wedi'i chysylltu'n ysgafnach. Gwas bach defnyddiol, ond nid anhepgor, fu'r llaw-haeddel trwy'r canrifoedd. Nid cymar yr haeddel mohoni nes dyfod erydr newydd diwedd y ddeunawfed ganrif, ac hyd yn oed wedyn parhaodd rhai o'i nodweddion nes dyfod erydr heyrn y ganrif ddiwethaf.[3]

---

[1]Dwy ran annibynnol y cyfrifid yr haeddeli gan sgrifenwyr amaethyddol ymhlith y Saeson hefyd, a gwahaniaethid rhwng eu henwau, e.e. *plough-tayle, plough-stylte* (Fitzherbert, 1543) ; *principal hale, right-hand hale* (Markham, 1614) ; *land handle, right handle* (Walter Blith, 1653) ; *short handle, long handle* (Thos. Hale, 1756).

[2]Dyna'i phrif swydd yn aradr Ceredigion (Darlun VII) ac ' ystyllen bridd,' y gelwid hi gan Lewis Morris.

[3]Mor ddiweddar â thri-degau'r ganrif ddiwethaf fe geid yn Norfolk, ac eraill o siroedd Lloegr, law-haeddel y gellid ei thynnu o'r aradr a charthu'r ystyllen-bridd neu'r cwlltwr â hi. Hynny yw, rhan o'i swydd oedd cyflawni gwaith carthbren, ac wrth un o'r enwau Saesneg am garthbren, sef *plough-staff*, y gelwid hi. *British Husbandry*, 1837, Vol. II, p. 3. Am ddarluniau o law-haeddeli cyffelyb gweler Arthur Young : *General View of the Agriculture of the County of Essex* (1807), I, Darluniau 7, 8, 10, 11, 14, 18.

Ofnaf na allaf dderbyn yr un o'r ddau esboniad ar y gair 'probwyllau' a drafodir uchod. Ni allaf gytuno â'r naill, sef 'gwerthydoedd' neu 'ffyn,' am nad oes geiriau ar ôl yn y rhestr ar gyfer yr haeddel fawr a'r llaw-haeddel yr âi'r gwerthydoedd hyn rhyngddynt. Ni allaf gredu yr enwid ac y cyfrifid y ffyn hyn a'r rhagarnawdd gyda'i gilydd, gan na pherthynent â'i gilydd. Yn olaf, dyna gwestiwn gwerth yr eitem y mae'r probwyllau yn rhan ohono sef ceiniog. Ni ellir gwthio gair arall i'r rhestr a gadael iddo hwyluso'r esboniad *bars and stilt* fel y gwnaeth Aneurin Owen, canys dwy geiniog yn unig oedd gwerth y cwbl o'r aradr ar wahân i'r heyrn.

Parthed yr esboniad arall, sef mai'r 'haeddeli' yw'r probwyllau, ni allaf ei dderbyn ychwaith. Ni allaf gytuno o gwbl y defnyddid ffurf luosog un gair i ddynodi dwy ran neu aelod a oedd yn gwbl wahanol i'w gilydd, dwy ran y gwyddys eu bod yn dwyn enwau gwahaniaethol mewn cyfnodau diweddarach. Yr oedd y rhannau hyn yn wahanol eu swydd. Yr oeddynt yn wahanol eu ffurf yn amlach na pheidio. Yr oeddynt bob amser yn gwahaniaethu mewn maint a phrafter. Gwahaniaethid rhyngddynt bob amser wrth eu henwi. Ac, a barnu wrth y darluniau canoloesol a welais i, erydr un haeddel a oedd mwyaf arferol cyn y 14eg ganrif. Heblaw hyn oll, byddai derbyn yr esboniad hwn yn ein gorfodi i ddeall y gair 'penffestr' fel gwadn yn unig, ac fel y gwelsom ni thycia hynny.

Beth ynteu am f'esboniad i ar y gair? Dywedais fod Aneurin Owen yn anwybyddu rhai amrywiadau yn ei destun cyfansawdd. Yn ei lawysgrif D, sef Peniarth 32, yr hyn a geir yw 'Frowylleu y racarnavd,' ac yn ei lawysgrif K, sef Peniarth 40, fe geir 'Frovylleu aradyr.' Gan yr ymddengys na wyddai'r esbonwyr am yr amrywiadau hyn nid oedd diben mewn cyfeirio atynt o'r blaen. Iddynt hwy 'probwyllau' oedd y gair i'w drafod, ac, ysywaeth, fe erys y gair hwnnw i'w ystyried o hyd.

Oherwydd ei orgraff yn y Llyfr Du o'r Waun, sef cwtogiad Lladinaidd am 'pro' wedi ei ddilyn gan 'buyllyeu' dylid gofyn yn gyntaf oll ai un gair ydyw neu ynteu dau. Gan gofio am y gyfres o ieuau a enwir yn y Gyfraith,—'er eyl yeu,' 'ekeseylyeu,' 'yr hyryeu'—y mae'n naturiol gofyn ai rhyw

iau arall sydd yma. Yn fy marn i, y mae hyn yn amhosibl am
amryw resymau, ond dangosir hyn yn gryno gan y llinell nesaf
yn y Llyfr Du ei hun lle cynhwysir yr ieuau i gyd yn yr eitem :
' pop yeu ae ypestelyeu. 1.'

Cyn belled ag y gwelaf i, rhaid cytuno â sgrifennydd llaw-
ysgrif Titus D 2 a derbyn probwyllau fel un gair pa mor anodd
bynnag y bo'r gair hwnnw.

Fel y gwelir os troir i Darluniau X—XI, unwaith eto y cwbl
sydd eisiau i gwblhau ffrâm ein haradr yw cebystr y naill
ddarlun a chebystrau'r llall. Os y rhan neu'r rhannau hynny a
ddynodir gan y gair probwyllau, ni wn i o ble y tardd y gair
onid o ryw ffurf Ladin megis *propĭlă. Ceir pĭlă yn golygu
' colofn ' ac yn y ddeuddegfed ganrif fe geid pilus yn golygu
pile, stake.[1] Rhagddodiad cyffredin yn golygu ' blaen ' yw pro.
A bwrw am eiliad fod rhywbeth yn y ddamcaniaeth hon, yna
' ateg-flaen ' fyddai ystyr probwyll.

Ond beth am yr amrywiadau Frowylleu, Frovylleu ? A ydynt o
blaid ystyr o'r fath ? ' Ffrewyllau ' yw'r gair mewn orgraff
heddiw, wrth gwrs, ac yn ôl Dr. John Davies ei ystyr yw
flagellum. Yn ôl y Medieval Latin Word List y mae dwy enghraifft o
flagellum yn golygu bar, y naill yn y flwyddyn 1200 a'r llall yn
1220. Felly fe ymddengys yn bosibl y gallai probwyllau a
ffrewyllau ill dau olygu'r un peth yn fwy neu lai.

Ond beth ydyw'r ategau-blaen neu'r barrau hyn a gysylltir
â'r arnawdd ? Awgrymaf mai'r cebystrau ydynt (Ffig. 1, rhif 8).
Weithiau fe geid mwy nag un ar aradr. Ceir tri ohonynt ar hen
aradr o Lydaw sydd yn y Pitt Rivers Museum, Farnham,
Dorset. Dau gebystr—a elwid yn spills—a oedd ar un teip o
aradr yn swydd Dyfnaint yn nechrau'r ganrif ddiwethaf
(Darlun XI), a dau sydd ar aradr o Gernyw sydd eto ar gael.[2]
Darlunnir aradr a thri chebystr ac un arall a dau mewn
llawysgrif a ddyddir tua'r flwyddyn 1000.[3] Darlunia Leser
ddwy aradr o Ffrainc sydd â dau gebystr.[4] Ni welaf sut i
osgoi'r casgliad mai hynny o gebystrau a oedd gan yr aradr
ydyw probwyllau y Llyfr Du o'r Waun.

[1]Medieval Latin Word List, s.v. pil/o.
[2]Antiquity, XXI, td. 151.
[3]Israel Gollancz (gol.), The Caedmon Manuscript of Anglo-Saxon Biblical Poetry.
[4]Paul Leser, Entstehung und Verbreitung des Pfluges (1931), td. 322.

Ar wahân i Mr. Robert Richards fe gytunwyd yn gyffredinol mai'r penffestr a'r probwyllau a'r rhagarnawdd yw unig rannau ffrâm yr aradr a enwir yn y Llyfr Du o'r Waun. Ond fe esbonia Mr. Richards y gair ' pystyl ' fel clust aradr. Ni allaf dderbyn ei esboniad fel y gwelir yn y bennod olaf.

Defnyddid pethau eraill a enwir yn y rhestr wrth aredig, ond nid rhannau'r aradr oeddynt. Dyna'r carthbren, er enghraifft, a esbonnir gan Mr. Richards fel *plough mal*, a dywed fod hwnnw yn fath o ordd a ddefnyddid i dorri tyweirch. Defnyddid gordd i dorri tyweirch nas chwalwyd gan yr oged, mae'n wir, ond gordd â choes hir oedd honno ac nid yr ordd fach a ddygid ar yr aradr. Â'r ordd fach yr hwylid yr aradr ; cymerir ei lle gan sponer bellach. Ond y mae'n gwbl sicr nad gordd o fath yn y byd oedd y carthbren. Yr oedd ambell enghraifft o'r offeryn hwn i'w gweld o hyd ryw ddeng mlynedd ar hugain yn ôl ac nid anghofiasid na'i enw na'i bwrpas gan eu perchnogion. Math o bâl fechan a choes hir ydoedd (Ffig 11) ac fe ddefnyddid

Ffigur 11. Llafn Carthbren. Yn Amgueddfa Werin Cymru.

(*Trwy ganiatâd Amgueddfa Genedlaethol Cymru*)

gynt i garthu neu lanhau'r swch a'r cwlltwr a'r ystyllen-bridd. Enw mwyaf cyffredin y carthbren yn Saesneg oedd *plough-staff* ac *akerstaff*.[1] Mae'n debyg mai pren i gyd oedd y carthbren yn aml gynt.[2] Fe gedwid hi fel rheol yng nghadair yr aradr (Ffig. 1, rhif 18). Chwedl Roger Cyffin yn ei gywydd i ofyn aradr :[3]

> rhoer yn i ffwrch, prendwrch pridd,
> garthbren penllydan gwrthbridd.

[1] Yn ôl Mr. Richards, carthglwyd—nad oes a wnelo ag aradr—yw'r *akerstaff*. Ond *berfa* oedd carthglwyd yn ôl Roger Morris (*B.B.C.S.*, I, tt. 321, 324). Dywed y Dr. Peate wrthyf mai carthglwyd y gelwir berfa-law yn ardal Llanbryn-mair.

[2] Wrth roddi tri charthbren i Amgueddfa Genedlaethol Cymru yn 1929 dywedodd y diweddar Evan Jones, Tyn-y-pant, Llanwrtyd, fod enghraifft bren ar gael yng Nghwm Tywi.

[3] Llsgr. Caerdydd 2. 616, td, 143.

Pan fyddai un haeddel yn unig ar yr aradr, weithiau fe ddaliai'r
aradwr y carthbren yn ei law. Ac, weithiau, fe daflai'r aradwr
yr offeryn ar yr ychen i'w bywiogi. Byddai cynorthwywyr yr
aradwr mewn perygl ar yr achlysuron hyn ; yn wir, fe gofnodir
sut y lladdwyd dau ohonynt fel hyn, y naill yn y Gogledd a'r
llall yn Lloegr.[1]

CRYNODEB

Wedi'r holl ymdriniaeth uchod, ychydig a wyddys i sicrwydd
am rannau aradr y Gyfraith. Dangoswyd pa mor amrywiol fu'r
esboniadau a gafwyd o dro i dro ar ychydig o dermau technegol.
Eglurwyd yr achosion am hyn, sef llyncu'n anfeirniadol holl
restr gyfansawdd Aneurin Owen yn *Ancient Laws* ynghyd â
diffyg gwybodaeth fanwl am erydr ac aredig. Ond oherwydd y
pwys a roir ar deipiau offer amaethyddol gan rai haneswyr, ac
oherwydd parodrwydd rhai ohonynt i seilio damcaniaethau
ynglŷn â ffurfiau meysydd â phethau tebyg ar y mathau o
erydr a geid gynt—yn arbennig ar fanylion megis pwysau'r
erydr, olwyni, ac ystyllod-pridd—y mae'n rhaid crynhoi yma'r
ffeithiau a'r awgrymiadau sydd â sail iddynt yng Nghyfraith
Hywel. Hyd y gallaf i weld, dyma'r cwbl :

Twyll camarweiniol yw'r aradr sy'n ymrithio ar dudalennau
309 a 311 o *Ancient Laws* Aneurin Owen. Nid oes dim sail yn y
Gyfraith i'r dyb mai aradr olwyn ddwy haeddel oedd aradr
gyffredin Cymru yn rhan gyntaf yr Oesoedd Canol. I'r
gwrthwyneb, dangoswyd uchod fod dau fath o aradr ar gael,—
rhai olwyn a rhai rhydd—ac nad oes dystiolaeth i ddwy haeddel.

Oherwydd y nifer o ychen a ieuid yn y wedd fe gesglir mai
trwm yn hytrach nag ysgafn oedd y ddau fath.[2] Mae'n bosibl
mai ar yr erydr trymaf yr oedd yr olwyni.

Yn ôl fy nehongliad i uchod, yr oedd ffrâm yr aradr yn
cynnwys rhannau sy'n cyfateb i haeddel a gwadn ac arnodd a
chebystrau. Hynny yw yr oedd yr aradr yn cyfateb i'r teip a
adweinir gan efrydwyr teipiau fel ' yr aradr bedrongl ' ac
felly yn perthyn i deip gogledd-orllewin Ewrop yn hytrach nag

[1] *Calendar Patent Rolls Eliz.*, I, tt. 363, 382.
[2] Y mae a wnelo ansawdd y pridd ac ystyriaethau eraill â nifer yr ychen hefyd,
ond dylid cofio sut y condemniwyd pwysau mawr rhai o erydr Cymru mewn
cyfnod diweddarach.

i deip dehau Ewrop. Cadarnheir hyn gan y ffaith fod olwyni ar gael.

Mae'n bosibl fod y term ' rhagarnawdd ' yn cadw atgof am aradr ag arnodd-flaen ; ond nid oes fymryn o dystiolaeth y ceid y rhan honno ar erydr y cyfnod.

Parthed ansawdd y gwaith a wneid â'r erydr hyn, y mae'n eglur fod safon gydnabyddedig. Er enghraifft, yn y rhan o'r Gyfraith lle traethir am gyfar fe geir tystiolaeth y digwyddai amrywiadau annymunol mewn lled a dyfnder y cwysi weithiau.

Dyma'r darn mewn orgraff ddiweddar : ' O derfydd bod ymryson am ddrycar, edrycher erw yr amaeth a dyfned ei hâr a'i lled, ac wrth honno gwneler i bawb cystal â'i gilydd.'[1] Ni ddywedir wrthym pa mor ddwfn y dylid aredig ; ond wrth ddisgrifio'r gosb am aredig anghyfreithlon fe geir a ganlyn mewn rhai llawysgrifau : ' A cheinawc dros bop kwys a ymhoyles yr aradyr. Ac ony wy(by)dir rif y kwysseu treydued vyd lled pob kwys.'[2] Felly, troedfedd, neu yn ôl mesur heddiw naw modfedd, oedd lled y gŵys. Na chymerer rhan olaf y dyfyniad uchod fel prawf fod y cwysi mor ddi-lun fel na ellid eu cyfrif :[3] yr oedd yn rhaid cymryd gwaith yr oged i ystyriaeth canys gallasai y llyfnu fod wedi dilyn yr aredig heb oedi.

Mae'r dyfyniad olaf yn ychwanegu at ein gwybodaeth o'r aradr hefyd, canys fe ddywedir fod yr offeryn yn ymhoelyd neu droi'r cwysi. Ategir hyn gan lawysgrif arall lle ceir hanes am ddyn yn ' ymhoylyt mil o gwysseu messurawl.'[4]

Profir gan rannau eraill o'r Gyfraith mai i'r un ochr yn gyson y troid y gŵys megis y gwneir ag erydr cyffredin heddiw. Er enghraifft, wrth draethu am deithi ychen fe sonnir am ych y gellid ei osod i aredig yn y rhych ac ar y gwellt ac am un arall a oedd yn rhychor neu'n welltor yn unig.[5] Eto, lle traethir am gyd-aredig fe ddywedir na ddylid symud ych a ardd yn y

---

[1]*Llyfr Du o'r Waun*, td. 109. Mae'n amlwg y byddai ambell amaeth diegwyddor yn tueddu i droi cwysau tenau llydain ar erwau ei gyd-gyfarwyr er mwyn arbed iddo ei hun beth o'r llafur caled a achosai'r aradr ganoloesol. Heblaw hynny gallai fod yn berchennog un o'r ychen gwedd ac felly yn dueddol i ysgafnhau baich hwnnw wrth aredig erwau dynion eraill.

[2]Timothy Lewis, *The Laws of Howel Dda*, td. 31 ; S. Williams & E. Powell, *Llyfr Blegywryd*, td. 80.

[3]Cymh. ' a cheinawc cotta ynghyfeir paladyr pop kwys ' : *Anc. Laws*, II, td. 458. Awgrym cryf am gwys luniaidd sy'n y gair ' paladyr.'

[4]*Anc. Laws*, II, td. 458.

[5]*ibid*, I, td. 274.

rhych i ochr y gwellt heb ganiatâd.[1] Yn awr, y mae hyn oll—
a phob sôn tebyg am rychor a gwelltor—yn gwbl ofer a
diystyr onid erddid y tir mewn grynnau. Dyna ddull cyffredin
heddiw, wrth gwrs, lle cesglir y cwysi i bob tu'r cefn. Wrth
aredig yn y dull hwn gyda phâr o ychen neu geffylau y mae'r
naill anifail yn y rhych a'r llall ar y gwellt yn wastad. Effaith
anorfod o lunio aradr sy'n troi'r gŵys tua'r un ochr yn gyson
ac yn unig yw'r dull hwn o aredig.[2] Gwelir felly paham y
mae'r sôn am rychor a gwelltor yn profi bod aradr cyfnod y
Gyfraith yn troi'r gŵys i'r un ochr yn unig.

Yn awr, ni throir cwys fel hyn onid oes gan yr aradr ryw
ran sefydlog sy'n cyfateb i ystyllen-bridd. Mae'n amlwg felly
fod y fath ran ar erydr y cyfnod. Ond ni wyddys dim am ei
maint a'i ffurf. Awgryma'r gair ' scyvar '[3] a geid gynt fel un o
enwau'r ystyllen-bridd fod ystyllod bychain syml ar gael
rywbryd yn y gorffennol. Mae'n debyg fod y chwelydr
(Ffig. 1, rhif 15), darn syml o bren, ar gael yn fore. Yn ôl
traddodiad Cymreig yr Oesoedd Canol fe ddyfeisiwyd y
chwelydr gan San Ffraid Leian. Mae'r traddodiad yn dyst i
hynafiaeth y peth ei hun.

---

[1]*ibid*, td. 320.

[2]Lle ceid erydr a oedd yn troi'r gŵys i'r naill ochr neu'r llall yn ôl fel y delid
hwynt (Darlun II) neu lle ceir erydr modern o'r teip *turnwrest*, neu ' unffordd,' fe
ddychwel yr aradwr ar hyd y rhych yn wastad. Felly bob tro y try'r anifeiliaid ar
y dalar newidiant eu lleoedd mewn perthynas â rhych a gwellt. h.y. nid oes na
rhychor na gwelltor cyson. Mantais, wrth gwrs, dan unrhyw sistem yw cael
anifail a all gerdded y ddwy ochr. Yng nghyfnod y Gyfraith pwysigrwydd ych
' teithiog ' o'r fath oedd y gellid ei gyd-ieuo ag unrhyw un o ychen y cyd-gyfarwyr.

[3]' boch ascell : ystyllen bridd, scyvar ' : *B.B.C.S.*, I, td. 321.

ATODIAD

Rhannau'r aradr yn llawysgrif Peniarth 32, tt. 148-9.
 Aradyr neu penffest : ke.k.
 Olvyneu : dvy ge. k.
 Frowylleu y racarnavd : ke.k.
 Pob jeu ae phistlon : ke.k.
 Y pistyl : ffyrllig
 Carthpren : ke.k.

Rhannau'r aradr yn llawysgrif Peniarth 40, td. 55.
 Aradyr neu benffest. k.k.
 Olvyneu. ii.k.
 Frovylleu aradyr k.k.
 Svch ii.k.
 Pop iav ar pistlon k.k.
 Carthprenn. k.k.
 Arnavt. k.k.
 Cvlldyr. iiii.k.
 Pistyl e hun. k.k.

PENNOD IV

YR ARADR : XIII GANRIF—XVII GANRIF

Os prin yw'r wybodaeth a geir am erydr y ddegfed ganrif a'r unfed ganrif ar ddeg, llai fyth a wyddys am rai'r ddwy ganrif ddilynol. Ceir ychydig o fanylion yng nghyfrifon y maenorydd yn rhan olaf y drydedd ganrif ar ddeg, ond ni ellir gwneud llawer â hwy. Er enghraifft, cofnodir costau'r aredig ym maenorydd Rhath (Caerdydd), Llanharri, a Llanilltud am y flwyddyn 1281.[1] Pedair ceiniog oedd cost gwneuthur ffrâm yr aradr o bren arglwydd y faenor yn Llanilltud ac yn Llanharri. Yn Rhath prynwyd swch newydd am ddeuddeg ceiniog, ond yn Llanilltud fe gafwyd dau am ugain ceiniog. Yn y lle olaf hwn yn gynharach yn y ganrif[2] fe ddaliai gôf ei dir trwy wneuthur pum swch a phum chwlltwr o haearn yr arglwydd. Saith a chwech oedd gwerth y gwasanaeth hwn.

Mae'n anodd gwybod i sicrwydd pa gasgliadau i'w tynnu wrth gymharu'r costau uchod â'r rhai a gofnodir yng Nghyfraith Hywel. Gwelir bod y ffrâm bren yn costio dau gymaint a'r swch pum gwaith a chwe gwaith. Ni roir cost cwlltwr newydd yng nghyfrifon y drydedd ganrif ar ddeg a welais i, ond yn 1328 saith geiniog a dalwyd yn Llanfihangel Troddi, sir Fynwy.[3] Fe gofir mai pedwar ceiniog oedd ei werth yng nghyfnod y Cyfreithiau. Gan nad oes tystiolaeth fod mwy o ychen yn y wedd na chynt, nid yw'n ddiogel esbonio'r prisiau uwch drwy dybio fod erydr trymach ar arfer bellach. Mae'n bosibl fod costau wedi codi yn gyffredinol. Eithr credaf mai difudd ydyw cymharu'r gwerth a bennwyd gan y Gyfraith â'r costau a gofnodir yn y cyfrifon. Ceir yn y naill werth cyfartal rhyw offeryn, beth bynnag fyddai ei gyflwr, a allai fynd yn fater cyfraith ; ond yn y llall cost wirioneddol gwneuthur offeryn newydd a gofnodir.

Mae'n amlwg oddi wrth amrywiaeth y prisiau a gofnodir gan

---

[1]Clarke, *Cartae*, III, tt. 816, 826, 831.

[2]? 1262. *ibid*, td. 663. Cyfeirir at y gwasanaeth hwn drachefn yn y flwyddyn 1295, Mathews, *Cardiff Records*, I, td. 266.

[3]Thorold Rogers, *Wages and Prices*, II, td. 571.

Thorold Rogers fod pwysau'r swch yn amrywio yn fawr o ail ran yr Oesoedd Canol ymlaen. A barnu wrth y darluniau sydd wedi goroesi ynghyd â'r hyn a wyddys am aredig, mae'n weddol amlwg mai cyfnewidiadau ym mhatrwm y swch sy'n gyfrifol am hyn i raddau helaeth. Parheid i arfer yr hen swch bigog seml hyd ddiwedd y ddeunawfed ganrif, ond fe geir olion y swch asgellog ' anghyfartal ' a dyrr yn lletach o dan y gŵys tua'r adeg y datblygwyd y wir ystyllen-bridd. Ond y pwynt y dymunir ei bwysleisio yma yw na olyga newid ym mhwysau'r swch newid cyfatebol ym mhwysau fframau'r erydr.

Ar y cyfan, y disgrifiad gorau o aradr y 14eg ganrif yw hwnnw a geir yng Nghywydd y Llafurwr gan Iolo Goch.[1] Y mae'r cywydd hwn yn ddogfen bwysig gan i'r bardd roi disgrifiad fanwl o un teip o aradr y cyfnod. Dyma'r rhan o'r cywydd lle dyfelir yr aradr :

. . . . .
Crud rhwyg fanadl gwastadlaes,
Cryw mwyn a ŵyr creiaw maes.
Cerir ei glod, y crair glŵys,
Crehyr a'i hegyr hoywgŵys.
Cawell tir gŵydd rhwydd y rhawg,
Calltrefn urddedig cylltrawg.
Ceiliagwydd erwi gwyddiawn,
Cywir o'i grefft y ceir grawn.
Cnwd a gyrch mewn cnodig âr,
Cnyw diwael yn cnoi daear.
Ef fynn ei gyllell a'i fwyd
A'i fwrdd dan fôn ei forddwyd.
Gŵr a'i anfodd ar grynfaen,
Gwas a fling a'i goes o'i flaen.
Ystig fydd beunydd ei ben,
Ystryd iach is traed ychen.
Aml y canai ei emyn,
Ymlid y fondid a fyn.
Un dryllwraidd dyffrynnaidd ffrwyth,
Yn estyn gwddw anystwyth.
Gwas pwrffil aneiddil nen,
Gwasgarbridd gwiw esgeirbren . . .

Fel y gwelir, geilw Iolo'r aradr yn grud ac yn gryw, sef math o fagl rwyllog o wiail, ac yn gawell. Dengys hyn yn glir ein bod

[1]Henry Lewis, Thomas Roberts, Ifor Williams, *Cywyddau Iolo Goch ac Eraill* (1925), td. 88.

ni unwaith eto yn ymwneuthur â'r aradr ' bendrongl.' Buasai'n amhosibl cymharu ffrâm yr aradr ' glasurol ' â chawell neu grud. Blwch hirgul wedi'i wneuthur o estyll derw oedd crud gynt, ac os troir i Ddarlun VI fe welir mor addas yw'r gair crud i ddisgrifio corff trwm ac ystyllen-bridd un math o aradr y cyfnod. Dangosir agwedd gawellog y ffrâm yn eglurach yn Ffigur 1 lle ffurfir y cawell gan rannau isaf rhifau 1 a 2, rhifau 3, 4, 5, 8, 14, 15 a rhan ôl rhif 9. Fel y sylwyd, awgryma'r trosiad ' crud ' fod gan yr aradr hon ystyllen-bridd, ac fe geir cyfeiriad pendant at y rhan hon yn y cwpled :

> Ef fynn ei gyllell a'i fwyd
> A'i fwrdd dan fôn ei forddwyd.

Y bwrdd, wrth gwrs, yw'r ystyllen, a'r gyllell a'r bwyd yw'r swch a'r gŵys.

Ceir profion eraill fod gan yr aradr a oedd ym meddwl y bardd ystyllen-bridd megis pan sonnir am yr aradr yn ' creiaw maes ' ac yn agor ' hoygŵys.' Ni thorrir cwys deg—hir a didolc fel carrai—heb gymorth ystyllen-bridd. Cyfarfyddwn â'r gair ' creiaw ' eto, canys ynghyd â geiriau eraill megis ' ystyllodi ' a ' dullio ' fe fynegodd i'r dim feddyliau rhai o feirdd y ganrif nesaf a welai yn arwynebedd rhychiog, cyson, cain y tir tro wrthrych llawn mor deilwng ei ddyfalu â'r aradr ei hun. Yn wir ymetyb Iolo ei hun i'r gŵys yn dad-ddirwyn fel rhuban ar hyd y sofl. Awgryma'r olygfa iddo y trosiad godidog hwn :

> Gwas pwrffil aneiddil nen,
> Gwasgarbridd gwiw esgeirbren.

Y mae ystyr deublyg i hyn. Yn gyntaf, ysgwier cadarn mewn mantell bwrffil[1] yw'r aradr. Hynny yw, y mae'r aradr hir wrth lithro drwy'r tir a'r gŵys yn ymdonni o'i sawdl yn symud fel uchelwr balch ym mantell hirllaes ffasiynol y cyfnod a godreon pwrffil y fantell yn ymddangos o'i ôl. Yn ail, un yn brodio'r math o frodwaith a elwid yn bwrffil yw'r aradr. Gwas eithriadol o gryf ydyw gan ei fod yn pwrffilo godre'r tir, yn ei ymylu'n addurnol wrth droi'r gŵys. Ei ben, ei ' aneiddil nen ' ydyw'r ychen cedyrn, a'i droed, y ' gwasgarbridd gwiw esgeirbren,'

---

[1]O'r Ffrangeg *pourfiler*, i weithio'r ymyl.

ydyw'r ystyllen-bridd ac o waith y ddau fe droir cwys sy'n
ddigon cymen i haeddu ei chyffelybu i ffunennau brodiog cul
mantelli'r cyfnod.

Yr oedd hefyd gan aradr Iolo Goch ran y ceir sôn amdani
am y tro cyntaf tua diwedd y drydedd ganrif ar ddeg. Cyfeirir
ati yn y llinell :

> Gwas a fling a'i goes o'i flaen.

Credaf mai'r rhan a elwid yn *plough-foot* gan y Saeson ydyw'r
' goes ' yma. Mae'n sicr mai dyna ystyr y gair mewn llinell
debyg a geir mewn cywydd aradr gan Roger Cyffin tua diwedd
yr unfed ganrif ar bymtheg : ' a'i goes o'i flaen 'r hyd maenol.'
Ymddengys bod y rhan hon yn ychwanegiad canoloesol at yr
aradr rydd.[1] Darn o haearn, neu bren, ar lun troed ydoedd ac
fe'i sicrheid â gwarllas neu gŷn mewn mortais ym mhen blaen
yr arnodd fel y dangosir yn Ffigur 12.

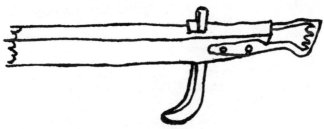

Ffigur 12. 'Coes' aradr.

Ar y ' droed ' hon y disgynnai pwysau'r arnodd ac fe lithrai
ar hyd y tir mor esmwyth ag olwyn. Ond ei amcan oedd rheoli
dyfnder y gŵys, neu, yng ngeiriau'r aradwr, roddi mwy neu
lai o ' chwant ' i'r aradr. Po uchaf y tynnid y ' droed ' yn ei
mortais, nesaf i'r ddaear y disgynnai'r arnodd a dyfnaf yr âi'r
swch i'r pridd. Ac i'r gwrthwyneb. Arbedai'r droed lawer o
waith caled i'r aradwr a gallai gadw dyfnder ei gŵys yn gyson
ac yn hawdd.

Er y gellir profi y defnyddid y rhan hon ar erydr Cymru yn
gyffredin ni wn i beth oedd ei henw yn y Gymraeg. Ceir dau
enw arni yng nghyfrifon Lladin maenorydd yr Oesoedd Canol

---

[1]Ymddengys mai yn y Psautier Illustré, llawysgrif o tua 1300, y ceir y darluniad
cynharaf ohoni. Gweler y llun yn *Acta Archaeologica*, VII, td. 268.

sef *pedale*[1] a *lost-lege*. Ceir hefyd y ffurfiau *lustlegg* a *lestlegg*.
Ceir y ddau enw gyda'i gilydd yng nghyfrifon Tidenham, ar
ffin ddwyreiniol sir Fynwy. Goroesoedd deg rhòl o'r faenor
hon, a dyma'r cofnodiadau perthynol :[2]

1270   In 4 lestleg emptis, 1od.
1273·   In 4 ferris pedalibus que vocantur legg' emptis 1od.
1280   In 4 pedal' de novo emptis 1od. (lestleg not mentioned
         in this roll)
1290   In 2 pedal' de novo emptis 1od. (lestleg not mentioned
         in this roll)
1292   In 9   ,,   emptis, 22½d. (lestleg not mentioned in this
         roll).
1295   In 6   ,,   de novo emptis, 15d. (lestleg not mentioned
         in this roll)
1297   In 3   ,,   de novo emptis, 15d. (lestleg not mentioned
         in this roll).
1300   In 5 lestleg emptis, 7½d. (pedal' not mentioned in this
         roll)
1303   In 3   ,,   emptis, 7½d. (pedal' not mentioned in this
         roll)
1304   In 3   ,,   de novo emptis, 9d. (pedal' not mentioned in
         this roll).

Lustlegg yw'r ffurf a geir yng nghyfrifon Tre-lech, sir Fynwy, yn
1308[3] ac yn rhai Llanfihangel Troddi, ger Trefynwy, yn 1328[4];
ond *lost-lege* yw'r ffurf a geir yng Nghaerlleon-ar-Wysg.[5] Fel
pedale y cofnodir y ddyfais hon yn Rhath, Caerdydd yn 1316,[6]
ym Mryn Buga yn 1324 a 1327,[7] yn Llantrisant ac yn Nhre-lech
yn sir Fynwy, yn 1326,[8] ac ym Mathenni (Llandenni) sir
Fynwy yn 1398.[9]

Fel y dywedais yn barod ni wn i beth oedd enw Cymraeg
arferol y ddyfais hon. Ymddengys y cyfyngid y gair *lost-lege*

---

[1]Ond nid *plough-feet* yw'r cwbl o'r *ferra pedalia* a gofnodir yn y cyfrifon. Ar lawer
o'r maenorydd ymddengys bod *pedalia* wedi eu prynu ynghyd â hoelion i'w sicrhau
wrth yr aradr. Felly nid *plough-feet* mohonynt hwy eithr *ferra longa pedalia* neu
ferra longa, sef platiau haearn i'w hoelio ar hyd gwadn yr aradr.
[2]I'r diweddar Mr. J. S. Drew yr wyf yn ddyledus am y dyfyniadau hyn o ròliau
Tidenham. Ef biau'r nodiadau mewn cromfachau.
[3]Thorold Rogers, *History of Wages and Prices*, II, td. 569.
[4]*ibid*, td. 571.
[5]William Rees, *South Wales and the March*, td. 186.
[6]Hobson Matthews, *Cardiff Records*, I, td. 116.
[7]Thorold Rogers, *ibid*, td. 495 ; William Rees, *loc. cit.*
[8]Thorold Rogers, *loc. cit.*
[9]*ibid*., td. 545.

etc. i dde-ddwyrain Cymru a'r gororau ac y mae'n debyg gennyf mai gair dwyieithol yw—megis *cryman-hook*, *Mainstone*, *Bushlwyn*, *Brynhill*—a'i elfen gyntaf yn *llost*. Ond dengys cywydd Iolo Goch na chyfyngwyd y ddyfais ei hun i erydr y maenorydd nac i dde-ddwyrain Cymru ychwaith.

Mewn rhan o gywydd Iolo nas dyfynnir uchod sonnir am ' yr aradr crwm.' Cyfeiriad sydd yma at ffurf grwm yr arnodd, ffurf a oedd yn nodweddiadol o arnoddau erydr rhydd y cyfnod ym mhob man (Darlun VI). Dyna'r fath o arnodd a oedd ym meddwl un arall o feirdd y 14eg ganrif, Gruffudd Grug, pan ddywedodd am delyn fod ' arnoddwaith ar ei naddwŷdd.'[1] Pwysleisia Iolo'r nodwedd hon wrth alw'r aradr yn ' geiliagwydd ' ac yn ' grehyr,' dau aderyn y bydd eu gyddfau hir yn crymu o'u blaenau yn aml. Arnodd o'r ffurf hon oedd y *temon* a gofnodir yng nghyfrifon maenor Bryn Buga yn 1327. Cymerth saer coed hanner diwrnod i'w naddu.[2]

Ni sonia Iolo am olwynion, a hynny am ddau reswm. Yn gyntaf, ni cheid olwynion ar erydr ag arnoddau crwm. Union fel paladr oedd arnodd aradr olwyn bob amser. Yn ail, aradr gyda *pedale* neu *lostleg* sydd yma, ac felly nid oes eisiau olwynion ac nid oes lle iddynt ychwaith.

Cysylltid aradr Iolo Goch â'r iau â'r did arferol canys ' ymlid y fondid a fyn.' Ac yn olaf, dyna'r haeddeli. Gellir bod yn gwbl sicr mai dwy haeddel a oedd i aradr y gellid cymharu ei ffrâm i 'gawell.' Ac 'â'i ddwylaw' y deil llafurwr y bardd ei aradr.

I grynhoi, gwrthrych dyfaliad Iolo Goch oedd aradr rydd o'r teip pendronglog gyda dwy haeddel ac ystyllen-bridd. Yr oedd yr arnodd yn grwm ac yn ei phen blaen yr oedd dyfais i reoli dyfnder y gŵys. Yr oedd y gŵys a drowyd yn deg a chymen. Yr oedd yn aradr o deip digon cyffredin yn y bedwaredd ganrif ar ddeg a cheir sôn am ei rhannau nodweddiadol yng nghyfrifon cyfoes y maenorydd ac yn llenyddiaeth Gymraeg gyfoes.

Nid oedd pob aradr yn gymwys yr un fath â honno a atgyfodir uchod. Dengys cyfrifon y ganrif fod amryw fathau ar gael. Er enghraifft, cafwyd pedair aradr ynghyd â chwe phâr

---

[1]Ifor Williams, *Dafydd ap Gwilym a'i Gyfoeswyr*, td. 147.
[2]William Rees, *loc. cit.*

o heyrn am wyth swllt yn Rhath yn 1316.[1] Gan mai swllt y pâr
oedd pris arferol heyrn yno'r flwyddyn honno fe ddilyn mai
gwerth un o'r erydr hyn oedd chwe cheiniog. Ond tair
ceiniog a dwy a dimai a delid ym Mryn Buga yn 1327,[2] ac
yn Llanwaythau, Narberth, tair blynedd wedyn prisiwyd un
hen aradr cyn uched ag ugain ceiniog.[3] Dengys y prisiau hyn
fod cryn amrywiaeth mewn teip, ac, efallai, bwysau'r fframiau
pren. Ond nid yw'r cyfrifon a welais i nac yn ddigon niferus
nac yn ddigon manwl imi fedru atgreu'r erydr hyn fel y
medrid yn achos aradr Iolo Goch.

Pan ddeuir i'r bymthegfed ganrif fe geir cryn lawer o
wybodaeth bendant. Ceir disgrifiad manwl a phur ddealladwy
o aradr yn un o gywyddau Lewis Glyn Cothi a cheir rhywfaint
o oleuni ar fanylion yng ngwaith beirdd eraill. Ond y ddogfen
fwyaf diddorol yw darlun o aradr a dynnwyd ar ymyl uchaf un
o dudalennau llawysgrif o'r Cyfreithiau.[4] (Ffigur 10). Dyddiad
y llawysgrif yw ail hanner y bymthegfed ganrif a cheir ynddi
dystiolaeth a awgryma'n gryf mai ym mhlwyf Llanwenog yng
Ngheredigion y'i sgrifennwyd. Cyfeiriwyd at y darlun hwn
amryw weithiau yn ystod yr ymdriniaeth hon ond yn awr y
mae'n bryd inni ei drafod yn fanwl. Er mwyn deall y darlun
y mae'n rhaid sylwi'n gyntaf oll fod rhan uchaf yr aradr wedi
ei ddarlunio o'r un ochr a bod y rhan isaf—y gwadn a'r swch a
throed yr haeddel—wedi ei ddarlunio oddi uchod. Arferiad
gyffredin gynt, wrth gwrs, oedd anwybyddu rheolau *perspective*
fel hyn. Braslun amrwd yn hytrach na darlun ydyw, ond fel y
dangosir, y mae cryn lawer o sylwadaeth fanwl ynddo. Dangosir
y rhannau a ganlyn : arnodd, haeddel fawr, gwadn, cebystr,
clust, swch, cwlltwr.

Yr Arnodd. Arnodd hynod o grwm ydyw a braidd nad oes
modfedd ohoni yn wastad. Plyga i lawr rhwng yr haeddel a'r
cebystr ac yna ymdonni'n uchel o flaen y cwlltwr. Plyga'r
eilwaith wedyn a chodi eto wrth y clust. Ni wn enw Cymraeg
y camedd o flaen y cwlltwr, ond *the redd*, neu *rid, of the beam*

---

[1]Hobson Mathews, *op. cit.*, I, td. 134.
[2]William Rees, *op. cit.*, td. 186, nodiad 1.
[3]Henry Owen, *Cal. Public Records Pembrokeshire*, II, td. 78.
[4]Llsgr. Llanstephan 116, td. 105. Ceir ffacsimili o'r tudalen yn Timothy Lewis,
The Laws of Howel Dda, 1912.

y'i gelwid yn Saesneg. Nodwedd bwysig ydoedd gynt. Yr amcan oedd rhoi digon o le i'r cwlltwr gael gwared o'r gwreiddiau a'r ysbwrial a ymgasglai o'i gylch. Petasai arnodd y fath aradr yn union, heb gamu yn y fan hon, buasai'r ysbwrial yn ' tagu ' 'r aradr a'i gwthio o'r ddaear. Ychydig o wahaniaeth ffurf sydd rhwng yr arnodd hon a'r un a welir ar aradr Ceredigion y ddeunawfed ganrif. (Darlun VII). Gwthir pen ôl yr arnodd trwy fortais yn yr haeddel a'i sicrhau y tu cefn iddi â pheg. Dangosir y peg â dotyn yn y braslun. Gwelir yr un ddyfais yn union ar rai o erydr Morgannwg yn y ddeunawfed ganrif. (Darlun X).

Y Glust. Clust o'r ffurf symlaf a geir yma, sef dau dwll trwy ran flaen yr arnodd. Cynrychiolir y tyllau â dau ddotyn, y naill yn agos i ben yr arnodd a'r llall yn nes yn ôl. Clust gyffredin yr Oesoedd Canol ydyw, er ei dyfeisio, fel y gwelsom yn niwedd Oes y Pres. Sicrheid y fondid naill ai'n syth yn un o'r tyllau neu ei chlymu wrth ddolen raff neu wden a âi drwy'r twll. Gellid tybio mai'r ail ddull oedd y mwyaf cymeradwy gan ei fod yn haws a rhatach i adnewyddu dolen dreuliedig na bondid. Gwelir esiampl o'r ail ddull yn y llun a gymerwyd o Sallwyr Luttrell (Darlun VI). Ceir dolen gyffelyb mewn llun mewn llawysgrif Ellmyneg o tua 1170 a gwelir bondid heb y ddolen mewn llawysgrif o ' Piers Plowman ' a ddyddir tua 1380.[1] Dau dwll sydd gan glust yr aradr Gymreig dan sylw ac un yn unig gan glustiau'r lleill. Mae'r rheswm am y ddau dwll yn eglur : gellid rheoli tipyn ar ddyfnder yr aredig yn ôl y twll y clymid y ddolen ynddo. Mae'r naill dwll o flaen y llall ac ar lefel uwch ; felly brathai'r aradr yn ddyfnach i'r pridd pes tynnid gerfydd y twll hwnnw. Ond pe tynnid yr aradr gerfydd y twll arall fe godai'r swch ychydig o'r pridd. Yr oedd yr egwyddor o reoli dyfnder trwy symud y pwynt tynnu ar yr arnodd yn gyffredin ym mhob gwlad nes dyfeisio'r clustiau modern.

Yr Haeddel. Haeddel fawr yn unig sydd gan yr aradr hon ac y mae'n enghraifft dda o'r droed-haeddel y soniwyd amdani ar dudalen 60. Hawdd gweled addasrwydd yr enw a pha beth

---

[1]Adgynhyrchir y ddau lun gan Leser, *Entstehung und Verbreitung des Pfluges*, abb 20 ac abb 42.

a oedd ym meddwl John Jones Gellilyfdy pan sgrifennai fod haeddel fel hon ' ar wedd troed.' Fel y dywedwyd eisoes, darluniwyd rhan isaf yr aradr hon oddi uchod. Felly gwelwn bennau'r ddau beg cryf sydd yn sicrhau troed yr haeddel wrth y gwadn. Ceir yn Narlun XII olwg o'r ochr ar droed debyg ynghyd â'i phegiau. Ceid haeddel fawr o'r teip hwn ar rai o erydr Cymru a Lloegr hyd y bedwaredd ganrif ar bymtheg. Wrth ymdrin ag erydr y rhan orllewinol o sir Ddyfnaint dywed Marshall : ' . . . here the foot of the handle is crooked ; a shooting horizontally forward, in a line parallel with the soal ; to which it is strongly fastened, by two thick wooden pins driven through them.

In cases where the old fashioned soal is used, this is an admirable way of joining the handle to it ; giving great strength and firmness of construction.'[1]

A throi at ein darlun drachefn, sylwir sut y meinhawyd pren corn yr haeddel fel y gallai'r llaw ei ddal yn gyfleus. Cesglir felly nad oedd y peg arferol, y byddid yn cydio ynddo, ar gael ar ochr draw yr haeddel. Er nad yw'r haeddel mor fer â llawer o'r rhai canoloesol y ceir lluniau ohonynt, buasai'n anodd cadw rheolaeth ar yr aradr â hi oni buasai am hyd anferth y gwadn a'r swch.

Y Gwadn. Unig arbenigrwydd y gwadn yw ei hyd a'i led. Hawdd gweled sut y gallai gwadn llydan fel hwn helpu'r gŵys i ddymchwelyd pe delid yr aradr ychydig ar ogwydd. Yn y cysylltiad hwn, sylwer bod y cebystr wedi ei forteisio, a'r haeddel wedi ei phegio, tuag un ochr o'r gwadn gan adael darn llydan ar yr ochr arall, ochr y rhych, yn ddirwystr. Mewn canlyniad i leoliad yr haeddel a'r cebystr tuag ochr y gwadn byddai'r cwlltwr uwchben yr ochr arferol i'r swch. Dengys hyn oll yn glir mai i un ochr yn gyson y troid y gŵys. Ceir yr un nodwedd ar aradr ddi-ystyllen o'r un cyfnod o Lychlyn. Dywed Axel Steensberg amdani : ' The head is seen from above, nevertheless, the sheath is drawn only to its left edge, not to its middle . . .'[2] Mewn canlyniad mae'n debyg yr hoeliai'r aradwr ryw fath o chwelydr wrth yr ochr draw, ond nis

---

[1]Marshall, *The Rural Economy of the West of England*, 1796, I, 123-4.
[2]*Acta Archaeologica*, 1936, td. 274.

dangosir yn y darlun ac y mae'n amlwg nad oes ystyllen bridd. Yr unig bwynt arall yw fod pen blaen y gwadn wedi'i flaenllymu yn ' benlle ' (Ffig. 1, Rhif 21) i dderbyn soced y swch.

Y Cebystr. Fel arfer morteisid y cebystr rhwng y gwadn a'r arnodd mor gadarn ag y byddai modd, ac yn aml fe roddid peg trwy'r tyno yn yr arnodd fel na ddeuai'n llac yn y fan honno. Ond nid felly y gwnaethpwyd â'r cebystr hwn. Gwelir bod tyno hir y cebystr yn ymestyn trwy'r arnodd a bod digon o le yn y mortais i gŷn wrth ei ochr. (Cynrychiolir top y cŷn gan linell ar draws y tyno). Amcan hyn oll oedd caniatáu llawer mwy o reolaeth ar faint y gŵys nag a ellid ei gael wrth symud dolen y glust yn unig. Pe mynnid cwys ddofn byddai'r aradwr yn llacio'r cŷn yn y mortais a chodi'r arnodd yn uwch i fyny ar dyno'r cebystr a'i chynio'n sownd yno drachefn. Fe barai i'r swch suddo'n ddyfnach i'r pridd wrth i'r ychen dynnu. Sylwer bod tyno'r cebyst yn gogwyddo'n ôl fel na tharawai yn erbyn ochr y mortais wrth i'r arnodd gael ei chodi. Sylwer hefyd y gosodir y cŷn wrth ochr y tyno ac nid o'i flaen. Dengys hyn fod y mortais yn ddigon llydan i'r arnodd gael ei symud ychydig i'r naill ochr neu'r llall. Oherwydd hyn gellid rheoli *lled* y gŵys hefyd yn ôl fel y gwthid y cŷn i'r naill ochr neu'r llall. Mae'n amlwg mai wrth y cebystr y dechreuid gosod neu hwylio aradr fel hon. Wedyn, pe ceffid bod yr aradr eto'n cerdded yn afrwydd, gellid gwneud cyfaddasiad pellach yn nolen y glust.

Ceir y math hwn o gebyst ar rai o'r erydr rhydd i lawr hyd y ddeunawfed ganrif. Ar y cebystr yn rhannol yr hwylid yr aradr o Geredigion a ddarluniwyd gan Lewis Morris yn 1750 (Darlun VII). Ceir sôn gan Thomas Hale am y ddyfais ar erydr cyf'elyb yn Lloegr yn 1758 : ' This plow . . . is set higher or lower. as they find occasion, by wedges at the sheath.'[1]

Erbyn 1796, a barnu wrth a ddywed Marshall yn y disgrifiad y dyfynnwyd ohono o'r blaen, yr oedd yn bur anghyffredin : ' Another variation in the construction of the Devonshire Plow is still more singular. The sheath, breast, or stem is not fixed in the beam ; but serves as a regulator to the depth of the furrow ; and is made longer or shorter, at the will of the Plowman ; who fastens it, in the required position, with a

[1]Thomas Hale, *A Compleat Body of Husbandry* (1758), II, td. 187.

wedge . . .' Ceid cebystrau tebyg mewn gwledydd eraill hefyd.
Gwelir enghreifftiau ar erydr o Helsignland a Sina yn llyfr
Leser.[1]

Y Swch. Swch heb asgell sydd yma. Ni ellir bod yn sicr am
ffurf y soced. Gall mai soced llawn ydyw a bod y llinell ganol a
welir o chwydd y soced ymlaen hyd big y swch yn ymdrech i
ddangos fod y swch yn teneuo tuag at y min. Ond am na cheir
dim ymdrech gyffelyb i awgrymu trwch a chrynder mewn
unrhyw ran arall o'r braslun, nid wyf yn fodlon ar y dehongliad.
Felly y mae'n debyg gennyf fod yma hanner soced, sef *flanges*
wedi'i ffurfio o ymylon plygedig y plat y morthwyliwyd blaen y
swch ohono, ac mai rhan o benlle'r gwadn a welir rhwng yr
ymylon plygedig hyn. (Cofier, yr ydym yn edrych oddi uchod
i lawr ar y swch). Fe ddilyn fod y llinell ganol o'r hanner soced
ymlaen i'r pig yn cynrychioli man cyfarfod ymylon y plat.
Y mae'r swch yn hir dros ben ac y mae ei lled yn anghyffredin
hefyd.

Y Cwlltwr. Y mae'r cwlltwr yn hynod o grwm, mor grwm yn
wir nes awgrymu i'r artist fwyhau'r nodwedd hon. Mae'n
gwbl ddealladwy, serch hynny. Perthyn i deip o gwlltwr a oedd
yn gyffredin iawn o'r Oesoedd Canol hyd ddiwedd y ddeunaw-
fed ganrif. Cymharer ffurfiau'r cylltyrau yn Narluniau VI,
VII, X. Credid mai manteisiol oedd i'r cwlltwr fod ar ongl isel.
Tua 45° a oedd gyffredin. Credid bod cwlltwr ar ogwydd felly
yn torri'r tir yn haws. Torrid y gwreiddiau gwytnaf yn haws
hefyd. Llithrent i fyny ar hyd min y llafn hyd y rhan uchaf lle'r
oedd y llafn eto'n awchlym am nas pylwyd yn y pridd. Eto
gallai cwlltwr ar osgo godi'r cerrig yn ei ffordd yn hawdd.
Ceir y rhesymau hyn gan sgrifenwyr amaethyddol hyd ganol y
bedwaredd ganrif ar bymtheg. Parheid hefyd i osod pig y
cwlltwr o flaen y swch ac uwch ei phen fel y dangosir yn ein
darlun.

Gwelir bellach fod ein darlun amrwd yn fwy manwl a
gofalus nag y gellid tybio wrth yr olwg gyntaf. Yn wir gellir
dweud nad oes un llinell ddiystyr neu gamarweiniol ynddo ac y
cyfleir nodweddion yr aradr yn eglur a dealladwy. Fel yr erydr
eraill a drafodwyd, perthyn hon i'r teip pedronglog. Mae'n

[1]Paul Leser, *Entstehung und Verbreitung des Pfluges*, Abb. 50, 233.

amlwg ei bod yn aradr gadarn ei gwneuthuriad ac, a barnu wrth faint cymharol ei rhannau, y mae'n offeryn pur drwm. Gellid ei rheoli ar gyfer cwysi amrywiol eu maint, ac felly y mae'n amlwg y disgwylid i'r gwaith a wneid â hi gydymffurfio â safon gydnabyddedig. Gan nad oes ystyllen-bridd iddi fe ymddengys mai ar fedrusrwydd yr aradwr y dibynnai sut y troid y cwysi. Fel yr awgrymais, y mae'n bosibl yr hoelid chwelydr syml arni ; ond y mae hefyd yn bosibl fod yr aradwr yn gorfod gwneuthur fel ei gymheiriaid a fuasai ' yn poeni eu traed a'u breichiau ' heb chwelydr yn y modd y sonnir amdano gan William Cynwal[1] ac a ddangosir yn Darlun II. Erydr bychain, ysgeifn, wrth gwrs, a dau ych yn y wedd a welir yn y darlun hwnnw, a'r ' poen ' i'r arddwyr yn llawer llai o'r herwydd.

Efallai y gofynnir paham y defnyddid aradr heb ystyllen-bridd yn ail hanner y bymthegfed ganrif, a phobl wedi gweld gwerth y ddyfais seml honno ers canrifoedd. Ai oherwydd syrthni a cheidwadaeth pobl y wlad ? Ateb parod pobl y dref i gwestiynau tebyg bob amser yw hynny. Ond ni all ateb mor syml fodloni neb sydd â phrofiad ymarferol o amaethu ac amaethwyr ac sydd wedi darllen tipyn ar lenyddiaeth amaethyddol y gorffennol. Ni allai cenedlaethau o amaethwyr ddiwyllio'r tir heb ddarganfod fod gwahanol briddoedd yn gofyn am wahanol driniaeth, a bod i aredig yn yr hydref ac aredig yn y gwanwyn eu dulliau pwrpasol eu hunain. Nid darganfyddiad diweddar ydyw ei bod yn fantais i droi cwysi solet difwlch yn yr hydref, a'i bod yn well yn y gwanwyn os pylorir y cwysi gan yr aradr wrth eu troi. Pa bryd bynnag y daeth yr ystyllen-bridd i Gymru, gellir bod yn sicr y gwelwyd yn fuan sut yr hwylusai honno droi cwysi difwlch, a sut y gellid codi grynnau yn ddidrafferth â hi. Ac awgrymaf y dewiswyd yn aml gadw yr aradr ddi-ystyllen at waith y gwanwyn oherwydd iddi droi cwysi brau, hawdd eu mwydioni.[2]

---

[1]Gweler nodiad td. 85.

[2]Ffordd y bedwaredd ganrif ar bymtheg o setlo'r broblem oedd dyfeisio aradr-ystyllen-hir (*longplate*) ar gyfer gwaith yr hydref. Â hon fe droir y gŵys yn raddol heb ei thorri. At waith y gwanwyn dyfeisiwyd y *digger* neu *chill plough* a chanddi ystyllen fer, sydyn ei throad, sy'n dymchwel y gŵys yn ddeilchion. Fel y torrir y gŵys yn llwyr mae'n arferol gosod math o gyllell ar gynffon yr ystyllen, ac weithiau fe hepgorir y cwlltwr fel y gallo blaen yr ystyllen bylori'r gŵys.

Aradr dra gwahanol ei theip ydyw honno a ddisgrifir mewn cywydd gan Lewis Glyn Cothi.[1] Dyfynnir isod y darn lle dyfelir hi :

. . . . .
Cain a wnaeth, gwaith cymen oedd,
wr da, aradr ar diroedd
cryw rhwyddgadr aradr eurwch
callder sad cwlldwr a swch
ebill a gwimbill a gad
o ddull i wnio ei ddillad
arnodd aradr baladrwaith
gwadn o goed gadwynog waith
chwelydr hoelion i lonaid
sy'n ffres o gogail San Ffraid
ystwffwl gwbwl dan go
kynion hoelion a'i hwylio
a'i ffod bellach bach di bwl
a'i gebustr a'i glust a'i gwbl
dan ei benn mae gobennydd
lân iawn fal olwynion vydd
da i gweled a digwilidd
ystylhen bren a droe bridd
a deugorn hwnn gwnn gyflwr
yn dal gwaith rhwng dwylo gŵr
karthbren, gwialen y geilwad
yn gwbl a swmbwl yw siâd . . .

Dyna ddiwedd y disgrifiad o'r aradr ; disgrifio ieuau'r ychen a'u gêr a wna'r bardd yn y llinellau nesaf ac fe ymdrinir â'r rheiny yn y bennod ar y wedd.

Sylwn ar y rhannau sydd gan yr aradr hon. Enwir y cwlltwr a'r swch i ddechrau. Eir ymlaen wedyn i sôn am y ffrâm bren a'i chyffelybu i ddillad yr aradr a wniwyd gan y saer â gwimbill ac ebillion (sef pegiau). Fel y dengys yr ansoddair ' baladrwaith,' y mae'r arnodd yn union fel paladr ac nid yn grwm fel honno yr ymdriniwyd â hi uchod. Hyd y gwelais i, arnoddau union a oedd gan erydr olwyn yr Oesoedd Canol yn ddieithriad. Yn ôl Fitzherbert, felly yr oedd yn yr unfed ganrif ar bymtheg hefyd : ' The plowes that goo with wheles, have a streyghte beame.'[2] Enwir y gwadn wedyn. Pren yw ei ddefnydd

[1] Mr. Evan D. Jones o'r Llyfrgell Genedlaethol yr wyf yn ddyledus am gopi o'r cywydd fel y'i ceir yn Llsgr. Peniarth 77 ac am amrywiadau o bedair llawysgrif ar ddeg arall.
[2] Book of Husbandry, td. 13.

ond eto y mae fel ' gadwynog waith.' Dyma gyfeiriad at yr hen
arfer o fritho yr ochr o'r gwadn sy'n llusgo yn erbyn ochr y
tir â rhesi o hoelion mawr eu pennau er mwyn cadw'r pren
rhag treulio.[1] Ymloywai'r hoelion yn erbyn y pridd nes
iddynt ymddangos fel dolennau cadwyn. Dyna chwelydr yr
aradr hon hefyd, yntau'n ' hoelion ei lonaid ' am reswm tebyg
canys fe lysg ar hyd gwaelod y rhych islaw'r ystyllen-bridd gan
bwyso'r un pryd yn erbyn rhan isaf y gŵys. Fel rhai eraill o'r
beirdd cyfeiria Lewis Glyn Cothi at y traddodiad mai San
Ffraid Leian a ddyfeisiodd y chwelydr o'i chogail.[2] Sylwir
wedyn ar yr ystwffwl, hynny yw yr haeddel-fawr, a dywedir
wrthym ei fod wedi ei hwylio â chynion a phegiau. Soniais o'r
blaen am y pegiau yn nhroed yr haeddel ac am y peg sy'n
cadw'r arnodd ym mortais yr haeddel. Ond ym mortais yr
haeddel hon ceir cynion hefyd. Gwthir hwy i bob tu pen ôl yr
arnodd yn y modd a ddangosir yn Narlun VII. Fe gofir mai
ar ben y cebystr yr hwylid un teip o aradr, ond yn yr offeryn
dan sylw yn awr trosglwyddir arbenigrwydd mortais y cebystr i
fortais yr haeddel ac yno y gweir y cynio sy'n rhannol ben-
derfynu dyfnder a lled y gŵys. Nid yw'n hawdd penderfynu
beth a olygir wrth y gair ' ffod,' sef y rhan a enwir nesaf.
' Bach di bwl ' yw disgrifiad y bardd ohono. Dywed y geiriad-
uron mai coes neu esgair yw ystyr ' ffod.' Rhaid ei fod yn y
cywydd hwn naill ai'n air barddonol am y cwlltwr neu ynteu'n
enw ar y rhan y cyfarfuwyd â hi yn barod o dan yr enwau
pedale, plough-foot, lost-leg. Yr wyf i o blaid yr awgrym cyntaf.

---

[1]Y mae ar gael ddarn o aradr gynhanesiol o Jutland a amddiffynnir yr un modd
â cherrig mân a wthiwyd i dyllau yn y pren. Defnyddid cerrig felly ar erydr yno
hyd ddechrau'r 19eg ganrif. Gweler Ffig. 5 ac *Acta Archaeologica*, 1936, td. 253.

[2]Ychwanega Iorwerth Fynglwyd yn ei ' Cywydd San Ffraid ' nad oedd hoelion
yn y cogail :

> Treiglaist o bob tu'r eglwys
> try-wŷr gynt fu'n troi'r gŵys
> A'th gogail i droi'r ail draw
> Y bu'r hwelydr heb hoeliaw.   *Gwyneddon* 3, 68a.

Ceir a ganlyn mewn cerdd gan William Cynwal :

> Pan oedd wyr fry yn troi kwysav
> ar ol erydr a thidav
> heb orffowys na chwarav
> yn poeni i traed ai breichiav
> defeisiodd san ffraed leian
> chwelydyr harddlan/i moddav.

T. H. Parry-Williams, *Canu Rhydd Cynnar* (1932), td. 125.

Fel y gwelsom, yr oedd y cwlltwr yn lled fachog ei ffurf yn y cyfnod hwn. Y cwbl a welaf yn erbyn yw fod y bardd wedi enwi'r cwlltwr eisoes o dan ei enw priodol, ond fe geir enghreifftiau eraill o hyn yn y cywyddau eraill y dyfynnir ohonynt. Y mae'n anos credu mai'r *plough-foot* ydyw'r ffod[1] canys fe enwir olwynion ymhlith y rhannau ac ni cheid ' troed ' ac olwynion ar yr un aradr : fe arferid y naill *yn lle'r* llall. Nid yw'r bardd yn manylu ar y cebystr a'r glust ond y mae'r naill enw yn profi fod yr aradr o'r teip pedronglog eto, ac y mae'r llall yn dangos y gellid rheoli maint y gŵys yn fanwl. Cyfeirir at yr olwynion wedyn a'u cyffelybu i obenydd dan ben yr aradr. *Pillow*, gyda llaw, oedd enw Saesneg y rhan o ffrâm yr olwynion y gorffwysai pen yr arnodd arni. Enwir yr ystyllen-bridd, a dywedir bod dau gorn i'r aradr hon. Mae'n amlwg felly fod llaw-haeddel yn ogystal â'r haeddel fawr a ddisgrifiwyd dan yr enw ystwffwl. Gorffennir drwy sôn am ddwy arf anhepgorol yr aradwr a'r geilwad gynt, sef y carthbren a'r wialen-alw y symbylid yr ychen â hi. Yr oedd i'r wialen 'swmbwl i'w siâd,' hynny yw pig yn ei phen.

I grynhoi, disgrifia Lewis Glyn Cothi aradr olwyn o'r teip pedronglog, aradr fwyaf datblygedig yr Oesoedd Canol. Aradr drom ydoedd oherwydd bod y bardd yn sôn am ieuau a thidau yn y lluosog. Dau ych ac un did oedd i bob iau, felly yr oedd pedwar ych neu fwy yn y wedd. Fel y gwelir mewn pennod arall yr oedd gwedd o chwech neu wyth ych yn gyffredin.

---

[1]Ceir y gair yn un o eirfaoedd John Jones Gellilyfdy (Llsgr. Pen. 308, Rhan II, td. 4) lle ceir nifer o enwau rhannau'r aradr, ond nis esbonnir. Digwydd hefyd mewn cywydd i erchi ychen gan Hywel ap Dafydd ab Ieuan ap Rhys (E. Stanton Roberts : *Peniarth 67*, tt. 92-3) :

> Mae ym gyrver arverol
> trwyn hir yn tori ni hol
> y ddev vilwc oedd velys
> y dorri grwnn drwy i grys
> kyllell gav mewn gr(y)mav r graic
> ai thrainsiwr aeth yr vn saic
> a charn honn o las onnen
> a chav y ffod vwch y ffenn.

Fel hyn y deallaf y darn : Y mae gennyf gerfiwr profiadol, hir ei big (= yr aradr) yn torri yn ôl yr ychen. Y mae ei ddau filwg (= swch a chwlltwr) yn eiddgar i dorri drwy wisg welltog y grwn. Mewn gwrymiau'r graig aeth cyllell gau (= swch â soced) a'i threinsiwr (= ystyllen-bridd) i'r un saig (= y pridd neu'r gŵys). Gwnaed carn y gyllell (= y gwadn neu'r holl ffrâm bren) o onnen ifanc, ac uwchben y gyllell y mae'r ffod cau (= cwlltwr crwm).

Ceir cyfeiriadau at erydr gan feirdd eraill ond anaml yr ychwanegant at y wybodaeth a gafwyd eisoes. Ond y maent yn ategu'r wybodaeth honno ac y mae hynny yn bwysig. Er enghraifft, pan sonia Llawdden am ei aradr ' a dry'r pridd â'r dur a'r pren '[1] y mae'n eglur fod ystyllen-bridd ganddi ond ni fanylir arni. Ond y mae'n manylu ar y swch a'r cwlltwr drwy arfer y gair ' dur ' canys fe brofa'r gair yr arferid rhoi haen o ddur ar yr heyrn.[2] Dyna'r treinswr wedyn, y plât pren a dderbyniai'r saig o bridd a gerfiai'r swch yng nghywydd Hywel ap Dafydd ab Ieuan ap Rhys : mae'n dystiolaeth eto i fodolaeth yr ystyllen-bridd. Ar dro, mae'n wir, fe geir awgrym am ffurf rhyw ddyfais na cheir mwy na'i henw gan Lewis Glyn Cothi. Clust yr aradr, er enghraifft. Wrth erchi ychen fe sonia Tudur Aled[3] am

> Aradr gwŷdd a red i'r gŵys,
> Â gên gam, ag yn gymwys ;
> Ys da was a dywysan
> Erbyn ei glust ar ben glan.

Ymddengys mai ' clust gam,' ac arfer term ardal y bardd, a olygir gan ' gên gam ' yma, hynny yw yn wreiddiol clust sy'n estyn yn gam ar ochr y rhych i'r arnodd. Chwedl Fitzherbert yn 1534 : ' The ploughe-eare is made of thre peces of yron, nayled faste unto the ryght syde of the plough-beame. And poore men have a croked pece of wode pynned faste to the ploughbeame.'[4] Ond nid clust fel hon a oedd gan bob aradr yn y bymthegfed ganrif. Disgrifir ffurf symlach o ffrwyn[5] gan Bedo Brwynllys mewn cywydd moliant i Watcyn Fychan o Hergest.[6] Gwna Bedo ddefnydd helaeth o eirfa hwsmonaeth yn y gerdd hon, gan ddilyn un o gonfensiynau'r beirdd. Eisiau nawddogaeth Watcyn Fychan sydd arno, ond fel hyn y cyflwyna'i ddeisyfiad :

> Mae aradr im ar ei dro,
> a phren oedd heb ffrwyn iddo.

[1] Llsgr. Mostyn 160, td. 259.
[2] Sef golymu'r heyrn, chwedl hen arddwyr y De.
[3] T. Gwynne Jones, *Gwaith Tudur Aled* (1926), II, td. 442.
[4] *The Book of Husbandry* (1882 ed.), td. 11.
[5] Termau cyfystyr erbyn heddiw ydyw clust, ffrwyn, ceiliog, copstol.
[6] Llsgr. Llanstephan 118, tt. 230—231.

Gofyn am nawdd dan y ffigur o ffrwyn aradr a wna o hyn ymlaen, a chyffelyba bais arfau Fychaniaid Hergest i'r fath o ffrwyn a oedd yn ei feddwl. Tri phen bachgen a neidr dorchog am bob gwddf a ddarlunnir yn y bais arfau honno, a'r hyn a geisia'r Bedo (yn ffigurol) yw ffrwyn aradr gyffelyb ; neu, ag arfer ei eiriau ei hun ' dair torch i'r ên . . . drwch tidau'r ychen.' Dangosir ffrwyn undorch o'r fath yn Narlun VI.

Hyd y gellir gweld braidd y newidiwyd dim ar yr erydr yn ystod yr unfed ganrif ar bymtheg a'r ail ar bymtheg. Tebyg na fu gwir angen am newid llawer ar amaethyddiaeth Cymru cyn dechrau'r ddeunawfed ganrif. Yn araf iawn y gwellhawyd offer amaethyddol Lloegr hefyd, hyd yn oed yn ail hanner yr ail ganrif ar bymtheg er gwaethaf twf y trefi yno a'r galw am gynnyrch y meysydd gan boblogaeth newydd y trefi hyn.

Felly, cwrddwn â'r un hen deipiau. Dyma, er enghraifft, yr aradr a ddisgrifir gan Gruffudd Hiraethog mewn cywydd i nifer o wŷr Môn i erchi ychen dros Syr Pirs ap Dafydd ap Rhys :

> Y mae'n gry' ym Môn grodir
> Aradr teg i ordrio tir
> yn un tynn yno y tynnen
> ysgwir bridd ac esgair bren
> ac yn debig, iawn dybiaid,
> i angor llong yngwar llaid.[1]

Os dewisodd y bardd y gymhariaeth ' angor ' yn ofalus, mae'n debyg mai aradr un haeddel a oedd yn ei feddwl. Eithr nid aradr ysgafn mohoni canys 'wyth eidion llawnwaith' a erchir i'w thynnu.

Rhywbryd tua 1600[2] y sgrifennwyd a ganlyn :

> gwr hir y lysgir oy le ny gwrwm
> ac arall ny fagle
> gwr ay drwyn wrth gadwyne
> ay fwyd dan y forddwyd yw fe.

Pôs neu ' ddychymyg ' ydyw a rhoddir yn ateb ' yr arad.' Darlun cyffredinol a chonfensiynol a gyfleir gan gyfansoddiad o'r fath, ac felly fe ellir derbyn ei dystiolaeth fod aradr hir

---

[1]Dyfynnir o draethawd M.A. Mr. William Richards.
[2]Dyma o leiaf amseriad y copi yn Llsgr. Llanstephan 135, td. 69.

dwy haeddel ('ei fagle') yn deip cyffredin ddigon. Mae'r
sôn am gadwyni yn awgrymu fod y did wden wedi'i disodli i
raddau erbyn hyn. Ond ni ddarfu amdani, canys, fel y gwelir,
parheid i ddefnyddio gwdyn plethedig fel tidau hyd y bedwar-
edd ganrif ar bymtheg.

Tua'r un amser hefyd y sgrifennodd Roger Cyffin gywydd i
ofyn aradr a'i gêr dros Edward Tanat o'r Neuadd Wen,
Llanerfyl.[1] Erchir y rhodd gan rai o'i gymdogion sef Siôn ap
Harri o Goedtalog, Cadwaladr ab Ieuan Goch, Dafydd Prys ap
Huw, a Siamas ap Rhys o Dref Pentyrch, a ddisgrifir fel

> dav hwsmon breisgion i braint,
> difyr a dav o ofaint.

Dywed y bardd am yr aradr :

> rhowch aradr rhwyddgadr i'r hawg
> a'r heiyrn, y gwyr rhowiawg
> . . . . .
> grair a wyr, dan greio'r ar,
> grwth diog, greithio daiar ;
> devnydd anodd i dynv
> a rwyga dir i rvg dv ;
> ysgrwt hardd yn asgre tir,
> solas arddwr os hwylir :
> agwedd kryw a gwddw krŷr
> groydd a dolydd a dyr ;
> arth hoch ymynd wrth chwe mil
> a wyr gerfio, arw garfil ;
> dvr yn fain ar i drwyn fydd
> yw daro mewn daierydd
> dvrvn twrch yw drin aed tav
> draig koeshir a dyr kwysav ;
> lliwys i gyllell haiarn
> llesdeiriwch i swch ir sarn
> ai goes oi flaen rhyd maenol
> ai gyrn dan erddyrn yn ol
> i lysgo wrth i losgwrn
> bevnydd, ond dedwydd y twrn.
> rhoer yn i ffwrch, prendwrch pridd,
> garthbren penllydan gwrthbridd
> . . . .

---

[1]Llsgr. Caerdydd 2. 616, td. 141a. Diolchaf i'r Athro G. J. Williams am dynnu
fy sylw at y cywydd hwn.

Rhydd y bardd ddisgrifiad digon manwl inni adnabod teip yr
aradr. Y mae iddi ' agwedd cryw a gwddw crŷr,' hynny yw y
mae ei chorff yn debyg i gawell a'i harnodd hir yn ymestyn
ohono fel gwddf crëyr. Pwysleisir ffurf rwyllog y corff gan y
gair ' ysgrwd ' sef ysgerbwd. Felly nid oes dim amheuaeth
parthed teip ffrâm yr aradr : perthyn i hwnnw a gynrychiolir
yn Ffigur 1, a'r ' cawell ' wedi ei ffurfio o'r haeddeli, y llyffant,
y gwerthydoedd neu ffyn, y cebystr, yr ystyllen, y chwelydr, y
gwadn a rhan ôl yr arnodd. Dwy haeddel, wrth raid, sydd i
aradr o'r teip hwn a dyna pam y sonnir am ' gyrn ' yn y
lluosog. Yn y ' ffwrch ' a ffurfir gan ochrau'r cawell hwn fe
orwedd y ' carthbren penllydan ' a ddefnyddir i garthu'r
ystyllen·bridd a'r cwlltwr. Profir felly fod ystyllen-bridd ar
gael. Yn wir, cyfeiriad at amgrymedd y rhan hon sydd yn y
gymhariaeth 'crwth diog'. O flaen yr aradr, ym mlaen yr
arnodd y mae 'coes' sef teclyn yr ymdriniwyd ag ef yn barod
(tud. 75) ac sydd yn rheoli pa mor ddwfn y bratha'r swch i'r
pridd. Yn ôl y bardd, y mae'n llestair ' ei swch i'r sarn.'
Mae'r swch ei hun fel ' duryn,' neu drwyn, twrch ac ar y trwyn
hwnnw ceir ' dur yn fain.' Hynny yw, swch bigfain tebyg i
honno sydd yn Ffigur 13 ydyw, a'r haenen arferol o ddur arni.
Y cwbl a ddywedir am y cwlltwr—' ei gyllell haearn '—ydyw
ei fod yn ' lliwus ' hynny yw wedi ei hogi'n loyw. Llusgir yr
aradr wrth ei ' llosgwrn,' trosiad am did wden blethedig, mae'n
sicr. Yn olaf, mae'r ' defnydd anodd ei dynnu ' hwn yn
faich ddigon trwm i chwe ' mil ' neu ych. Felly perthyn yr
aradr hon i'r un teip â'r aradr a ddyfalwyd gan Iolo Goch
ddwy ganrif a hanner yng nghynt. Teip o aradr rydd ydoedd
nas gwellhawyd arni nes dyfeisio aradr Rotherham tua 1730.

O dro i dro yn ystod y llyfr hwn cyfeiriwyd at dystiolaeth a
ddengys bod i'r aradr ym mywyd Cymru gynt bwysigrwydd
teuluol a lwyr anghofiwyd yn y dyddiau hyn a nodweddir gan
fewnforio gwenith ac allforio llaeth. Yn awr, ar ddiwedd yr
unfed ganrif ar bymtheg gwesgir y ffaith hon arnom gan
George Owen, hanesydd sir Benfro. Ceir yn un o'i ysgriflyfrau[1]
ddogfen ddiddorol iawn sef ' The number of people, hous-

---

[1] *The Taylors Cussion* : facsimile reproduction, by E. M. Pritchard (1906) Part II,
tt. 80—82.

holders, plowes, Dayryes and cariadges in everye parishe and
hundred within the Countey of pembroke as appeareth by
bookes of genall musters taken in Maye Anno 1599 . . .' Nid
oes ofod i brintio'r rhestrau yn llawn yma, ond codaf gyfan-
symiau penteuluoedd, erydr, hafodydd a cherti cantrefi'r sir :

	Housholders	Plowes	Dairies	Cartes or Truckles
Kemes Hundred	455	414	54	5
Kilgarran Hundred	122	87	7	0
Dewisland Hundred	326	263	30	91
Dongledy Hundred	287	172	22	93
Narberth Hundred	408	206	46	53
Castlemartin Hundred	308	215	28	116
Rowse Hundred	316	204	36	93
Summa totalis totius Comitatus Penbroch......	2222	1561	223	451

Dengys y ffigurau uchod un ffaith ddiddorol, sef bod mwy o
erydr yn rhan Gymreig y sir nag yn y rhan Seisnig, a hynny
mewn cyfanswm yn gystal ag ar gyfartaledd.

Dyma ddetholiad bach o ystadegau'r plwyfi :

Tŷ Ddewi :	Penteuluoedd	91,	erydr	72
Nanhyfer :	,,	66	,,	64
Llandydoch :	,,	51	,,	51
Trewyddel :	,,	9	,,	9
Moelgrove :	,,	27	,,	26
Dinas :	,,	20	,,	20
Y Castell Newydd :	,,	11	,,	12
Treletert :	,,	5	,,	8
Jordanston :	,,	8	,,	9
St. Florence :	,,	20	,,	21
Roscrowther :	,,	17	,,	19
Nash :	,,	3	,,	4
Hayscastle :	,,	14	,,	1
Nolton :	,,	4	,,	0
Hasgard :	,,	6	,,	1
Walton :	,,	5	,,	1
Steynton :	,,	38	,,	32

Mae'r ail ganrif ar bymtheg yn eithriadol o brin o'r disgrif-
iadau huawdl o erydr ac aredig a nodweddai'r tair canrif
flaenorol. Daethai tro ar fyd y beirdd, fel y gwyddys, ac fel yr

âi'r ganrif ymlaen fe gollodd y beirdd eu lle mewn cymdeithas.
A chan mai hwy yn anad neb a ddaliai ddrych i bob agwedd ar
ddiwylliant materol cymdeithas, ein colled ninnau hefyd
ydyw yn y llyfr hwn. Bellach fe ddarfu am yr arfer o gyflogi
bardd i erchi aradr neu i gymhortha ychen i'r cyd-aredig.
Diau bod cymdeithas ei hunan wedi newid mewn rhai o'i
nodweddion traddodiadol. Y teulu yn hytrach na'r llwyth
oedd yr uned ers tro, a'r unigolyn a'i gyfenw newydd yn
dechrau torri ar yr uned hwnnw. Yn lle benthyg ychen gan ei
geraint a'i gymdogion i wneuthur ei wedd yn llawn dewisai
dyn yn aml fachu ei geffylau ei hun o flaen ei ychen annigonol
ei hun. Nid oedd hyn namyn agwedd arall ar yr unigoliaeth
newydd a oedd yn peri i lawer un gau â gwrychoedd a
chloddiau parhaol o gylch y tir a hawliai. Gyda dyfod
unigoliaeth y duedd oedd i ddyn feindio ei fusnes ei hun
gartref yn lle ei gyhoeddi mewn cywydd. Yn y diwedd, fe
ymddengys i'r ymdrech am annibyniaeth bersonol mewn
gwaith bob dydd effeithio ar ddatblygiad yr aradr i raddau, ac
fe ddychwelir at hyn yn y bennod nesaf. Y pwynt y dymunir ei
bwysleisio yma yw nad oes gan lenyddiaeth Gymraeg o hyn
ymlaen agos cymaint o werth dogfennol i efrydydd diwylliant
materol. Deunydd i gerddi digrif fydd llawer o'r gwrthrychau
bob dydd a drinid o ddifrif gan y beirdd gynt.

Cymerer fel enghraifft gerdd adnabyddus Huw Morris
' I ofyn aradr i wŷr o blwyf Corwen dros Ddafydd Morris o
Dre Gaeriog.' Dyma sut y disgrifir hen aradr Dafydd :

> Arnodd o wernen, a chebyst banhadlen,
> A gwden o gollen a gollodd ei brig,
> A chyrn eithin crinion, sydd gan y glân hwsmon,
> Anhwylus, a hoelion o helyg.

Yn y flwyddyn 1601 pedair ceiniog oedd cyflog saer erydr am
wneuthur aradr[1] a'r un oedd y cyflog yn 1670[2] ond ni olyga
hyn fod unrhyw fath o unffurfiaeth ar yr offer eu hunain yn
ystod y cyfnod hwn. Y mae hynny yn eglur oddi wrth lyfrau
cownt yr amaethwyr. Dangosir gan gofnod yn nyddiadur
Bulkeley o Dronwy, sir Fôn[3] fod ganddo yn 1632 aradr a'i

---

[1] Walter Davies, *Gen. View of the Agriculture . . . of North Wales* (1810), td. 500.
[2] Bob Owen yn *Y Genedl*, 28 Chwef., 1938, td. 3.
[3] *Trans. Anglesey Antiq. Soc. & Field Club*, 1937.

fframwaith yn debyg i'r aradr olwyn a gymeradwyir gan
Jethro Tull a Thomas Hale yn y ddeunawfed ganrif.[1] Dyma'r
cofnod :

> 1632. 23 March. I rec for a harrow of
> Edw. Miller 12d. & a bach arad.

Yn ôl Lewis Morris o Fôn[2] yr un ydyw ' bach arad ' â'r rhan a
elwir ' hinder sheat ' yn Saesneg. Erydr olwyn trwm a chryf
a fyddai'n cynnwys ' bach aradr ' yn eu fframwaith a gwelir
bod Bulkeley yn prynu olwyni yn yr un flwyddyn : ' 12 October
I rid to ye fayre, I pd for plough wheele 2s. 10d.' Wrth gwrs,
ni hawlir lle i erydr sir Fôn yn natblygiad un o erydr mwyaf
adnabyddus Lloegr ; diau fod y ddau yn ddisgynyddion i
erydr olwyn yr Oesoedd Canol. Ond dengys y cofnod y perygl
o dderbyn pob un o'r manion y sonnir amdanynt gan wŷr
y ddeunawfed ganrif fel gwelliannau eu cyfnod hwy.

Oherwydd nifer yr ychen gwedd a gadwai y mae'n amlwg
fod gan Bulkeley fwy nag un aradr. Mae'n amlwg hefyd eu bod
hwy yn amrywio mewn maint gan iddo dalu 16d. am un
arnodd a chymaint â 2s. 2d. am un arall. Yn ffeiriau Biwmares,
Aberffro a Chaernarfon y prynai Bulkeley rannau pren ei
erydr, ond fe ymddengys mai gartref y gwneid yr heyrn. Er
enghraifft, ar y ddegfed o Chwefror 1631 ceir y cofnod :
' Owen [sef ' my man Owen '] was a making a new souch
[swch] mending Iron pins & shoeing.'

Dangoswyd ym mhenodau blaenorol y llyfr hwn fod amryw
deipiau o erydr yn cydoesi â'i gilydd ym mhlith y Cymry a'i
hynafiaid o'r cofnodau cynhanesiol ymlaen. Parhâd o'r un
ystori a adroddir gan y dystiolaeth a gasglwyd i'r bennod hon.
Ceid yr un amrywiaeth offer drwy gydol y cyfnod hir o'r
drydedd ganrif ar ddeg hyd drothwy'r ddeunawfed. Ceid
erydr rhydd ag ystyllod-pridd ac, o bosibl,[3] rhai hebddynt.
Defnyddid ' traed ' ar lawer ohonynt. Ceid erydr olwyn hefyd.
Ceid erydr dwy haeddel ac erydr un haeddel. Dangoswyd hefyd

---

[1]Jethro Tull, *The Horse-Hoeing Husbandry* (1733), td. 301 ; Thomas Hale,
A Compleat Body of Husbandry (1756), td. 292.
[2]Yn ei nodiadau ymyl y ddalen yn ei gopi o lyfr Jethro Tull a gafodd yn 1740.
Ym meddiant yr Athro G. J. Williams y mae'r copi hwn, a diolchaf iddo am ei roi
ar fenthyg i mi.
[3]Gweler tud. 83.

fod amrywiaeth ffurf a phatrwm ar rannau neilltuol o'r offer
megys yr haeddel-fawr, yr arnodd, y glust, yr ystyllen-bridd,
a'r swch. Awgryma peth o'r dystiolaeth fod yr erydr yn
amrywio mewn maint a phwysau hefyd. Y mae'n gwbl eglur
hefyd nad oedd gwahaniaeth rhwng offer y maenorydd ac offer
tyddynnod a ffermydd y gweddill o'r wlad. Ac, o ddiwedd y
cyfnod Rhufeinig ymlaen, ni cheir dim tystiolaeth o gwbl dros
fodolaeth erydr o'r teip ' clasurol ' ; i'r teip ' pedronglog '—a
nodweddai Ogledd Ewrop yng nghyfnodau hanes—y perthyn-
ant i gyd.

Digon prin ac anghyflawn ydyw'r dystiolaeth, wrth reswm.
Nid busnes neb oedd croniclo a disgrifio erydr yn fanwl er eu
mwyn eu hunain. Cyfrwng yn unig oedd yr aradr ; y gwenith
a'r ceirch a'r haidd a'r rhŷg a eginodd o'i gweithgarwch a oedd
bwysig. Oherwydd i ambell fardd ganfod arwyddocâd yr
offeryn ei hun a mynd i hwyl yn ei gylch y gwyddom sut un
ydoedd. Ac ni cheid goleuni pellach ar fanylion ychwaith oni
buasai raid i'r maerod a'r beiliaid a'r amaethwyr gadw llygad
ar y peth pwysig arall—pres, a rhoddi cyfrif am bob dimai a
dreulid ar erydr newydd a rhannau sbâr a chyflogau'r saer
coed a'r gof. Ond gwerthfawr dros ben yw'r dystiolaeth a
dynnir o ffynonellau fel y rhain, canys nid oes gan y tystion
diarwybod hyn ddim rhagfarnau archaeolegol neu hanesyddol.

Gan mai cyfrwng ydyw'r aradr rhaid inni yn awr ystyried
addasrwydd yr offeryn, a gofyn sut lun fu ar aredig Cymru yn y
cyfnod dan sylw. Gwelsom fod safon gydnabyddedig i aredig
cyn belled yn ôl â chyfnod Cyfraith Hywel. Y mae'r sôn am
' ddrycar '—âr drwg—yn y Gyfraith mor arwyddocaol yno ag
ydyw yn y cyfieithad Cymraeg diweddarach o Hwsmonaeth
Walter de Henley. Sylweddolwyd mai cam â dyn a'i dir oedd
aredig gwael ac esgeulus. Ond, bellach, fe ddywedir wrthym
yn fanwl ac yn huawdl sut raen a oedd ar y tir tro. Gŵyr pawb
sut y byddai diwygwyr amaethyddol selog oes ddiweddarach
yn melltithio hen erydr traddodiadol y wlad gan honni na
fedrid gwaith amgenach â hwy nag a wneid gan foch wrth
durio'r pridd. Ond y mae'n rhaid bod Dafydd ap Gwilym
wedi gweld gwaith llawer mwy taclus na hynny yn y bedwaredd
ganrif ar ddeg onide ni allasai fod wedi canu :

> A thynnu'n hy, fry ar fron,
> Cwysau cydweddaidd cyson.[1]

Ni raid dweud wrth neb a ŵyr am gywirdeb manwl disgrifiadau
Dafydd i'r bardd weled y fath gwysi. Dyna Iolo Goch yn yr un
ganrif eto. Oni welsai gwysi tebyg, ' da y chyssylltat ' chwedl
cyfieithydd yr *Hwsmonaeth,* pa sut y gallai ganu am yr aradr yn
agor ' hoywgwys ' ac yn torri'r maes yn gareiau ? Fel y
gwelsom uchod, i grefftwaith cain brodiwr yn pwrffilo gwisg-
oedd y cyffelybodd aredig. Yn sicr nid turio moch a welsai
Iolo ar y lleiniau âr. Ni theimlai Lewis Glyn Cothi ddim
chwithig wrth adleisio Iolo yn y ganrif nesaf :

> cymwys hoywgwys fo i hegyr
> iach iawn gwaith ychen a gwyr.[2]

Ceir cyd-oeswr i Lewis, Ieuan Gyfannedd, yn canu i gwysi
taclus wrth gyffelybu'r mawl a ganai i fab-yng-nghyfraith
Owain Glyn Dŵr i waith aradwr :

> erddais o fawl, urddas fydd,
> erw lydan yngorwledydd ;
> kyfeiriais ytt, kyfar son,
> kwysau o foliant kyson.[3]

Y mae amlder o gyfeiriadau i ddangos bod cysondeb cwysi
yn nod i'w gyrchu ato, ond digon yma fydd un ohonynt gan
Cadwaladr ap Rhys Trefnant, bardd o'r unfed ganrif ar
bymtheg :

> tynnon gwys eto yn gyson.[4]

Nodwedd arall ar gŵys dda—sef bod yn ddi-dolc—a ddenodd
sylw Dafydd Nanmor :

> Tynned gŵys dros y ddwysir
> Heb un tolk i ben y tir.[5]

Ceir sôn gan Wiliam Llŷn yn y ganrif nesaf am ' y gwys didolc
wastadol '[6] ac ar achlysur arall dywed paham y mae'r fath
gŵys yn ddymunol :

[1]Arg. 1789, td. 399.
[2]Llsgr. Peniarth 77, td. 358.
[3]Llsgr. N.L.W., 728D, td. 113.
[4]Llsgr. Peniarth 79, td. 22.
[5]Thomas Roberts, *Gwaith Dafydd Nanmor,* td. 70.
[6]J. C. Morrice, *Gwaith Wiliam Llŷn,* td. 75.

Ni wna gam ond union gwys
Ni mynn gam, y mae'n gymwys,
Y gwys didolc, os dodir,
A wna ŷd da yn y tir.[1]

Nid moch yn turio ond ' teilwriaid y talarau ' oedd yr ychen
gwedd i Ieuan Deulwyn ac â'r aradr yr oeddynt yn

torri gwn u gwndwn gwyn,
tir brith, val torri brethyn.[2]

Fel crefftwyr hefyd y canodd Tudur Aled am yr ychen :

Towyr ŷnt ar y tir âr,
Torr dduon yn toi'r ddaear ;
Da iawn eu clod yn y clai . . .

Ac offeryn crefft ydyw'r aradr :

Corff a dyrr crefft daearol
A'r grefft ar y garrau ôl.

Disgrifir ei gwaith fel

Ysgorio tasg ar y tir,
Ysgoriadau ais grodir ;
Ysgyrion hirion i'w hau,
Ystyllod megis dulliau.[3]

Ni ellir cam-ddeall hyn. Aredig da a gofalus a oedd ym
meddwl y bardd wrth gyffelybu'r âr i do gwellt a'r naill dôen
yn gorgyffwrdd â'r llall. Cwysi cymen cyson a barodd y
cymhariaethau ag ysgyrion hirion a dorrwyd o'r pridd ac ag
ystyllod yn ymresu'r naill ar ôl y llall megis dulliau, hynny yw
megis pletiau neu blygiadau.[4]

[1]*ibid*, td. 84.
[2]Ifor Williams, *Casgliad o Waith Ieuan Deulwyn* (1909), td. 47.
[3]T. Gwynn Jones, *Gwaith Tudur Aled* (1926), II, td. 442.
[4]Cymharer disgrifiad o arfwisg gan Guto'r Glyn :

Dulliwyd am ŵr o'r dellt mân
Dulliad dros dillad Trystan.
Pob dulliad, caead cuall,
Mal llong dros emyl y llall.
Grisiau teg mal gwres y tân
Gyda'r maels mal gwydr Melan.

Gwaith Guto'r Glyn, td. 192.

h.y. mae'r tefyll mân o fetel mewn pletiau am y gŵr a'r naill blet yn estyn ychydig
dros ymyl y llall. Edrychant yn debyg i risiau. Yn y cywydd â'r bardd ymlaen
i'w cyffelybu i gen gleisiad, i ysglodion, i ysglatys, i deils, i do cerrig. Y mae ystyr

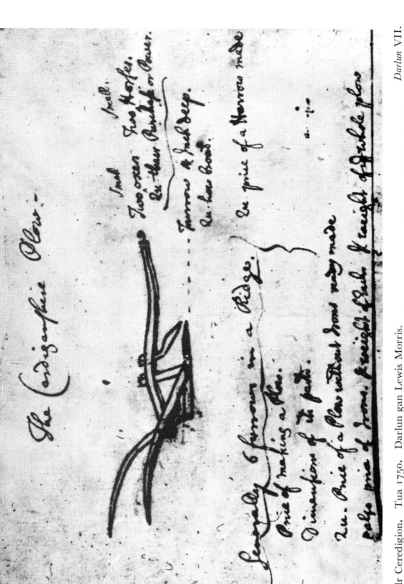

Aradr Ceredigion. Tua 1750. Darlun gan Lewis Morris.   *Darlun VII.*
Llawysgrif Ychwanegol 67A, Llyfrgell Genedlaethol Cymru.

(Trwy ganiatâd Llyfrgell Genedlaethol Cymru)

about 6' foot ———

17. The Plow here is the lightest and most simply
constructed of any I ever met with.
a man can with ease carry it on his shoulder
& Two small horses very frequently used to
Draw it. But the Team is generally Two horses
and Two oxen . . . never more.

The Harrow ·········

Darlun tebyg a rydd Owain ap Llywelyn ap y Moel wrth erchi ychen :

> Ni fyn gwar o fewn gorych
> fod vn grwn heb vadio yn grych
> diwreiddwyr daiar oeddyn
> dvllio tir val dillad tyn
> ystyllodi yn byst llydain
> asav'r maes val sseiri main
>
> . . . .
>
> I dal Nankrvba i delon
> I droi bric daiar or bron.[1]

Fe welir felly nad i waith moch yn turio'r pridd y cymharwyd aredig y cyfnod hwn gan sylwedyddion craff cyfoesol ond yn hytrach i waith gofalus y crefftwyr. Cwysi didolc cyson, wedi eu torri mor union â chareiau neu mor union ag y tyrr teiliwr ddarn o frethyn, ac wedi eu cysylltu â'i gilydd mor glos â rhesi o estyll gorgyffwrdd, oedd y ddelfryd, y nod i gyrchu ato, a dengys y dystiolaeth y gwelid aredig fel hyn yn aml. Gellid bod yn weddol sicr mai adlewyrchiad o'r ddelfryd gyfoesol oedd cwysi Hu Gadarn a ddisgrifiwyd ym ' Mhererindod Siarlymaen ' ac nad ymddangosent nac yn gwbl ddieithr i Gymry ddiwedd y drydedd ganrif ar ddeg nac yn rhy wahanol i'r gwaith a welent ar y meysydd âr : ' Kyn vnyawnet y tynnei y kwysseu, a chyn decket a llinyeu a dynnit wrth linyawdyr gyfyawn.'[2] Os oedd gofynion y grefft tuhwnt i fedr yr amaeth Cymreig a gallu'i aradr, paham y trafferthodd cyfieithydd *Hwsmonaeth* Walter de Henley â chyfarwyddiadau megis a ganlyn : ' Ar ar y brynar trydyd, kwys lydan bedrogyl. Ac ny bo dofyn onyt megys y diwreud y llysseu, ac adaw y tir yn gadarn yn erbyn yr hat. . . . A phan erdych, kymer gwys vechan

y geiriau *dull* a *dullio* mewn disgrifiadau o aredig yn eglur. Os troir yn ôl at gywydd Lewis Glyn Cothi fe welir bod ystyr arall yn y cwpled

> ebill a gwimbill a gad
> o ddull i wnio ei ddillad

yn ychwanegol i'r un a dynnwyd ohono wrth drin y cywydd fel dogfen. Wedi'r cwbl, darn o farddoniaeth sydd yma ac fe'i cyfoethogir gan riniau cuddedig. Dyma'r ystyr arall : ebill a gwimbill ydyw'r cwlltwr a'r swch ac y maent yn gwnio dull, sef cŵys, yn ddillad i'r aradr. Fel y cerdda'r aradr yn ôl ac ymlaen troir wyneb y tir yn ddarn o frethyn caerog iddi.

[1]Llsgr. Peniarth 86, td. 276.

[2]*B.B.C.S.*, V, td. 210, golygwyd gan Stephen J. Williams.

da y chyssylltat rac colli yr hat. Sef achaws yw os kwys lydan a erdy ac adaw y tir yn uyw y rygtunt, twylleist y tir a cholleist yr hat. Os kwysseu llydan a uyd pan deler y lyfnu, yr oget a tynn yr hat yr tir byw, ac yr rych o achaws y drycar. Edrych pan dyvo yr egin. Y kwysseu a arder yn gysson ac yn van, o benn y grwnn hyt y llall ti ae gwely yn gysson ac yn llwydyannus . . .'[1] Mae'n bosibl i'r grefft aredig ddirywio yn ddiweddarach, megis y gwnaeth rhai o'r crefftau eraill, nes haeddu cerydd rhai o ddiwygwyr amaethyddol y ddeunawfed ganrif. Mae'n bosibl ond nid yw'n sicr. Ond dirywio neu beidio ni welais brawf fod yr hen erydr yn haeddu'r cwbl o'r dirmyg a gawsant gan rai o wŷr yr erydr gwell. Tebyg yw dyn ym mhob oes. Clywais i yn aml ladd ar ' hen ' erydr rhydd, a oedd yn cynnwys holl welliannau y diwygwyr eu hunain, gan aradwyr na fedrent eu dal yn iawn ; ond gwelais hefyd wŷr medrus yn gafael yn yr un erydr ac yn

> ystyllodi yn byst llydain
> asau'r maes fal seiri main.

[1] *ibid*, II, td. 12, golygwyd gan Ifor Williams.

PENNOD V

Y DDEUNAWFED GANRIF

ER mai oes y diwygwyr amaethyddol oedd y ddeunawfed ganrif, ni welwyd effaith eu llafur hwy ar amaethyddiaeth Prydain yn gyffredinol tan ran olaf y ganrif. Parthed yr erydr, gwnaed mân welliannau arnynt yma a thraw yn y wlad yn nechrau'r ganrif, ond heb newid ffurfiau traddodiadol yr offer lleol. Hyd y gellir darganfod, yn Norfolk yn unig y bu datblygiad pendant. Yn y sir honno dechreuasid disodli'r hen erydr trwm tua chanol yr ail ganrif ar bymtheg ac erbyn tua 1720 ceid yno erydr ysgeifn gydag estyll-pridd haearn a sychau o haearn bwrw.

Fel yr âi'r ganrif ymlaen lledaenwyd y ddelfryd o aradr ysgafn a allai droi erw o dir mewn diwrnod. A diau fod i aradr Norfolk ran helaeth yn ffurfio'r ddelfryd honno. Ond pridd ysgafn, hawdd ei drin, oedd pridd y sir honno ac ni wnâi ei haradr enwog hi mo'r tro ar glai gwlyb neu dir caregog rhanbarthau eraill o'r ynys. Felly, parheid yn gyffredin drwy'r wlad i ddefnyddio teipiau lleol gan geisio eu cymhwyso at y ddelfryd. Un o ddiwygwyr amaethyddol mwyaf Lloegr oedd Jethro Tull (1674—1740), ond iddo ef aradr olwyn drom swydd Hertford oedd yr offeryn gorau. Ac felly gyda'r diwygwyr a'r seiri erydr yn gyffredinol : tuedd pob un ohonynt oedd credu mai'r aradr a welai yn gwneuthur gwaith da yn ei ardal ei hun oedd yr offeryn cymhwysaf i'w wella. Ond cytunwyd mai'r broblem oedd i lunio aradr a fyddai'n ddigon ysgafn a chelfydd i weithio mor rhwydd ag aradr Norfolk ac yn ddigon cryf i droi tir garw a thrwm.

Dangoswyd sut i ddatrys y broblem mor gynnar â'r flwyddyn 1730 pan ddyfeisiwyd aradr yn Rotherham, swydd Efrog, gan Disney Stanyforth a Joseph Foljambe. Ond yr oedd yn rhaid wrth lawer o gymhwyso a gwella ar yr aradr hon cyn iddi ddyfod yn offeryn cymwys i'w ddefnyddio ym mhob man ar unrhyw fath o bridd. Yn rhan olaf y ganrif y gwelwyd llawn effaith yr aradr chwyldroadol hon.

Y gwahaniaeth pwysicaf rhwng aradr Rotherham a'r hen

offer oedd cynllun ei ffrâm.[1] Yn yr hen erydr traddodiadol cyfleid prif aelodau'r ffrâm fel y byddai'r arnodd a'r gwadn a'r cebystr a rhan isaf yr haeddel-fawr yn ffurfio pedrongl. Dangosir hyn yn glir yn Ffig. 1. Ond yn aradr Rotherham ymwrthodwyd â'r gwadn hir, traddodiadol, ac fe estynnwyd yr haeddel fawr ymlaen hyd droed y cebystr. Effaith hyn oedd cael ffrâm drionglog, ffrâm a gedwid ar erydr pren y bedwaredd ganrif ar bymtheg (Darlun XIII—XIV). Yr oedd y ffrâm newydd hon yn llawer cryfach na'r hen ffrâm draddodiadol. Yr oedd yn ysgafnach hefyd ac nid oedd agos cymaint ohoni yn ymwasgu â'r tir. Yr oedd yr ystyllen-bridd yn fyrrach na'r hen rai ac yn fwy lluniaidd ac yr oedd wedi ei hwynebu â phlatiau haearn. Oherwydd y gwelliannau hyn yr oedd aradr Rotherham yn gryfach ac yn haws ei thynnu nag erydr cyffredin y deyrnas. Ond fel y dywedais yn barod, nid oedd yr esiamplau cyntaf o'r aradr hon heb eu beiau. Rhaid oedd aros dros ddeng mlynedd ar hugain eto cyn cael, drwy weithgarwch gwŷr fel Small ac Arbuthnot, ffurfiau gwell ar yr aradr hon a allai gerdded yn iawn ar y rhan fwyaf o briddoedd.

Felly, yn rhan gyntaf y ganrif braidd nad oedd dim newid ar yr erydr nac yng Nghymru nac yn yr Alban nac yn y rhan fwyaf o Loegr. Parhaodd yr hen deipiau. Ceid yn ddiamau ambell saer erydr a wnaeth ryw welliant neu'i gilydd ar offer ei ardal. Ymddengys mai rhyw ddigwyddiad o'r fath rywle ym Morgannwg a goffheir yn y gerdd ganlynol :

> Dyma siwrne galed
> fy mod i yn gorfod myned
> yn fy henaint mae yn ormodd dra
> i ddyscu dalla yr arad

> Mi weddia beunydd
> ar roddi i chwi lawenydd
> i droi ych tir i ddodi had
> yn rhwydd och arad newydd

> Holl seiri dewch er dolwn
> George Elias ywr mab Hamswn
> pun elo i udroi fy nhon
> cewch weled hon yn battrwn.[2]

---

[1] Robert Brown, *Gen. View of the Agric. of the West Riding of Yorkshire* (1799), td. 52.
[2] D. Rhys Phillips, *History of the Vale of Neath*, td. 593.

Nid oes, fodd bynnag, unrhyw dystiolaeth fod neb ym Morgannwg yn nechrau'r ganrif wedi gwneuthur offeryn a ellid ei alw yn "arad newydd". Perthynnai aradr ddiolwyn gyffredin y sir honno (a gostiai chwe swllt yn 1735[1]) i deip a arferid ar draws y wlad o Ogledd Ceredigion hyd Ddyfnaint a Chernyw. Yn ddiddadl yr oedd yn deip hynafol ac yn Nyfed nis diwygiwyd llawer yn ystod canrifoedd. Ond, fel y cawn weld, mewn mannau eraill, gan gynnwys Morgannwg, gwellhesid yr aradr hon gymaint fel y daliodd ei thir yn erbyn aradr Rotherham a'i hepil hyd ddiwedd y ganrif.

Y darluniad cynharaf o aradr o'r teip hwn y gwn i amdano yw'r un a welir yn Ffigur 10. Esboniais y llun hwn eisoes ar dudalennau 78—83. Er ei fod yn fraslun amrwd yr olwg, dangosir y manylion yn glir ac yn fanwl. Ond na thybier bod pob aradr o'r teip hwn yn y bymthegfed ganrif yn cytuno yn fanwl â'r esiampl hon. Oddi wrth a wyddom am erydr drwy'r oesoedd ac am erydr o'r teip hwn yn arbennig, gellir bod yn weddol sicr i'r manylion amrywio mewn llawer ardal ym mhob cyfnod. Yn lle cael datblygiad trefnus trwy'r blynyddoedd, ceid amrywiaeth ddi-drefn nad oedd a wnelai ag amseryddiaeth. Gwnâi saer aradr ar gyfer y tir y disgwylid iddi ei droi, a byddai hynny ynddo'i hun yn ddigon i beri bod amrywiaeth. Ond ni newidiwyd cynllun sylfaenol ffrâm y teip mewn unrhyw le fel y gwelir os cymherir Darluniau VII, X—XII â'i gilydd.

Yng Ngheredigion y gellir dangos orau barhâd digyfnewid y ffrâm ers pedair canrif canys o ardal Llanwenog y daw Ffigur 10 ac ym mhlwyf cyfagos Cribyn y cafwyd yr esiampl ddiweddaraf o'r teip y gwn i amdani, wedi ei ddyddio 1821[2] (Darlun XII). Er bod yr esiampl hon yn anghyflawn y mae prif rannau'r ffrâm yn gyfan. O Geredigion hefyd y daw yr unig oleuni ar gyflwr y teip hwn tua chanol y ddeunawfed ganrif. Wrth lwc, fe dynnodd Lewis Morris o Fôn rai lluniau o'r aradr fel y ceid hi o gwmpas Llanbadarn Fawr a thrwy gymorth y rhain ynghyd â rhai o nodiadau Morris gellir cael syniad gweddol glir am nodweddion yr offeryn yn yr ardal honno.

---

[1] ' 1735, 11 Oct. then pd Wm Robert p' old Nan to pay for a plow 6s ' : dyfyniad o lyfr cownt Thomas Morgan, Coed-y-gorres, Llanedern yn J. H. Matthews, *Cardiff Records*, II, td. 506.
[2] Ceir esiampl arall o'r Cei Newydd a allai berthyn i'r 19eg ganrif yng nghasgliad y Royal Institution, Abertawe.

Ceir dau o'r lluniau hyn yn Llsgr. N.L.W. Addl. 67A. Ar
dudalen 192 rhoir golwg gyffredinol ar yr aradr (Darlun VII)
ac ar dudalen 275 darlunnir y gwadn a'r ystyllen-bridd fel y
gwelir hwy oddi uchod (Ffig. 13). Tua 1750 yw dyddiad y

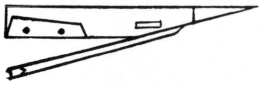

Ffigur 13.

lluniau hyn. O gymharu'r aradr hon a'r esiampl o'r bymtheg-
fed ganrif gwelir yr un parhâd ym mhatrwm y ffrâm y soniwyd
amdano. Yn wir, gall y rhan fwyaf o'r hyn a ddywedwyd ar
dudalennau 78—83 am yr aradr gynharach sefyll fel disgrifiad
cywir o'r offeryn dan sylw yn awr. Gan hynny ni raid imi
wneuthur mwy na nodi lle gwahaniaetha'r ddau.

Y prif ychwanegiad, wrth gwrs, ydyw'r rhan sydd yn cynnwys
ynddi ei hun y llaw-haeddel a'r ystyllen-bridd. Ymddengys
nad arferid y rhan ddwbl—a thrwsgl—hon tuallan i Geredigion
a Dyfed, ac fe'i beirniadwyd hi yn llym yn ddiweddarach yn y
ganrif. Mae'r gwadn yn llawer llai, ac yn lle'r hen swch
anferth dangosir swch bigfain gyffredin y ddeunawfed ganrif.
Hwylir yr aradr o hyd â chynion ym mhen y cebystr ; ond
cymerir lle'r hen glust syml gan fach. Ymddengys bod y bach
hwn yn sefydlog ym mhen yr arnodd heb foddion i'w godi
neu'i ostwng. Os felly yr oedd, nid gwelliant ar yr hen glust
ydoedd.

Ar dudalen 275 o'i lawysgrif, lle darlunnir y gwadn, dyry
Lewis Morris ychydig o fesuriadau. Dywed fod corn yr haeddel
fawr yn ddeg modfedd ar hugain o'r ddaear, y llaw-haeddel yn
bymtheg modfedd, a rhan isaf blaen yr arnodd yn ddeunaw
modfedd. Pedair modfedd oedd hyd y bach ym mhen yr
arnodd ac yr oedd y did rhwng pedair troedfedd a hanner a
phump. Os cymhwysir y mesuriadau hyn at Ddarlun VI
(a chredaf fod y llun yn waith digon gofalus inni fentro
gwneuthur hynny) gwelir ei dynnu ar raddfa o un fodfedd i'r
llathen. Cesglir felly fod prif fesuriadau'r aradr hon yn agos i'r
hyn a ganlyn :

					tr.	mod.
Hyd yr aradr o gorn yr haeddel fawr hyd flaen yr arnodd	......	......	......	......	8	9
Hyd yr arnodd trwy'r haeddel fawr		......	......		5	10
Hyd y gwadn a'r swch gyda'i gilydd		......	......		2	10
Hyd y swch yn unig	......	......	......			11
Hyd y cebystr	......	......	......	......	1	6
Hyd y llaw-haeddel + ystyllen-bridd		......	......		4	9

Os cymherir y mesuriadau hyn â mesuriadau erydr o'r un teip ym Mrycheiniog a Morgannwg (tud. 113-4) gwelir bod aradr Llanbadarn Fawr gryn dipyn yn llai na hwynt. Yn wir, mewn nodiad uwchben llun arall o aradr Llanbadarn a dynnodd Lewis Morris (Darlun VIII) pwysleisir y nodwedd hon. Dywed : 'The Plow here is the lightest and most simply constructed of any I ever met with. A man can with ease carry it on his shoulder and Two small horses are very frequently used to draw it. But the Team is generally Two horses and Two oxen. and never more.' Codwyd hyn o Lsgr. B.M. Addl. 14927, ffo. 28 r. Cynnwys y llawysgrif hon adroddiad ar blwyf Llanbadarn Fawr a sgrifennodd Morris yn 1755 fel ateb i holwyddoreg a anfonwyd ato gan Gymdeithas Hynafiaethwyr Llundain.

Ymddengys o'r nodiadau yn Narlun VII na wyddai Lewis Morris y pryd hwnnw faint oedd cost gwneuthur yr aradr hon. Cafodd y wybodaeth yn ddiweddarach (Darlun IX) a'i chofnodi ar dudalen wag yn ei gopi o lyfr Jethro Tull, *The Horse-Hoeing Husbandry*, 1733, llyfr a gawsai yn anrheg yn 1740.[1] Dyma'r cownt :

Expence of Making a Cardiganshire Plow.
The Plowwright being a Trade.

Arnodd or Plowbeam......	......	......	0	1	0	The	
Heydal or Left Handle	......	......	0	1	0	wood	
Gwadan or Shere	......	......	0	0	6	part	
Ystyllen bridd, or Right handle		......	0	0	4	0 5 0	
Hoelyd, Gwerthydoedd & Cledde		......	0	0	2		
Groundwrist, Staff & Sheat		......					
Workmanship 2 days, on his own finding	......	......	0	2	0		
on yours 1s.							
The swch or suck	......	......	0	3	0	} 0 5 0	
Cwlltwr or Coulter	......	......	0	2	0		
The Left handle will last 10 Years			£0	10	0		

[1] Mae'r llyfr ym meddiant yr Athro G. J. Williams yn awr.

Darllenasai Lewis Morris lyfr Tull yn ofalus iawn, fel y
dengys ei nodiadau ymyl y ddalen. Y mae un o'r nodiadau
hyn ar dudalen 306 yn ychwanegu ychydig at ein gwybodaeth
o aradr Ceredigion. Sôn y mae Tull am y modd y dylid gosod
swch ei 'four-coulter Plow' ef a chwyna fod blaen y swch yn
gwyro ormod at ochr chwith yr arnodd weithiau fel na all yr
aradr gerdded yn iawn. Ar hyn fe sylwa Morris : 'This is all
silly. The Cardign. shire plow makes with the beam an < of 8°
and yet goes well.'

Gwelir bellach fod aradr ardal Llanbadarn Fawr yn
enghraifft dda o'r amrywiaeth leol o fewn y teip y soniwyd
amdani droeon. Ei nodwedd arbennig hi oedd ysgafnder. Ar yr
un pryd yr oedd yn draddodiadol ei chynllun a'i hystyllen-
bridd mor drwsgl ag eiddo offer Ceredigion a Dyfed yn
gyffredinol. Yr amrywiaethau lleol hyn sy'n peri bod gwahan-
iaeth barn am yr erydr hyn ac sydd hefyd yn esbonio paham na
chytuna disgrifiad y naill ŵr ohonynt â disgrifiad y llall.

Er enghraifft, gwelsom i Lewis Morris dystio fod yr offeryn
yn aredig yn foddhaol, a gŵr cyfarwydd a goleuedig yn y
materion hyn oedd ef. Ond gwrandewch ar y Parchedig Mr.
Turnor yn datgan ei farn ef ar holl erydr rhan ogleddol
Ceredigion yn 1794 : 'The plough and cart are particularly
faulty. The cradle of the plough is of unusual length, measuring,
including an ill made blunt share at least five feet. The mould
board is only a round piece of wood, measuring in circumference
about seven inches. In working, not near half the cradle touches
the ground. The tail is continually held up by the ploughman
by short aukward handles. And when best at work, it is held
in a very oblique position. The only method of setting it is by
wedges. The cost of it is about fifteen shillings. With such an
implement it is no wonder the furrow is not laid flat.'[1] Dyna
farn ysgubol, ac am y rhesymau a nodwyd eisoes ni chredaf fod
llawer o werth yn y fath farn ar erydr y cyfnod.

Fel y mae'n digwydd, nodweddir rhai eraill o Adroddiadau
1794 ar siroedd Cymru gan gollfarnu ysgubol ar eu herydr
traddodiadol hwy. Fel na'n camarweinir gan y nodwedd hon
ar yr Adroddiadau hyn rhaid sylweddoli fod eu hawduron yn

[1]*General View . . . Cardigan*, td. 28.

cydymffurfio ag agwedd meddwl a oedd yn ffasiynol ar y pryd drwy'r deyrnas. Gan hynny, buddiol fydd torri ar hanes erydr De Cymru am ychydig ac ystyried rhai o'r Adroddiadau ar siroedd Lloegr.

Am erydr swydd Northampton dywedir : ' the plough is a clumsey piece of work, with a long massy beam, and an ill formed timber mould board, better adapted as a machine for 4 or 5 horses to pull along, than for the purpose of turning over a neat clean furrow.'[1] Dyma farn Arthur Young am yr un offeryn yn 1791 : ' The copse, or head, admits no variations of depth, done only by altering the traces, which is a barbarous defect. . . . The share is from four to six inches broad, yet the heel of the plough is ten to fourteen inches, consequently there are eight to ten inches in every furrow not cut, but only driven over by force . . .' a sonia am ' a yet greater error, which is, tilting the plough aside, in its work, to raise the earth board, which narrows the furrow, it is true, but infallably rest-baulks the land, and makes of all other work the worst.'[2]

Disgrifir aradr Berkshire fel ' a heavy, clumsy instrument, with a massy beam, share, and mould-board, much better adapted for trenching ploughs, than for the uses required of them.'[3]

Yng Ngwlad yr Haf ' the great length of the mould-board occasions too much friction ; and it cannot be deemed a good implement : but prejudice is strongly in its favor, notwithstanding considerable pains have been taken to shew the superiority of other ploughs.'[4]

Yn Surrey ' the ploughs in use . . . in most districts are nearly similar to those that were used by their grandfathers, and differ only as whim or custom has more or less prevailed.'[5]

Beirniadwyd yr erydr cyffredin a ddefnyddid ar diroedd trwm sir Gaergrawnt yn llym,[6] a dyma un farn am arddwyr y sir honno : ' Our labourers are generally aukward and unskilled in the processes of agriculture, such as ploughing,

[1] James Donaldson, *Gen. View . . . Northampton* (1794), td. 44.
[2] *Tours in England and Wales*, arg. newydd 1932, td. 220.
[3] William Pearce, *Gen. View . . . Berkshire* (1794), td. 22.
[4] John Billingsley, *Gen. View . . . Somerset* (1794), td. 19.
[5] W. James & J. Malcolm, *Gen. View . . . Surrey* (1794), td. 41.
[6] Charles Vancouver, *Gen. View . . . Cambridge* (1794), td. 215-6.

sowing, reaping, mowing, stacking, etc. and this happens from
having few but the outcasts of other countries among us. That
they are immoral and unmanageable in a greater degree than
in upland countries is also certain.'[1]

Yn rhyfedd, ni sylwir ar aradr fwyaf nodweddiadol swydd
Hertford yn adroddiad 1794 ond fe leddir arni yn argraffiad
diwygiedig 1804.   Cytuna'r awdur fod yr offeryn hwn yn
gymwys i'r gwaith o ' breaking up strong flinty fallows ' . . .
' But here ends the merit ; for all other ˌworks it is a heavy,
ill-formed, and ill-going plough.'   Sonnir am ' the absurd
construction and weight of the plough. . . . This plough will
not move in its work one yard without the ploughman ; a
decisive proof of its miserable construction.'   Am ansawdd ei
gwaith dywedir : ' When I have turned away the stirred
moulds, in order to examine the unploughed land beneath, it
is found all in grooves and ridges.   Worse work can scarcely
be imagined, while the surface is left apparently very well and
neatly ploughed.'[2] A dyna'r aradr a oedd ffefryn Blith, Tull, a
Hale !

Dywedais mai aradr Rotherham a ddylanwadodd er gwell
ar erydr Prydain yn y pen draw ; ond er ei dyfeisio tua 1730 fe
geir bod yr adroddwyr yn ddigon anfodlon arni mor ddiweddar
â 1794. A hynny yn ei bro genedigol ei hunan. Er enghraifft,
' In nothing are the farmers of the West Riding more deficient
than in the construction and management of their ploughs and
wheel carriages. . . . The same plough, with a few trifling
alterations, is universally used over the whole district ; it is
generally called the Dutch, or Rotherham plough . . . the fault
. . . lies more in the manner it is yoked, than in the principles
upon which it is made . . . the sock or share is much shorter
and broader in the point than those we are accustomed with,
which must make them difficult to work in all gravelly soils,
and even in clays, when they are dry . . . the work is often
badly performed. There is scarcely a straight ridge to be seen,
except in a few places . . . the land was in general ploughed too
shallow . . .'[3]

[1]*ibid*, td. 176.
[2](A. Young), *Gen. View . . . Hertfordshire* (1804), tt. 36-7.
[3]Rennie, Brown & Shireff, *Gen. View . . . West Riding of Yorkshire* (1794), tt. 34-5.

Fel y gwyddys, erbyn 1794 yr oedd aradr Rotherham yn hysbys ym mhob man ac yn cael ei chymeradwyo gan lawer o'r diwygwyr, ond ni cheid unffurfiaeth ynglyn â'r offeryn ond mewn enw yn unig. Heb deithio'n rhy bell o darddle'r teip, dyma'r sefyllfa yn Northumberland : ' The Swing Plough, made in imitation of the Rotherham plough, is in general use . . . its form is constantly varying, no fixed rules being known for its construction ; scarce two carpenters making them alike . . .'[1]

Gellid parhau i ddyfynnu fel hyn a dangos nad oedd—yn ôl awduron adroddiadau 1794—nemor dim i ddewis rhwng offer amaethyddol Cymru ac eiddo'r rhan fwyaf o Loegr ; ond dyfynnwyd digon i'r amcan a oedd gennyf, sef dangos nad rhywbeth ar ei ben ei hun yw'r condemniad ar yr erydr a geir yn yr adroddiadau Cymreig. Nid oes collfarn na cherydd ynddynt hwy nas ceir yn y rhai Seisnig hefyd. Sychau diffygiol, ystyllod-pridd trwsgl, clustiau diffygiol, hen ddulliau hwylio, angenfilod pren anodd eu tynnu, erydr y mae'n rhaid eu dal ar ogwydd, arddwyr anghelfydd, aredig gwael,—fe'u difenwir yn hallt bob tu i Glawdd Offa, a bron yn yr un geiriau. Yn wir, ar ôl darllen y cwbl o'r adroddiadau ar siroedd Prydain yr wyf o'r farn y gall y rhai Cymreig fod yn dra chamarweiniol o'u hastudio ar wahân.

Wrth gwrs, ni wneir gwell offeryn o aradr Ceredigion drwy ddangos nad oedd fymryn gwaeth na llawer o erydr Lloegr. Ond, ar ôl gwneuthur hynny, gellir sylweddoli bod diffygion honedig yr aradr honno yn unrhyw â rhai erydr traddodiadol y deyrnas i gyd. Ac fe gyfyd y cwestiwn, paham y cafwyd yr hen erydr mor ddiffygiol yn y ddeunawfed ganrif ? Y gwir yw fod y ganrif honno yn cael bod diffyg ar holl gyfundrefn amaethyddiaeth y gorffennol. Rhaid oedd ei newid yn llwyr fel y gallai gyflenwi gofynion newydd cymdeithas gynyddol. Ni allai'r offer aros yn ddigyfnewid mwy nag y gall offer heddiw o dan cymhelliad cyffelyb ein canrif ni. Ond heddiw, pan ddisodlir yr aradr ddau geffyl gan yr aradr dractor ni ddywedir gan neb mai oherwydd aredig *gwael* yr hen offeryn y gwneir hyn. Angen heddiw ydyw gwneud mwy o aredig mewn llai o

[1] J. Bailey & G. Culley, *Gen. View . . . Northumberland* (1794), td. 46.

amser. Oherwydd *arafwch* aradr ungwys ddoe y cymerir ei lle
gan beiriant amlgwys heddiw. Ond maentumiwyd gan
ddiwygwyr y ddeunawfed ganrif fod aradr eu doe hwy naill ai'n
aredig yn wael neu ynteu ei bod yn rhy drwsgl i wneuthur
gwaith da o dan amgylchiadau'r cyfnod. Ni welsai neb lawer o
fai arnynt yn y canrifoedd blaenorol. Porthiasent y wlad, ac,
fel y gwelsom, barnasid eu cwysi yn destun addas i gywyddau'r
beirdd. Ond bellach gallai un o'r diwygwyr ddweud mewn
rhyddiaith oer : ' a field ploughed . . . looks as if a drove of
swine had been moiling it.'

Ers canrifoedd gwnaeth yr hen erydr y cwbl a ofynnwyd
ganddynt ; ond fe wnaethant hynny oherwydd amodau na
allai'r byd newydd mo'u goddef. Yn gyntaf oll, bu raid wrth
wedd o bedwar i wyth o ychen i dynnu'r erydr. Yn ail, bu raid
i'r amaeth, neu'r arddwr, ymroi yn gyfan-gwbl i ddal yr aradr
ei hun, ac, oherwydd hyn, bu raid wrth rywun arall—y
geilwad—i yrru'r wedd a'i throi ar y talarau. Hefyd, ar dir
garw neu wrth drin aradr anhwylus, byddai'n rhaid cael
cymorth dyn ychwanegol. Ei waith ef fyddai cerdded yn ymyl
yr aradr a'i chadw i'r dyfnder priodol drwy bwyso ar yr arnodd
â ffon. Weithiau fe eisteddai arni. Nid oedd yn anodd cyd-
ymffurfio â'r rheidiau hyn yn yr Oesoedd Canol nac yn
ddiweddarach ychwaith lle parheid i gyfaru, neu gyd-aredig.
Eithr nid mor hawdd ydoedd mewn cyfnod pan ddarfuasai am
yr hen arferion, pan fyddai dyn, o ddewis neu o raid, yn aredig
ei dir ei hun heb gymorth cymdogion. Naill ai byddai'n rhaid
iddo gadw llawer mwy o ychen gwedd na chynt neu ynteu
byddai raid gwneuthur gwedd lawn drwy ychwanegu ei
geffylau. Golygai'r naill ddewis ddodi baich aneconomaidd ar
y ffermwr : golygai'r llall ddefnyddio'r cwbl o'i anifeiliaid
gwedd ar yr un weithred ac, fel y gwelir, cael aredig gwael i'r
fargen. Ond pa un bynnag a ddewisai, byddai'n rhaid cael
cynifer o ddynion gyda'r aradr â chynt. Oherwydd hyn oll
fe aeth yn fwy-fwy anodd a chostus i'r ffermwr unigol gael
cystal gwaith o'r erydr traddodiadol ag a gawsai ei hynafiaid.
Mewn ambell ardal yn unig y graddol gymhwyswyd yr offer
ar gyfer gweddoedd llai a gweddoedd ceffylau cyflymach.

Yr oedd cyflymder y wedd yn ӱfen bwysig. Cynlluniwyd y
mwyafrif mawr o'r hen erydr ar gyfer eu tynnu gan ychen.

Yr oedd yr hen wedd ychen yn nerthol, ond fe symudai'n araf iawn. Mor araf y symudai'r ychen fel y cerddai'r geilwad o'u blaenau yn wysg ei gefn, gan eu galw ymlaen ar gân. Oherwydd arafwch y wedd a'r ffaith ei bod yn gwbl dan reolaeth y geilwad yr oedd yr amaeth yn hollol rydd i ofalu am ei aradr a sicrhau ei bod yn cadw at ei gwaith a throi cwys deg. Ond pan ddaethpwyd â cheffylau i'r wedd, cyflymwyd yr aredig—a'i waethygu. A'r ceffylau bywiocach o flaen yr ychen, tuedd y geilwad oedd cilio i'r ochr a'u harwain. Fan honno yr oedd ei reolaeth ar y wedd yn llacach. Parthed yr amaeth, a'i aradr drwsgl yn symud yn gyflymach ni allai ymgodymu â hi gystal. Ar y dechrau, yng Nghymru, dodid pâr o geffylau o flaen yr ychen, fel yn sir Benfro tua diwedd yr unfed ganrif ar bymtheg.[1] A dyna oedd arfer Ceredigion yn y ddeunawfed ganrif fel y gwelsom. Ond pa un bynnag a gafwyd, ai gwedd gyflymach Dyfed ai gwedd gyflymach fyth sir Fôn lle defnyddiwyd ceffylau gan mwyaf,[2] ni allai'r erydr traddodiadol droi'r tir gystal ag yn y dyddiau gynt.[3] Ni allent hwy gyflenwi angen y ddeunawfed ganrif, sef aredig cyflym a rhad a da.

Fe gofir mai er mwyn osgoi ein camarwain gan adroddiadau 1794 ar amaethyddiaeth Cymru y troesom i'r neilltu i fwrw golwg ar gyflwr pethau yn Lloegr. Erbyn hyn fe welsom ddigon i egluro nad oedd unrhyw fai arbennig ar erydr Cymru. Clywsom awduron 1794 bob tu i Glawdd Offa yn adrodd yn unsain fel côr adrodd, gan ladd ar yr hen erydr lle bynnag y cafwyd hwynt. Ac fe geisiwyd dangos y rhesymau dros fethiant yr hen offer yn y ddeunawfed ganrif. Ond yn awr, a ninnau'n deall rhywfaint ar y sefyllfa, y mae'n bryd inni droi yn ôl at aradr gogledd Ceredigion a adawsom dan olwg feirniadol y Parchedig Mr. Turnor.

Mae'n anodd derbyn disgrifiad y gŵr hwnnw fel disgrifiad cywir o erydr y rhanbarth yn gyffredinol. Amheuaf yn fawr a oedd disgrifiad cyffredinol yn bosibl. Fel y dywed Turnor, ' All the implements are made on the spot, and the farmer has

[1]George Owen, *Description of Pembrokeshire*, I, td. 62.
[2]George Kay, *Gen. View . . . North Wales* : Anglesey, td. 18.
[3]Dyma farn ffermwr yn swydd Hertford lle daliodd yr hen erydr eu tir hyd y 19eg ganrif : ' There is one great advantage in ploughing with oxen, to which use alone I apply them—they cannot be hurried on like horses, and the land half ploughed.' A. Young, *Gen. View . . . Hertfordshire* (1804), td. 200.

to procur all the materials.'[1] Ni ellid cael dim tebyg i un-
ffurfiaeth o dan y fath amgylchiadau. Gwelsom fod Lewis
Morris yn eithaf bodlon ar aradr deg swllt Llanbadarn Fawr,
ac ni chytuna ei ddarluniau a'i eiriau ef â disgrifiad Turnor o'i
aradr bymtheg swllt yntau. Ni ddengys darluniau Morris y
' cradle . . . of unusual length, measuring . . . at least five feet.'
Yn hytrach fe sonia am ' yr aradr ysgafnaf a welais erioed.' Ni
ddengys y darluniau y ' short aukward handles ' ychwaith.
Ond y mae geiriau Turnor am yr ystyllen-bridd, ' a round
piece of wood measuring in circumference about seven inches,'
yn ddisgrifiad digon addas o ran isaf y llaw-haeddel fel y
darlunnir hi gan Morris.

Yn rhan ddeheuol y sir, yn ôl Thomas Lloyd, ' the ploughs
are too bad for description.'[2] Rhaid felly inni droi at y siroedd
cyfagos os ydym am ddeall mwy ar y sefyllfa, canys, fel y
dywedais yn barod, yr un oedd aradr Ceredigion ag erydr
cyffredin Deheudir Cymru, Cernyw a Dyfnaint.

Am aradr sir Gaerfyrddin, dywedir ei bod ' as awkward a
thing as can be imagined—a share like a wedge—a straight
stick instead of an earth board—and altogether ill-contrived,
and unfit for the purposes of neat ploughing. I do not recollect
to have seen any where such bad ploughing as is commonly
observable in this and the neighbouring county of Pembroke.'[3]

A throi at sir Benfro ac adroddiad yr un gŵr arni : ' The
share is like a large wedge, the coulter comes before the point
of the share sometimes, and sometimes stands above it ; the
earth board is a thing never thought of, but a stick (a hedge
stake, or any thing) is fastened from the right side of the heel
of the share, and extends to the hind part of the plough : this
is intended to turn the furrow, which it sometimes performs,
sometimes not ; so that a field ploughed with this machine
looks as if a drove of swine had been moiling it.'[4]

Gwelir bod Hassall yn condemnio'r swch a'r ystyllen-bridd
yn arbennig a'i fod felly yn cytuno â rhan o feirniadaeth
Turnor. Mae'n amlwg oddi wrth luniau Lewis Morris mai

[1]*Gen. View . . . Cardigan*, td. 29.
[2]*ibid*, td. 12.
[3]Charles Hassall, *Gen. View . . . Carmarthen* (1794), td. 17.
[4]Charles Hassall, *Gen. View . . . Pembroke* (1794), td. 18.

ystyllod-pridd digon gwael oedd ar erydr y teip hwn yng Ngheredigion a Dyfed. Ni welaf i pa sut y gellid troi'r gŵys yn foddhaol â rhan isaf y llaw-haeddel a'r chwelydr yn unig oni symudai'r aradr yn araf iawn a'r arddwr yn gweithio'n galed. Ond fel y gwelsom, oherwydd ychwanegu ceffylau at y wedd ni allai'r hen erydr weithio gystal â chynt. Parthed yr ychen, drwg oedd eu byd hwy yn y gweddoedd cymysg hyn. Sonia Hassall am y gyrru gwyllt a welid ar adegau ac ychwanega : ' It is painful to see oxen driven beyond what their strength can bear, and in a manner the wise Author of nature never designed them for.'

Rhaid derbyn, mi gredaf, fod diffygion ar yr ystyllod-pridd ac i raddau ar y sychau yn y tair sir orllewinol o dan yr holl amgylchiadau cyfamserol. Ond yr un mor amlwg yw nad anodd oedd eu cymhwyso i gerdded yn well. Dywed Hassall sut y gwellhawyd yr erydr hyn yng nghantref Castell Martin drwy ychwanegu asgell i'r swch a llunio ystyllen-bridd amgenach. ' And I have seen,' ebr ef, ' such work done with their ploughs, as would not disgrace any country . . .' Ac y mae gweddill y frawddeg yn cyfiawnhau'r rhybuddion aml a rois yn y bennod hon rhag cymryd beirniadaeth ysgubol y diwygwyr heb ychydig o halen. Dyma ef : ' . . . nay even with the common Welsh tool I have described, some of the peasants make better work than could be expected.'

Cyn gadael hen aradr Dyfed rhaid inni sylwi'n fyr ar y disgrifiad mwyaf ffôl a chamarweiniol ohoni sydd ar gael. Gwallter Mechain a'i piau.[1] Dywed fod yr aradr hon ' the very *fac simile* of that described by Virgil nearly two thousand years ago . . .' Â ymlaen : ' We shall here insert the several parts of Virgil's plough as it was in the year 35 before Christ, opposite to those of the old Dimetian plough now used in the year 1812, to shew their identity of construction.' Yna fe esyd allan enwau rhannau'r aradr ' glasurol ' gyffredin, sef *buris*, *temo*, *binae aures*, *dentalia*, *stiva*. Gyferbyn â'r rhain fe esyd ar antur gasgliad o enwau Cymraeg ar rannau'r aradr. Ceir yn eu plith rai enwau nas arferid yn Nyfed. Ceir termau cyfystyr hefyd. Wedyn, mewn colofn arall, rhydd gyfieithiad (sydd gan

---

[1]Walter Davies, *Gen. View . . . South Wales* (1815), I, tt. 188-9.

mwyaf yn gam-gyfieithiad) i'r Saesneg. Codaf enghraifft neu ddwy ; gwastraff ar amser fyddai sylwi ar y cwbl.

Ers canrifoedd lawer iawn ni bu gair Cymraeg am *buris* am y rheswm digonol na fu'r rhan hon i'w chael ar erydr Prydain yn y cyfnod hanesyddol. Ymddengys bod enw Cymraeg amdani wedi goroesi i gyfnod yr Hen Gymraeg. O leiaf, fe geir y gair *ciluin* fel glos ar buris.[1] Ond fe rydd Gwallter Mechain y ddau derm ' llaw haeddel ' a ' corn aswy ' gyferbyn â *buris*, a chyfieitha'r cwbl yn ' left handle or stilt.' Fel y gwelir yn Ffigur 1, y llaw *dde* sydd yn dal y llaw-haeddel. Ond *nid* haeddeli neu gyrn yr aradr oedd y *buris*. Fel y dywedais, nid oedd gennym ran unigol yn cyfateb i'r *buris* a'r unig fodd i'w hegluro ydyw dweud ei bod yn cynnwys ynddi ei hun y rhan ôl o'r arnodd, troed yr haeddel-fawr, a rhan (weithiau'r cwbl) o'r gwadn.

Enghraifft arall. Dywed Gwallter mai'r un yw *binae aures* aradr Fersil a ' dwyglust ' aradr Dyfed. Term gwneuthur Gwallter ei hun yw ' dwyglust.' ' Clust ' yw'r term Cymraeg ; ond nid oes a wnelo'r glust â'r rhannau Rhufeinig dan sylw. Darnau bach o bren, un bob ochr i'r gwadn, oeddynt hwy.[2]

Mae'r gweddill o esboniad Gwallter Mechain mor ddiwerth a chamarweiniol â'r ddwy enghraifft a nodais. Ni ddeallai ef ba rannau o'r aradr a olygid gan y termau Lladin ac ni ddeallai lawer o'r rhai Cymraeg a gam-arferai. Mae'r tudalennau hyn o'i lyfr ar yr un lefel â'r ddadl mai oherwydd bod gan fwrdd bedair coes, dwy ochr, a dau ben, yr un ydyw â llo deuben.

Yn lle profi mai ' the very *fac simile* ' o aradr Fersil yw aradr Dyfed, profa'r termau a ddefnyddiai Gwallter y gwrthwyneb. Dangosir y teip o ffrâm a oedd ym meddwl Fersil yn Ffigur 3. Ni cheir dim tebyg ymhlith yr hen erydr Cymreig a ddarlunnir yn y llyfr hwn. Y gwir yw, fel y dywedwyd droion yn y penodau uchod, mai i deip ' pedrongl ' gogledd-orllewin Ewrob y perthyn y cwbl o'r hen erydr Cymreig y ceir disgrifiad ohonynt.

Ni fanylir ar erydr y gweddill o siroedd y De yn adroddiadau 1794. Am erydr sir Faesyfed ni ddywedir mwy na'u bod yn rhy drwm ac yn rhy hir. Yr oedd y mwyafrif ohonynt yn mesur

---

[1]*B.B.C.S.* V, td. 3.
[2]Unig adlais y rhannau hyn yn Gymraeg hyd y gwn i ydyw'r gair *scyvar* a rydd Roger Morys fel cyfystyr *ystyllen-bridd*. Gweler *B.B.C.S.* I, td. 321.

John Raitpier the Poet to his Servant that had plowd his ground ill.

Er dyfod y drindod ar dro ai râd
i beri'r ŷd ymendio,
ni wnae ddiawl hen ai ddwylo
waeth âr nag a wnaeth o.   I.R.

Expence of making a Cardiganshire Plow,
the Plowwright being a trade,

Arnodd or Plowbeam	— 0 : 1 : 0	the woodpa...
Heydal or left handle	— 0 : 1 : 0	
Gwadan or shere	0 : 0 : 6	} £ 0 : 5 : 0
Ystyllen bidd, or right handle	— 0 : 0 : 4	
Hoelyd, gwarthydoedd & eraill	0 : 0 : 2	
Workmenship 2 days, on	} 0 : 2 : 0	
his own finding,		
on yours !		
The such or such	0 : 3 : 0	} — 0 : 5 : 0
Cwltwr or Coulter	— 0 : 2 : 0	}

£ 0 : 10 : 0

the left handle will last 10 years

Darlun IX.   Cost aradr Ceredigion, tua 1755.   Yn llawysgrifen Lewis Morris.

(Trwy ganiatâd yr Athro G. J. Williams)

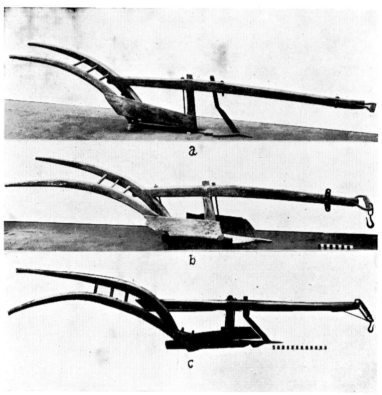

Darlun X.

Erydr Morgannwg. Diwedd y 18fed ganrif.
(a) O Sutton, Ewenni. (b) O'r Beili Mawr, Dyffryn Golych. (c) O Lwyn-
golau, Gelligaer. Yn Amgueddfa Werin Cymru.

(*Trwy ganiatâd Amgueddfa Genedlaethol Cymru*)

Plate II. P. 125.

Devonshire Plough:
as it appears without the Mould Board or Furrow held.

Devonshire Plough.

A.B. *beam* A.b. *Portion*
C.D. *Landside* S.C.
E.F. *Furrow held which is a mortise head nailed to the Spill at G.
and connected with the head held by a Share swinging from O to Q.*
H. *is a small piece of Oak board called the Ladder held to which is
fixed the Mould toward the breadth of the Mould board at the bottom
and is regulated by the length of the Share IK which connects it with the
landside this mould called here the groundsill is of wood*
L *is the Big* ... *Iron* L.o L.s *is generally made of apple wood*
The Share at Inches deep with the point bending downwards
M. *is a crooked stick passing through a mortise in the beam B.C used by Young Ploughmen
to regulate the depth of the Furrow this is called a Tiewit.*

The Share Coulter & Staple at B with affix nail are the only pieces of Iron used.
Price of the whole complete about 18s to 19s.

Scale

Aradr Dyfnaint.

Darlun XI.

Darlun XII.　　Aradr (*anghyflawn*) o Dyddyn-du, Cribyn, 1821.　Yn Amgueddfa Werin Cymru.
(*Trwy ganiatâd Amgueddfa Genedlaethol Cymru*)

cymaint â phymtheg troedfedd ond yr oeddid yn dechrau gwneuthur rhai tua deg troedfedd. Ni ddywedir dim am erydr Brycheiniog. Nid oedd dim anghyffredin yng nghynllun offer Morgannwg, ond awgrymir y gellid eu gwella drwy *ychwanegu* at hyd yr arnodd a'r gwadn.[1]

Llenwir y bylchau yn adroddiadau 1794 gan Wallter Mechain, a'r tro hwn y mae'n ymatal rhag damcaniaethu ffansïol. Ar dudalen 197 o'i lyfr rhydd y mesuriadau a ganlyn 'of the best constructed ploughs, of both kinds, [sef yr offer lleol a rhai Rotherham] in Brecknockshire.'

	Long Plough	Short Ploughs		
		1st	2d.	3d.
No.	Ft. In.	Ft. In.	Ft. In.	Ft. In.
1 Whole length of wood	13 6	11 0	10 6	10 6
2 Length of beam	7 6	7 0	6 10	6 10
3 — of left hand stilt				6 3
4 (Sole, rest, or cradle	2 9	1 8	2 0	1 10
(— more in iron, share)	1 3	1 1		
5 Ditto for two horses abreast			1 11	
6 Height under the curve of the beam	1 3	1 2	1 3	1 5
	1 8			
7 Ditto under its fore	1 1	1 1	1 1	1 2
point, single draught	1 7			
8 Ditto under for horses abreast			1 5	
9 Width of the heel, over the irons		0 9	0 10	0 8
10 — between the points of the stilts	2 3	2 0	2 1	2 4
11 Height of left hand stilt from the ground	3 0	3 0	2 6½	3 0
12 Bias, or bent of the beam to the right for single draught, double, less				0 8
13 Length of mould-board	3 0			
14 Angle of the round 'chwelyd from the base	0 4½			
15 Projection of ditto from the mould board	0 2			
16 Length of spindle, or foot	2 0			

[1]John Fox, *Gen. View . . . Glamorgan* (1794), td. 38.

Dywed Gwallter Mechain fod aradr Brycheiniog, Morgan-
nwg, a Maesyfed yn ffurf ddatblygedig ar aradr Dyfed, gan
ychwanegu : ' The Silurian long plough is generally about
thirteen feet and a half in length. The improvement on the
old Dimetian plough consisted in adding a sharp pointed share
with a fin to cut the furrow instead of tearing it ; a straight
mould-board from three to three feet and a half long, to press
the mould or furrow to the right ; and a *chwelyd*, or round piece
of wood, gradually rising from the base, and gradually project-
ing from the mould-board to turn over the plit.'[1] Diamau nad
o fwriad y rhydd yr awdur yr argraff nad oedd gan aradr Dyfed
ystyllen-bridd a chwelydr. Cael ffurfiau gwell ar y rhannau
hyn a wnaethpwyd.

Parthed erydr Morgannwg, ceir tair esiampl yng nghasgliad
Amgueddfa Werin Cymru (Darlun X). Perthynant i ddiwedd
y ddeunawfed ganrif. Isod fe roir eu prif fesuriadau fel y gellir
eu cymharu â rhai Brycheiniog a roir yn y golofn gyntaf uchod.
Er mwyn hwylustod ychwanegir mesuriadau'r aradr o Gribyn
(Darlun XII) a berthyn i'r bedwaredd ganrif ar bymtheg.

	Sutton Ewenni		Beili Mawr Dyffryn Golych		Gelli- gaer		Tyddyn Du, Cribyn	
	Ft.	In.	Ft.	In.	Ft.	In.	Ft.	In.
1 Hyd yr aradr	12	0½	11	5½	11	6	11	4
2 ,, yr arnodd	8	5	7	3	7	9½	7	8
4 ,, y gwadn	2	5½	2	7	3	0	3	5
,, y swch	1	6	1	6½	1	5	ar goll	
6 Uchder o dan yr arnodd	1	3¼	1	4¼	1	4	1	2½
7 ,, ,, ,, blaen yr arnodd ...	1	0	1	1	1	5		
10 Lled rhwng y cyrn	1	7½	1	10	2	2	un ar goll	
11 Uchder dwrn yr haeddel fawr o'r llawr	2	5½	2	6	2	7	2	5
13 Hyd yr ystyllen-bridd	3	0½	2	6½	2	5½	ar goll	
16 Hyd y cebystr	1	9½	1	8	1	8	1	8

Os cymherir mesuriadau aradr Llanbadarn Fawr a roir ar
dudalen 103 â rhai offer Brycheiniog a Morgannwg, gwelir

[1] *Gen. View . . . South Wales* (1815), I, td. 191.

cymaint y gallai erydr o'r un teip amrywio mewn maint.
Atega'r tair aradr o Forgannwg yr hyn a ddywed Gwallter
Mechain amdanynt. Y prif wahaniaeth rhyngddynt ac aradr
Dyfed yw ffurf yr ystyllen-bridd a'r swch a'r glust. Fel y gwelir
yn Narlun X mae'r cwlltwr wedi ei asio wrth y swch, nodwedd
a gafwyd yn swydd Amwythig hefyd.[1] Ar wahân i hyn, yr un
offer ydynt. Nid oes awgrym yn adroddiadau 1794 nad oedd
aredig y rhan fwyaf o Forgannwg, Gwent, Brycheiniog, a
Maesyfed yn foddhaol.

Hyd yma buom yn trafod hen erydr y wlad nas disodlwyd
gan batrymau newydd. Gwelsom fod lle i gredu nad oeddynt
mor wael ynddynt eu hunain ag y maentumir gan awduron
rhai o'r adroddiadau. Gwelsom hefyd paham nad oeddynt
cystal o dan amodau newydd y ddeunawfed ganrif ag y
buasai eu cyn-ddelwau yn y canrifoedd gynt. At hynny
dangoswyd i rai o'r erydr gael eu cyfaddasu a'u gwella'n
ddirfawr. Gwelir felly nad ydyw'r adroddiadau Cymreig yn
ddigon manwl i roddi drych cywir o'r sefyllfa. Credaf fod y
darlun a dynnir yn y bennod hon yn llawer mwy agos at y
gwir.

Ond nid yw'r darlun yn gyfan eto. Rhaid cofio am waith y
cymdeithasau amaethyddol a geisiai wella'r offer aredig. Er
enghraifft penderfynwyd gan Gymdeithas sir Forgannwg ym
mis Ebrill, 1773 i brynu offer enghreifftiol i oleuo'r ffermwyr.
Ymysg y rhai a brynwyd oedd aradr o deip Northampton.[2]
Dywedir mai offeryn dau geffyl oedd. Gan hynny ni allasai
fod yr aradr y sonia Young a Donaldson amdani. Ymddengys
oddi wrth gofnod diweddarach mai un o deip Rotherham
ydoedd ac erbyn y flwyddyn nesaf yr oedd yn cael ei har-
ddangos yn Abertawe.[3] Ceisiodd y Gymdeithas hon (ac eraill
tebyg mewn siroedd eraill) ei gorau i hyrwyddo'r gwaith o
wella offer y wlad. Ond am flynyddoedd lawer iawn gwaith
ofer oedd ac nid ar y ffermwyr cyffredin yr oedd y bai am
hynny. Fel y dywedais, yn 1773 ac 1774 bu'r Gymdeithas yn
cymell erydr Rotherham ar amaethwyr y sir. Ond, fel y
gwelsom uchod, ugain mlynedd ar ôl hyn yr oedd rhai o'r

[1]Arthur Young, *Tours in England and Wales,* arg. newydd 1932, td. 157.
[2]John Garsed, *Records of the Glamorganshire Agric. Society,* td. 8.
[3]*ibid,* td. 11.

Adroddwyr yn lladd ar aradr Rotherham. Gan hynny ni ddylid beio ar amaethwyr Morgannwg am iddynt wrthod cyngor ac offer y Gymdeithas. Cyn belled ag y gellir barnu gwnaethant yn ddoeth wrth gadw eu hoffer traddodiadol.

Y ffaith ydoedd nad oedd yr erydr newydd ysgeifn yn gweithio gystal â'r hen rai ym mhob man. Fel y gwyddys, yn yr Alban mewn canlyniad i weithgarwch James Small yn bennaf y cymhwyswyd offeryn Rotherham ar gyfer tiroedd anodd. Ond mor ddiweddar â 1794 yr oedd amaethwyr y wlad honno heb allu rhoi'r hen erydr lleol heibio. Dro ar ôl tro yn adroddiadau siroedd yr Alban dywedir y defnyddir yr erydr newydd ar dir ysgafn hawdd ei drin yn unig, ac mai hen deipiau a ddefnyddir ar diroedd cleiog, garw, neu garegog.[1] Ymddengys felly nad anwybodaeth a barodd i amaethwyr sir Gaerfyrddin wrthod yr offer newydd o Loegr na weithient yn foddhaol ar dir caregog.[2] Y cerrig hefyd a oedd gyfrifol dros barhâd y teip o swch a gondemnir mor aml yn yr adroddiadau. Defnyddid hi lle byddai raid drwy'r deyrnas. Ateb Hassall i bleidwyr y swch ddi-asgell oedd y dylid casglu'r cerrig. Casglwyd llawer iawn o gerrig o feysydd y wlad yn rhan gyntaf y ganrif nesaf, mae'n wir, a bu defnydd helaethach ar sychau asgellog o'r herwydd. Ond y mae'n lled sicr hefyd yr erddid llawer o dir yn y ddeunawfed ganrif, tir sydd yn borfa erbyn hyn, na ellid byth ei glirio. Mae'n arwyddocaol fod masnachwyr fel y Mri. Ransomes yn dal hyd heddiw i gyn-hyrchu erydr gyda sychau *bar-point* ar gyfer tiroedd caregog a chreigiog yr Alban.

Yr oedd awduron yr adroddiadau yn fyrbwyll yn aml wrth ganu clod yr offer newydd. Er enghraifft, clodforodd Hassall aradr a alwodd yn 'Dutch plough' a fabwysiadwyd yn Nhalacharn, ond dywed un o ohebwyr Gwallter Mechain fod yr aradr honno yn fethiant yno.[3] Parthed y Rotherham, pa le bynnag y daethpwyd ag esiampl ohoni a weithiai yn dda,—a weithiai ar y rhiwiau ac ar dir anodd gystal â'r offer lleol,—

---

[1]Gweler er enghraifft adroddiadau Mid Lothian, td. 43 ; West Lothian, td. 18 ; Dumbarton, td. 41 ; Dumfries, td. 41 ; Selkirk, td. 33 ; Tweedale, td. 31 ; Perth, td. 50 ; Roxburgh, td. 51.

[2]Charles Hassall, *Gen. View . . . Carmarthen* (1794), td. 43.

[3]Walter Davies, *Gen. View . . . South Wales* (1815), td. 338.

fe enillodd ei lle yn fuan. Ond mor ddiweddar â 1794 yr oedd
rhan helaeth o'r ynys hon heb weld y fath offeryn perffaith.

Mae'n bryd yn awr inni droi at y Gogledd a ddisgrifiwyd gan
ryw ddeheuwr ysmala yn rhan gyntaf y ganrif fel hyn :

> Heb Âr, nac Arad, mewn Ing, Brynnau oerion,
> Â'ch Brynnarau'n gyfyng ;
> Gwael yw eich Brô, mi gwelai'n brin
> I fwytta wrth y Gaib Fettin.[1]

Diau fod ambell lecyn creigiog yno y gallesid ei ddisgrifio
felly ; ond, a barnu wrth brinder disgrifiadau cyfamserol o'r
erydr gallasai fod yn wir am y chwe sir i gyd ! Cesglir oddi wrth
adroddiad George Kay yn 1794 i'r hen deipiau barhau
yno fel yn y Deheudir. Ond, hyd y gwelais i, nid ymdrafferth-
odd neb i'w disgrifio'n fanwl. Dyma'r cwbl a ddywed Kay
amdanynt wrth sôn am rai sir Fôn : ' The plough most
commonly used is perfectly similar to that in Flintshire, and
indeed, in all the counties of North Wales. The length of the
beam is frequently 7 feet ; and, from the point of the sock to the
after part of the head, above four feet. The other parts are in
proportion . . . The great length of head sock and mould-
board, must cause an unnecessary friction . . . But to add still
more to the draught, an iron chain is fixed to the muzle or
bridle, at the point of the beam, 3 or 4 feet long, as is done in
Flintshire, which is a very absurd practice.'[2] Ychydig a
ychwanegir gan Gwallter Mechain yn ei adroddiad yntau :
' The mould-board is a plain plank, which turns the plit over
by its extreme length ; and, by the holder pressing much on the
left handle, its nether edge forms an acute angle with a line
parallel to the surface of the soil ; by which a feather-edged plit
is formed, producing, in ley-grounds, not a sufficient mould for
the harrow. The length of the beam is seven feet six inches ;
and the surface resting on the ground, from the heel to the
point of the share, measures four feet. The friction occasioned
by this great extent of surface, is a material obstacle to the
draught. In sowing under furrow, it is however preferred to the
Lummas, by several farmers, and for these reasons : the latter,

[1]Llsgr. Caerdydd 44, ffo. 10.
[2]George Kay, *Gen. View . . . North Wales* (1794), Anglesey, td. 21.

by the great twist of its mould-board, acting on the *lateral-wedge* principle, lays the plit too flat ; the former operating on the principle of the *under-wedge*, breaks the cohesion of the soil, and lays it, in a narrow ridge, light upon the seed.'

Gwelir felly fod mesuriadau arnodd, a gwadn+swch hen aradr y Gogledd yn cytuno â rhai hen erydr y De (td. 113-4). Ac fel gydag erydr y De[1] a Dyfnaint,[2] fe ddelid aradr y Gogledd ar ogwydd. Mae'n bosibl, gan hynny, fod hen erydr De a Gogledd yn perthyn i'r un teip, yr hyn mewn gwirionedd a ddisgwylid, ond ni ellir bod yn hollol sicr nes darganfod esiampl o'r Gogledd neu lun ohoni.

A barnu wrth a ddywed Kay a Gwallter Mechain yr oedd yr erydr newydd yn fwy poblogaidd yn y Gogledd nag yn y De. Daethpwyd ag amrywiad o offeryn Rotherham, sef aradr Lummas, i'r Gogledd mor gynnar â thua 1760.[3] Erbyn 1794 yr oedd amrywiad arall, sef aradr James Small a elwid yn ' aradr Sgots,' ar arfer yn sir Fflint.[4] Y mae'n amlwg oddi wrth yr adroddiadau fod yr erydr hyn wedi disodli'r hen rai i raddau mawr yn siroedd Trefaldwyn, Dinbych a Fflint cyn diwedd y ganrif.

Rhydd Gwallter Mechain fesuriadau'r Rotherham a'r Lummas fel a ganlyn :

	Rotheram		Lummas	
	Ft.	Ins.	Ft.	Ins.
Length of the beam	6	0	6	6
From the end of the beam to the point of the share	3	0	3	0
Length of surface resting on the ground	2	10½	2	11
Height of the beam from the ground, at the coulter mortice	1	8	1	8
Ditto, at the fore-end of the beam	1	7	1	2*
			1	0†
Height of the left handle, or stilt, from the ground	2	11	2	11
Width between the handles	2	6	2	4½
Width of the heel at the top of the mould-board	1	4	1	5
Ditto at the bottom	0	9	0	8
Ditto of the share, behind the wing	0	3½	0	4

*For horses. †For oxen.

---

[1]'when best at work it is held in a very oblique position.' *Gen. View* . . . *Cardigan* (1794), td. 28.
[2]' it is constructed to enter the land obliquely.' *Gen. View* ... *Devon* (1803), td. 115.
[3]Walter Davies, *Gen. View* . . . *North Wales* (1810), td. 110.
[4]George Kay, *Gen. View* . . . *North Wales* (1794), Flintshire, td. 18.

I ddechrau ni fanteisiwyd ar ysgafnder yr offer newydd canys trwy'r Gogledd fe dynnwyd hwy gerfydd y did haearn hir y cyfeiriwyd ati uchod ' and commonly the same string of horses employed.'[1] Ni chafwyd cystal gwaith gan yr erydr newydd ag y disgwylid ychwaith, ac erbyn dechrau'r ganrif nesaf yr oedd rhai o'r ffermwyr yn hiraethu am yr hen offer.[2] Tuedd yr aradr Lummas oedd i droi cwysi cymen ond tenau ac yn y pen draw cymhendod ar draul aredig trwyadl a geid gan yr arddwyr. Ebr Gwallter Mechain : ' Depth of furrow became entirely neglected. Shallow ploughing is said to be necessary in some of the English counties, in order that the pan of the soil may not be broken. No such precautions were here necessary ; though the ruinous practice was inadvertently adopted '

Ond erbyn diwedd y ddeunawfed ganrif yr oedd yn eglur fod oes yr hen erydr traddodiadol ar ben. Yr oedd manteision yr aradr ysgafn a'i hystyllen-bridd haearn yn rhy amlwg i'w hanwybyddu.

[1]George Kay, *Anglesey*, td. 22.
[2]Walter Davies, *North Wales*, tt. 145-6.

PENNOD VI

Y BEDWAREDD GANRIF AR BYMTHEG

Disodlwyd yr hen erydr yn llwyr dros rannau helaeth o'r wlad yn ystod rhan gyntaf y bedwaredd ganrif ar bymtheg. Ond mewn rhai mannau, yn enwedig yn y De, parheid i wneuthur ychydig o'r hen offer lleol. Sylwasom eisoes ar enghraifft o hyn, sef yr aradr a wnaed yng Nghribin, Ceredigion yn 1821 (Darlun XII). Ceir enghraifft arall yng nghasgliad Amgueddfa Werin Cymru, sef aradr o Merrion Court, gerllaw Penfro (Ffigur 1). Ar yr un pryd, yr oedd ambell un yma a thraw yn y wlad a oedd eisoes yn meddwl am erydr gwell na'r ' erydr newydd.' Un felly oedd Edward Nicholas, amaethwr yn Llanfihangel Feibion Afel, sir Fynwy, a ddyfeisiodd aradr amlgwys ac a gafodd drwydded i amddiffyn ei ddyfais ym mis Ebrill 1817.[1] Cynlluniwyd yr aradr hon (Ffigur 14) i droi chwe chŵys a'u llyfnu'r un pryd ac yr oedd i'w defnyddio ar ôl hau'r hâd. Nid oedd dim newydd yn y syniad am aradr yn troi mwy nag un gŵys nac yn y syniad am lyfnu'r un pryd ychwaith. Disgrifiasai Blith aradr ddwygwys mor gynnar â 1652 ac yn yr un adran o'i lyfr soniasai am aradr ac oged wrth ei chynffon.[2] Gwelir felly nad oedd dim newydd yn egwyddor dyfais Edward Nicholas.

Yr oedd i aradr Nicholas bum arnodd ochr yn ochr, a dwy og fach y tu ôl. Yr oedd yr arnodd ganol yn cynnal swch ddwbl ac ystyllen-bridd ddwbl ac felly fe weithiai'r rhan honno fel aradr ddwbl, neu aradr rychu, gan droi un gwys i'r dde ac un arall i'r chwith. Gweithiai'r rhannau eraill fel erydr cyffredin ond bod dwy ohonynt yn troi eu cwysi i'r dde a'r ddwy arall yn troi i'r chwith. Felly pe hwylid yr offeryn fel y gweithiai pob rhan ohono yr un pryd, fe dynnai chwe chwys, tair ohonynt yn gorwedd i'r dde a thair i'r chwith a rhych rhyngddynt. Felly fe drefnid cae a erddid fel hyn mewn grynnau chwe-gwys a rhych rhwng pob grwn. Ond petai raid gellid cymhwyso'r offeryn ar gyfer grynnau pedair cwys neu ar gyfer

[1] *Patent Office Specification 4113, A.D. 1817.*
[2] *The English Improver Improved,* tt. 220—223.

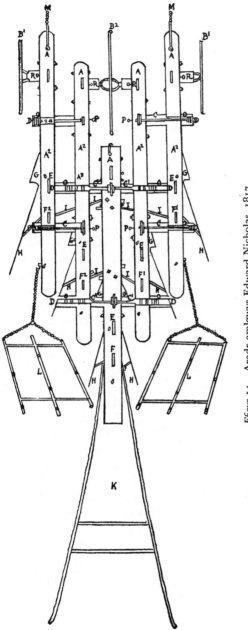

Ffigur 14. Aradr amlgwys Edward Nicholas, 1817.
(Trwy ganiatâd H. M. Stationery Office)

rhychu yn unig. Fe eglurir hyn gan Ffigur 14 a chan esboniad
Nicholas arni a roir yn Atodiad A i'r bennod hon. Ni welais
dystiolaeth fod gan y peiriant afrosgo hwn unrhyw ddylanwad
ar ddatblygiad erydr amlgwys ond y mae'n ddiddorol fel
arwydd o'r angen am aredig cyflymach a deimlid ar y pryd.
Yr anhawster pennaf a wynebai dyfeiswyr fel Nicholas oedd
cael moddion cyfleus i dynnu eu peiriannau. Daeth gwelliant
gydag erydr ager canol y ganrif, ond eto teganau digon an-
hwylus ar ychydig o ffermydd mawrion fu'r rheiny. Ni ddaeth
yr aradr amlgwys yn offeryn ymarferol a hwylus nes dyfeisio
tractor ein dyddiau ni.

Efallai mai dyma'r lle gorau i sôn am Gymro arall a ddyfeis-
iodd aradr rywbryd yn niwedd y ddeunawfed ganrif neu yn
nechrau'r bedwaredd ar bymtheg. Edward Evans, Glan-
brogan, ger y Trallwng, sir Drefaldwyn, oedd hwnnw. Nid
aradr o fath newydd oedd ei aradr ef eithr gwelliant ar fath a
oedd eisoes yn bod, sef yr aradr unffordd.[1] Yng Nghaint ac yn
Nyfnaint y defnyddid erydr unffordd yn gyffredinol. Yn y naill
sir yr oedd yr offer yn rhai mawr trwm wedi eu cymhwyso yn
arbennig at ofynion y pridd, ond yn y llall yr oeddynt yn
ysgafnach ac o deip gwahanol ac yn dra hwylus ar dir llethrog.

Yn ystod rhan gyntaf y bedwaredd ganrif ar bymtheg bu
nifer o beirianwyr yn ceisio gwellhau'r erydr unffordd a'u
cymell ar yr amaethwyr. Yr oedd dau reswm dros hyn. Yn
gyntaf, arwyneb gwastad heb rychau sydd i gae a droir ag
offeryn unffordd ac fe deimlid bod hyn yn fantais fawr mewn
cyfnod pan oedd driliau a llu o beiriannau newydd eraill yn
lluosogi bob blwyddyn. Yr ail reswm oedd addasrwydd yr
aradr hon at aredig tir llethrog gan y gallai droi pob cwys ar i
waered. Ymddengys mai'r ail reswm a enynnodd ddiddordeb
Edward Evans yn yr offeryn. Gwelir yn Atodiad B ddisgrifiad
o aradr Edward Evans a godwyd o Wallter Mechain (*North
Wales* [1810], tt. 264-5). Barn Gwallter Mechain oedd fod yr
aradr hon yn ' too complex for general use.' Diau ei fod yn ei
le.

Yr offer a welir yn Darluniau XIII—XVI ydyw erydr
nodweddiadol rhan gyntaf y bedwaredd ganrif ar bymtheg.

---

[1]Gweler tt. 16, 32, nodiadau.

Gwelir ar unwaith eu bod yn ddisgynyddion i aradr Rotherham ac i aradr James Small. Ystyllod-pridd o haearn bwrw sydd ganddynt, ond haearn gyr yw defnydd y sychau. Dangosir ffurf y sychau hyn yn Darlun XVII. Gwelir bod iddynt blât hir ar ochr y gwellt. Canlyniad i'r ffrâm newydd drionglog yw'r math hwn o swch. Fel y dywedais ar dudalen 100, un o brif nodweddion yr erydr newydd oedd ymwrthod â'r gwadn traddodiadol. Oherwydd hyn nid oedd i'r ffrâm newydd benlle iawn i ddal y swch. Felly, bu raid estyn troed y cebystr ymlaen ychydig i dderbyn soced y swch. Gwelir ffurf y cebystr yn eglur yn Darlun XIII. Ansicr iawn, fodd bynnag, fuasai'r hen swch soced ar y ' penlle ' newydd hwn, ac felly fe estynnwyd un ochr y soced yn blât hir y gellid ei folltio i'r cebystr a'r sawdl. Ar yr un pryd fe roes y plât hwn gadernid ychwanegol i'r ffrâm, a gweithredu fel haearn traul.

Er bod yr erydr i gyd yn dilyn patrwm cyffredin erbyn hyn, lleol oedd eu gwneuthuriad o hyd. Cydweithiai saer a gof y pentref arnynt fel y cydweithiasent ar yr hen offer gynt ; ond gwaith ffowndri'r dref agosaf fyddai'r ystyllod-pridd. Fel rheol rhoed enw'r saer ar yr ystyllen-bridd, ond weithiau ni roed mwy nag enw'r lle yr oedd y saer yn byw. Ceir enghraifft yn Darlun XIV lle ni nodir ond enw'r ffowndri a wnaeth yr ystyllen. Yn naturiol, ar y swch a'r cwlltwr y rhoed enw'r gof a gydweithiai â'r saer ; ond oherwydd bod yr heyrn hyn yn cael eu trwsio o dro i dro byddai'r gof ran amlaf yn dileu ei enw ei hun â'i forthwyl ei hun. Er hynny, fe gedwir enwau'r ddau grefftwr ar rai o'r erydr sydd yng nghasgliad Amgueddfa Werin Cymru. Ceir *W H* ar yr ystyllen a *T OWENS, LONE* ar y cwlltwr ar aradr o Ryd-y-main, sir Feirionnydd, ac ar yr enghraifft a welir yn Darlun XV ceir *E DAVIS* ar y cwlltwr a *D. Roberts Wheelwright Tynyceven Nr. Corwen No. 5* ar yr ystyllen.

Mab oedd y D. Roberts yma i Robert Roberts, gof medrus y bu Ap Fychan yn gweithio iddo am dymor byr yn 1829.[1] Sonnir am D. Roberts, y saer erydr a throliau, mewn cyfrol o atgofion am amaethyddiaeth yn Nyffryn Edeirnion yn y cyfnod 1857—70 gan y diweddar Mr. Gomer Roberts, Llanfair, Rhuthyn: ' Prif wneuthurwr y rhai coed (*sef erydr*) oedd Dafydd

---

[1] W. Lliedi Williams (gol.), *Hunangofiant ac Ysgrifau ap Fychan* (1948), td. 17.

Roberts y saer, Ty'n y cefn, a gwneid y gwaith haiarn ynghefail Felin Rug. Gwelais rai o waith seiri a gofaint eraill, ond ganddynt hwy yr oedd y llawryf. Offerynau heirdd o ran eu cynllun,—cryfion o ran gwneuthuriad a gwisgiad, ynghyd a chryn dipyn o addurn ar bob darn o haiarn oedd allan o'r ddaear. Paentid y coed yn goch a'r haiarn yn ddû bob amser.'[1] Nid yw ffrâm yr enghraifft sydd yn Amgueddfa Werin Cymru mewn cyflwr da ond fe addurnir y gwaith haearn fel y dywed Mr. Gomer Roberts. Addurn tebyg sydd ar rannau haearn aradr arall o sir Feirionnydd sydd yn yr Amgueddfa. Dywedir mai gof o'r enw Lewis Davies a'i gwnaeth.

Defnyddiwyd rhai o'r erydr hyn hyd ddiwedd y ganrif. Y mae yn yr Amgueddfa un a wnaed gan saer o'r enw Awbrey tua 1845 a bu'n troi tir Cwrt-tre-garreg, Llanedern, Morgannwg, hyd y flwyddyn 1890. Dangosir aradr arall a gafodd hir oes yn Darlun XVI. Gwaith Tom Lucas,[2] Cwmdeuddwr, sir Faesyfed, tua 1860 yw hon ac fe'i defnyddiwyd yn y Glyn, Rhaeadr Gwy hyd 1918.

Ar wahân i'r seiri a oedd yn arbenigwyr yn y gwaith o lunio erydr, fe ymgymerai bron bob saer gwlad â'r gwaith o'u trwsio, a phe deuai gofyn am hynny gwnaent aradr newydd.

Saer felly, fel y dengys ei lyfrau cownt, oedd Dafydd Peate, Dafarn Newydd, Llan-bryn-mair.[3] Saer troliau ydoedd yn fwyaf arbennig ; ond fe geir amryw gyfeiriadau at ei waith ar erydr rhwng 1858 ac 1874. Gwnâi gebystrau am chwe cheiniog ac wyth geiniog, a gwadnau am swllt. O swllt i ddau swllt oedd pris arnodd gyffredin ; ond fe amrywiai prisiau'r ' Sgotch bems ' (sef arnoddau'r erydr ' Sgots ') yn fwy,—o bedair ceiniog i dri swllt. Er enghraifft :

1870					
Feb. 19.	Make up a 3 Sgotch bems	......	......	o 1 o
Mar. 22.	Make a Scotch beam	......	......	o 3 o

Y rheswm dros hyn, mae'n debyg, ydyw fod y saer yn defnyddio coed y ffermwr weithiau ac ar adegau eraill yn defnyddio ei

---

[1]Llsgr. Llyfrgell Genedlaethol Cymru 6733, td. 29.

[2]Boddwyd gweithdy'r crefftwr hwn wrth wneuthur gwaith dŵr Cwm Elan.

[3]Ym meddiant ei ŵyr y Dr. Iorwerth Peate y mae'r llyfrau hyn. Diolchaf iddo am ganiatâd i ddyfynnu ohonynt.

goed ei hun. Dyma enghraifft amlwg o ddefnyddio coed y ffermwr :

1863
March 3 Make a Plough 1 Day...... .... 0 2 0
,, 4 Finis the Plough ½ Day 0 1 0

Dengys llawer cofnod fod erydr haearn ar gael yn y plwyf, e.e.

1869
May 22 2 Handle in plough 0 6

Y cyrn, neu ddyrnau, pren ym mhennau'r haeddeli haearn oedd y rhain. Yn aml, yn ddiweddarach yn y ganrif, y cyrn hyn fydd yr unig rannau aradr i'w cofnodi yng nghyfrifon llawer o'r seiri coed. Ond fel y dywedais, saer troliau oedd y saer dan sylw yn awr ac fel llawer o'i frawdoliaeth fe gyflogai of. Oherwydd hynny gallai ymgymryd â thrwsio gwaith haearn yr erydr yn gystal â'r fframau pren. Felly pan ddaeth yr erydr haearn yn boblogaidd ni fu'n golled iddo ef, e.e.

1880
June 2. mend Ystyllen Arad 0 3 6

Dengys y llyfrau hyn, fodd bynnag, na ddisodlwyd yr erydr ' Sgots ' pren yn yr ardal tan ddiwedd y ganrif.

Y mae'n ddiddorol cymharu'r cyfrifon hyn â rhai saer troliau arall sef Joseph Lewis (1829—1896) o Wolves Newton, plwyf yn nwyrain sir Fynwy.[1] Ceir yr un itemau a ddengys fod erydr haearn yn yr ardal, e.e.

1861, May 17 handel in plough...... .... 0 0 6
1878, March 25 New handels in iron plough 0 1 0

Ond fe welir hefyd fod yr offer pren yn dal eu tir o hyd :

1862, Sept. 27 Mending wood plough 0 2 0
1864, Oct. 4 One day tails in plough and making
              spoks 0 2 0
1869, Jan. 21 New Beam in plough 0 2 6

Gwnâi Joseph Lewis erydr pren newydd hefyd, e.e. :

1860, Octo. 22 Long tail plough 0 10 0
       Octo. 25 New plough 0 12 0
1863, Octo. 12 making & painting long tail plough 0 6 0

[1]Trosglwyddwyd y llyfr cownt hwn i'r Llyfrgell Genedlaethol.

Diddorol iawn yw'r cyfeiriadau at y ' long tail plough ' canys
dyma un o enwau yr hen erydr traddodiadol, rhagflaenwyr y
Rotherham. Y mae'n werth pwysleisio nad oes a wnelo
daearyddiaeth â pharhâd hen deipiau o erydr. Natur y pridd
a bair hynny, nid pellenigrwydd plwyf. Y mae'r un teip o
aradr wedi parhau hyd ran gyntaf yr ugeinfed ganrif ar diroedd
cleiog trwm sir Gaerloyw a sir Gaerwrangon. Y mae dwy
enghraifft ohonynt o ardal Tewkesbury yng nghasgliad
Amgueddfa Werin Cymru. Gwnaed y naill gan William
Wyman o Gatherington, sir Gaerloyw, tua 1919.

Fel ei gyd-grefftwr yn Llan-bryn-mair, byddai Joseph Lewis
yn defnyddio coed y ffermwyr weithiau. Dyna paham yr
amrywiai prisiau'r erydr newydd o chwech i ddeuddeg swllt.
Ar y chweched o Fedi 1862 derbyniodd ' witch 12 feet ' (h.y.
wych-elm) yn dâl am aradr werth deuddeg swllt.

I'r saer coed cyffredin na fyddai'n ymgymryd â gwaith
haearn o gwbl, colled oedd dyfodiad yr erydr haearn. Tor-
rwyd ar ran draddodiadol o'i waith a'i throsglwyddo yn
gyfan-gwbl i'r gof.

Ceir adlais o hyn yn y tribannau hyn gan ryw fardd o
Forgannwg :

> Mae'r seiri coed yn segur,
> Digalon iawn fe'u gwelir,
> Wrth syllu ar yr aradr ha'rn
> Pob un a'i farn yn brysur.
>
> Rhagfarn yw ei rhegi,
> Y gof roes luniad iddi,
> Fe haeddai hwn mewn gwir ddiffael
> Wrth gordyn gael ei grogi.[1]

Ymddengys mai un o'r erydr haearn cyntaf oedd honno a
ddyfeisiwyd gan Plenty o Newbury, Berkshire, yn y flwyddyn
1800. Erbyn tua 1825 yr oedd yr offer haearn newydd yn
dechrau treiddio i bob man. Dywedir mai yn 1823 y daeth yr
esiampl gyntaf i Sir Fôn.[2] Ond, hyd y gellir darganfod,
tua 1830 yw dechrau cyfnod yr aradr haearn drwy Gymru yn
gyffredinol. Ni ddarfu am y rhai pren ar unwaith, fel y

---

[1] *Western Mail*, 9 March, 1938.
[2] E. A. Williams, *Hanes Môn yn y bedwaredd ganrif ar bymtheg*, td. 125.

gwelsom. Defnyddid y ddau fath ochr yn ochr â'i gilydd o 1830 ymlaen hyd tua 1880, a'r rhai haearn yn dyfod yn fwy niferus bob blwyddyn a'r rhai pren yn mynd yn brinnach.

Megis y gellir dilyn tranc yr erydr pren yn llyfrau cownt y seiri felly hefyd y gellir olrhain lledaeniad yr erydr haearn yn llyfrau'r gofaint. Ystyriwn Robert Phillips, gof Penpont, sir Frycheiniog. Cedwir un o'i lyfrau am y cyfnod 1840-51 yn Amgeuddfa Werin Cymru. Yn ystod y blynyddoedd hyn fe werthodd un ar ddeg o erydr haearn newydd. Nid yw hyn yn nifer mawr, ond fel y dengys y llyfr fe wnaeth lawer o waith trwsio ac adnewyddu ar offer haearn a werthwyd cyn y cyfnod hwn. Ac nid unig of yr ardal mohono. Codai Robert Phillips o £2 : 7 : 0 i £2 : 10 : 0 am aradr newydd. Gan 'Mr. Williams foundry',[1] sef ffowndri Aberhonddu, y câi ei 'setts of Casting', ac ar un achlysur o leiaf fe brynodd arnodd gan 'Mr. Watkins Ironmonger'. Cesglir, fodd bynnag, mai ei waith ei hun—ar wahân i'r rhannau haearn bwrw—oedd yr erydr a werthai.

Gwnâi Robert Phillips lawer o waith haearn i'r erydr pren hefyd, canys fel y gwelsom ni ddisodlwyd y rheiny ar unwaith. Wedi'r cwbl yr oedd y rhai haearn yn costio pum gwaith mwy na'r hen offer. Digwydd itemau fel a ganlyn yn gyson drwy'r llyfr. Mae'n dra thebyg fod y mwyafrif ohonynt yn cofnodi gwaith i erydr pren gan fod y gof hwn yn gwisgo ei erydr haearn â sychau haearn bwrw.

1846. feb. 9
New suck 25 lb at 4½d	......	......	......	9	4½
New suck 18 lb at 4½d	......	......	......	6	9
New drock plate 4 lb at 3½d	......	......	......	1	2
Taping sylboard	......	......	......	1	6
Laying 2 coultirons	......	......	......	0	8

1847. Mar. 17
Dressing ploughiron	......	......	......	......	0	10

1848. Aug. 3
New sylboard wd 40	......	......	......	6	0
feather laying suck	......	......	......	2	4
laying coultiron	......	......	......	0	6

[1]Yn y ffowndri hwn y gwnaed ystyllen yr aradr a ddangosir yn Darlun XIV.

Swch hir o haearn gyr fel y dangosir yn Darlun XVII a feddylir gan y gair 'suck'. Pan ddefnyddir y gair *share* mewn llyfr gof, swch fer—o haearn bwrw ran amlaf—a feddylir. Y mae'n rhyfedd na cheir odid dim Cymraeg mewn llyfrau gofaint y ganrif ddiwethaf. Ceir digon o Saesneg yn llyfrau'r seiri, mae'n wir, eto fe geir ynddynt sôn am swch a chwlltwr a gwadn ac ystyllen yn aml ; ond gwell gan ofaint De Cymru o leiaf oedd y termau Saesneg *suck* a *coultiron* a *drock* a *sylboard*. Wrth *dressing* a *laying* yr heyrn fe olygir adnewyddu rhannau treuliedig y swch a'r cwlltwr ac asio haenen o ddur ar eu min. Ystyr y ' feather laying suck ' uchod ydyw gwneud yr un peth i aden, neu asgell y swch. Gair yr hen bobl yn y De am y gweithrediadau hyn oedd ' golymu.'

Yr oedd Robert Phillips yn nodweddiadol o holl ofaint Cymru ei gyfnod. Cydweithiai â'r saer ar yr hen offer (sef ' erydr newydd ' y ddeunawfed ganrif) ac ar yr un pryd fe ddosbarthai'r erydr haearn a ddeuai yn fain ac yn lluniaidd o'i eingion ei hun. Ond graddol-ddarfod oedd cydweithrediad oesol gof a saer erydr bellach. Drwy ganrifoedd dirif buasai'r gof yn cwpláu gwaith ei gyd-grefftwr. Yn y cyfnodau bore odid na ddeuai ef i'r dalar ei hun i hwylio'r aradr fel Gofannon mab Dôn a ddaeth, yn ôl y chwedl, ' yt ym penn y tir y waret yr heyrn.' Erbyn canol y bedwaredd ganrif ar bymtheg, fodd bynnag, ni symudai'r gof gam o'i efail. A llai-lai o hyd yr âi rhif y seiri a welai ddefnydd haeddel fawr yn tyfu mewn glas onnen ac a ganfyddai arnodd yn ymffurfio ar hyd cangen derwen. Effaith y torri ar gydweithrediad hir saer erydr a gof oedd dileu gweddillion olaf yr hen gyd-aredig traddodiadol. Pan aeth yr aradr bren o'r maes fe giliodd yr olaf o'r ychen gwedd hefyd, a'r geilwad gyda hwynt. Y mae elfen o dristwch yn yr hanes hwn i'r neb a fo'n myfyrio uwch ei ben heddiw, ond nis teimlid yr adeg honno onid gan ambell saer. I'r ychen, goroeswyr o fyd mwy hamddenol, ymwared oedd. Ers cenhedlaeth buwyd yn disgwyl iddynt gydymffurfio â safonau byd y ceffyl, a'u camdrin o'r herwydd. I'r geilwad—os gweddus yw enwi felly y gwas bach neu'r forwyn fach a etifeddasai heb unrhyw gymhwyster neu ddymuniad y swydd hynafol hwnnw— ymryddhâd llawen oedd aerwyo'r ych yn y beudy a'i besgi.

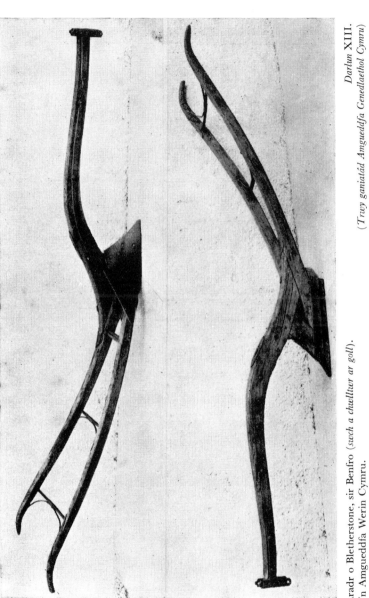

Aradr o Bletherstone, sir Benfro (*swch a chwlltwr ar goll*).
Yn Amgueddfa Werin Cymru.

Darlun XIII.
(*Trwy ganiatâd Amgueddfa Genedlaethol Cymru*)

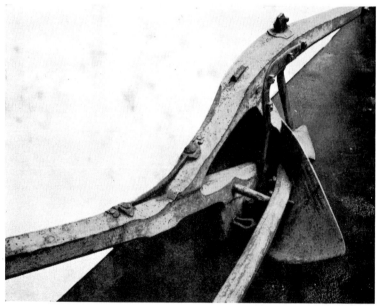

Darlun XIV.

Aradr o Dan-yr-allt, Pontsticill, Brycheiniog.
Yn Amgueddfa Werin Cymru.

(*Trwy ganiatâd Amgueddfa Genedlaethol Cymru*)

Darlun XV.   Aradr o Fwlchroswen, Y ganllwyd, sir Feirionnydd, wedi ei gwneuthur gan
D. Roberts, Tynycefn, Corwen. Yn Amgueddfa Werin Cymru.

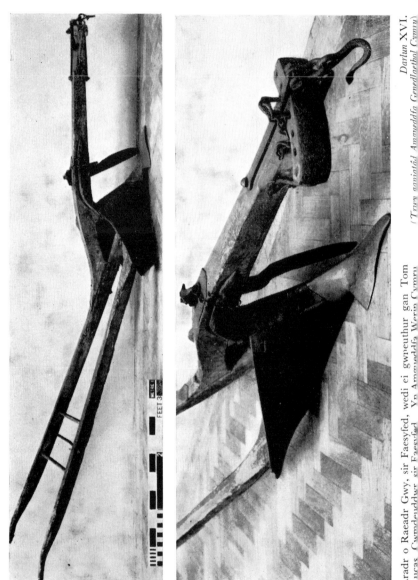

Aradr o Raeadr Gwy, sir Faesyfed, wedi ei gwneuthur gan Tom
Lucas, Cwmdeuddwr, sir Faesyfed. Yn Amgueddfa Werin Cymru

Darlun XVI.

(*Trwy garniatâd Amgueddfa Genedlaethol Cymru*)

Diarhebol o gas gan blant bach y ffermydd oedd cathrain gwedd y ceid ynddi y creadur araf, a thruenus, hwnnw.

Yr oedd yr erydr haearn newydd yn welliant mawr ar yr hen offer. Cofir o hyd ym mhob ardal yng Nghymru am lawer o'r gofaint a'u gwnaeth er bod eu gefeiliau gan mwyaf ar gau erbyn heddiw ac yn dadfeilio yn ymyl y ffyrdd. Cawn sylwi yn fyr ar ychydig ohonynt. Byddai'n rhaid wrth gyfrol i ymdrin â'u hanner.

Un o'r gofaint cyntaf i wneuthur aradr haearn yn sir Gaerfyrddin oedd Thomas Morris, ' Twm Gof,' o Login. Dywedir iddo ddechrau tua 1830 ac mai yng ngwaith Cwm-dwyfran, Caerfyrddin, y câi ei ystyllod-pridd. Gwelir yn Darlun XVIII aradr o'i waith a wnaed yn ddiweddarach yn y ganrif. Defnyddid yr offeryn hwn yng Nghoed Llys, Login, hyd 1937. Rhoddwyd hi gan ei pherchennog, Mr. L. G. James, i Amgueddfa Werin Cymru yn 1950.

Gof arall a'i henwogodd ei hun yng ngorllewin Cymru oedd Josiah Evans, tad y Dr. Herber Evans. Cynhyrchodd ei erydr haearn cyntaf ym Mhant-yr-onnen, Castellnewydd Emlyn. Yn ddiweddarach fe symudodd i Bontseli, sir Benfro, ac yno y gwnaeth ei erydr gorau. Daeth ei erydr Rhif 6 a Rhif 7 yn boblogaidd iawn nid yn unig yn siroedd y gorllewin ond ym Mrycheiniog a Maesyfed hefyd. Allforiwyd cryn nifer hefyd i ymfudwyr i Awstralia ac America.

Gwnaed ystyllod erydr Pontseli yn Hen Ffowndri Caer-fyrddin, ac fe'u cynlluniwyd yn arbennig at aredig tir llethrog. Clywais yn aml gan hen arddwyr nad oedd ystyllod gwell na rhai Pontseli am droi yn erbyn y tir. Tua diwedd y ganrif disodlwyd erydr Pontseli i raddau—yn enwedig ar diroedd gwastad—gan offer y Dyffryn a Phenllwynraca, ond yn ôl gohebydd yn y *Western Mail* yr oedd ffurf ddiwygiedig o ystyllen Pontseli yn boblogaidd yn 1935. Ebr y gohebydd hwnnw, '. . . this casting, considerably improved . . . is still in use on scores of ploughs today and is still cast at Brecon. This type of casting will never be ousted from the hillside farms of Mid and West Wales, and it is not uncommon to see smith-made ploughs fitted with this casting win all the prizes in the championships (swing plough) class in certain districts, viz.

Erwood, Gwenddwr, Painscastle, Rhosgoch, and Builth . . .'[1] Ceir ychydig o offer gwreiddiol Pontseli ar waith o hyd yn y gorllewin.   Gwelais enghraifft wych o'r aradr Rhif 7 ym Mhenfoidir, Cenarth, yn 1937. (Darlun XIX). Drwy garedigrwydd ei pherchennog, Mr. Thomas Owens, fe'i diogelir bellach yn Amgueddfa Werin Cymru.

Gof adnabyddus arall yng ngogledd sir Benfro oedd Thomas Morris, Pontyglasier, Eglwyswrw.   Dechreuodd ar erydr haearn yn 1859 ac yn ffowndri Aberteifi y gwneid ei ystyllod. Fel Josiah Evans Pontseli anfonodd rai o'i erydr i Gymry tros y môr, yn enwedig i Gymry'r Wladfa.

Soniais uchod am aradr y Dyffryn. (Darlun XX). Dyma enghraifft o aradr a'i hystyllen-bridd wedi ei chynllunio gan ffermwr.   Dywedodd Mr. Daniel Owen Evans, Talgarth, Rhydlewis, sir Aberteifi, wrthyf mai ei frawd David Evans a'i cynlluniodd tua 1880.   Mr. Daniel Evans ei hun oedd yr aradwr cyntaf i'w ddefnyddio.   Trosglwyddwyd yr hawl i wneuthur yr aradr hon i John Owens, gof o Aberporth, a threfnwyd i gynhyrchu'r ystyllod yn y Bridge End Foundry, Aberteifi.   Yr oedd ystyllen-bridd y Dyffryn yn hwy nag ystyllen y Pontseli, ac fe drôi'r gŵys yn gyfan heb ei thorri. Ei tharddiad oedd ystyllen yr aradr *long-plate* a ddatblygasai erbyn y chwe-degau drwy waith gwŷr megis J. E. Ransome. Ac â sychau haearn bwrw y Mri. Ransome y gwisgid yr aradr hon.   Ymhen ychydig flynyddoedd mabwysiadwyd cynllun yr ystyllen gan ofaint eraill yn Ne Ceredigion a'r siroedd cyfagos ac fe ddaeth aradr y Dyffryn yn boblogaidd iawn.

Yr oedd nifer o ofaint erydr da yn gweithio yng Ngheredigion yn ail hanner y ganrif ond rhaid bodloni yma ar enwi un neu ddau ohonynt.   Dyna David Jones, Sarnau, er enghraifft, gof a ddysgodd ei grefft gan Josiah Evans, Pontseli, ac a ddechreuodd ei fusnes ei hun tua 1880.   Gof adnabyddus arall tua diwedd y ganrif oedd Davies, Maes-llyn, Llandysul.   Aradr enwog yn niwedd y ganrif a rhan gyntaf y ganrif hon oedd aradr y Lion. Gwaith D. Jones, Pant-y-betws, Beulah, oedd yr aradr hon. Gof arall a weithiai tua'r un pryd oedd Thomas Thomas, Ffostrasol.   Yng ngogledd y sir un o'r gofaint enwocaf oedd

---

[1]*Western Mail*, 23 August, 1935.

W. L. Evans, Llanfihangel y Creuddyn. Trwy garedigrwydd ei fab, Mr. W. Evans o Aberaeron, cafwyd enghraifft wych o'i waith i Amgueddfa Werin Cymru. (Darlun XXI). Gwnaed yr enghraifft hon tua 1906.

Ffermwr arall a ddyfeisiodd welliant i ystyllod-pridd yr erydr lleol ydoedd Dan Lewis, Penllwynraca, Llannon, sir Gaerfyrddin.[1] Rhoir isod fanylion ei ddyfais ef ynghyd â'i ddarlun eglurhaol (Fig. 15) :

Provisional Specification.
An Improvement in Ploughs.

Dan Lewis, Farmer, Penllwyn Raca, Llannon, Carmarthenshire, do hereby declare the nature of this invention to be as follows :—

An alteration in the size and shape of the ploughboard and side of the plough. The ploughboard is smaller in length, than in ploughs now used, but larger from A to B. Breast keeps perfectly clean, thus lessens work. Breast at C so made that furrow remains firm after ploughing and looks well. Along line D breast is convex. Along line E curved concave. If a ruler be moved along breast at about angle of 30°, it moves as if going over a flat surface, that is parallel to ploughboard. Taking ploughboard as a whole, it is in the shape of a twist. Part of side marked G is one inch thick, and lasts longer than side of other ploughs. If side wears out, small piece of iron (H) is removed, & new one placed instead. New side thus not required.

Dated this 11th day of June 1895.

DAN LEWIS.

Complete Specification.

An Improvement in Ploughs.

I, Dan Lewis, Penllwyn-raca, Llannon, Llanelly, Farmer, do hereby declare the nature of this invention and in what manner the same is to be performed, to be particularly described and ascertained in and by the following statement :—

The improvement is in the construction of the ploughboard attached to a swingplough.

The ploughboard is 3 ft. 3 in. long. The breast of the ploughboard is 8½ inches wide (A to B on Sketch I). It is convex in shape from the back towards the breast, along line marked D (Sketch I), and concave from the breast to the ploughshare, along line A E (Fig. I). It is straight along line marked C B (Fig. I).

---

[1] *Patent Office Specification* No. 7579, A.D. 1895.

In Fig. II the part marked G is one inch thick. The side-plate (H. Fig. II) is $\frac{5}{8}$ of an inch in thickness, and can be removed, and a new one placed instead. The drawings referred to are those which were filed with my Provisional Specification.

Having now particularly described and ascertained the nature of my said invention, and in what manner the same is to be performed, I declare that what I claim is :—

1. That the breast of the plough is so made, that it remains bright after ploughing, and consequently the furrows are turned in a very firm nice and clean manner.

2. The ploughboard is not so wide from A to B. (Fig. I) as in other ploughs, but the part nearest to the ploughshare is wider than in other ploughs.

3. Along the line marked D (Fig. I) the ploughboard measures $10\frac{1}{2}$ inches. This measurement differs from that of other ploughboards.

4. The part marked H (Fig. II) can be removed and a new piece placed instead. A new side is therefore not required.

5. The part marked G (Fig. II) is 1 inch thick, and is thicker than in other ploughs.

Dated this 28th day of November 1895.   DAN LEWIS.

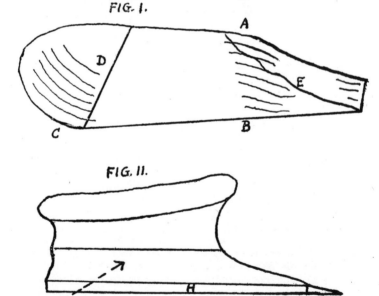

Ffigur 15.   Ystyllen-bridd a lanseid aradr Penllwynraca.

(*Trwy ganiatâd H. M. Stationery Office*)

Cafodd yr ystyllen-bridd hon dderbyniad da. Cytunwyd yn gyffredin yn sir Gaerfyrddin ei bod yn troi cwysi cribog da, ac ymhen ychydig o flynyddoedd fe ddaeth yn boblogaidd yn y siroedd cyfagos hefyd. Ceir esiampl dda o aradr Penllwyn-raca yng nghasgliad Amgueddfa Werin Cymru a roddwyd gan Mr. T. S. Davies. Fe'i defnyddid yn Nantiwrch, Caeo, hyd tua 1940. Ar wahân i'r ystyllen a'r lanseid a wnaed yn Ffowndri'r Priordy, Caerfyrddin, gwaith David Lloyd, gof medrus o Ddolgarreg, Llanwrda, tua 1904 ydyw'r aradr hon.

Fel y dywedais yr oedd rhai o erydr siroedd y gorllewin yn boblogaidd ym Mrycheiniog a Maesyfed, ond byddai llawer o ofaint y siroedd hyn yn gwneuthur erydr hefyd. Soniwyd am un ohonynt eisoes, sef Robert Phillips Penpont. Un arall y cofir amdano oedd David James, Tal-y-bont ar Wysg. Cyn ymsefydlu yno bu'n gweithio yn Llyswen, Garthbrengu, a Chrucadarn. Daeth David James yn adnabyddus ym Mrycheiniog fel gwneuthurwr aradr ag ystyllen-bridd ddofn, fer, aradr *half-long*, chwedl yntau, ac o'r herwydd fel Dai Half Long yr adweinid ef yn yr ardal. Tua diwedd ei oes (bu farw yn 1907) gwnâi lawer o erydr i'r Mri. Hodges a Wright, Ffowndri, Aberhonddu.

Dechreuodd ei fab, John James (1860—1937), weithio yng ngefail Tal-y-bont tua 1880. Yr aradr a gysylltir â'i enw ef yn fwyaf arbennig ydyw'r Tal-y-bont ' three-quarter long.' Cyfaddasiad o aradr Ransome oedd hon. Bai erydr Ransome a ddaethai i'r ardal oedd na allai eu hystyllod hir ddymchwel y gŵys yn ddigon cyflym i wneud gwaith boddhaol ar y llethrau. Felly yr hyn a wnaeth John James oedd dyfeisio ystyllen drichwarter hyd y Ransome a thro mwy sydyn ynddi. Gweithiai hon yn berffaith wrth droi yn erbyn y tir. Cynlluniodd John James wadn arbennig hefyd a gadwai'r aradr rhag llithro i'r ochr ar dir serth. Haearn bwrw oedd sychau'r offeryn hwn ac fe'u gwnaed gan y Mri. J. E. Nott, Aberhonddu. Dangosir un o erydr John James yn Darlun XXII. Gwnaed aradr ' three-quarter long ' arall yn Llangynidr gan of o'r enw Williams, a rhoes gefeiliau Defynnog, Crai, a'r Cantref eu henwau hwy i erydr a gyfaddaswyd at nodweddion arbennig tir yr ardaloedd hynny.

Tebyg fu'r hanes ym Maesyfed o ganol y ganrif ymlaen.

Hyd yn ddiweddar fe ellid gweld ar ffermydd y llethrau erydr o waith Williams, y Clâs-ar-Wy, neu Morgan, Castell Paen, neu Arthur Pritchard yr Eglwys Newydd. Ceir enghraifft o waith yr olaf o'r gŵyr hyn yn Amgueddfa Werin Cymru. Fe'i gwnaed tua 1890 i Samuel Bevan Meredith o'r Fuallt, Eglwys Newydd. Rhoes Mr. Meredith hi i'r Amgueddfa Werin yn 1948.

Gweithiai tri o ofaint mwyaf adnabyddus Morgannwg yn Sain Nicolas, sef Benjamin Wright, ei fab W. T. Wright, a David Hopkins. Enillodd B. Wright a Hopkins wobrau am offer gan Gymdeithas Amaethyddol y sir yn 1844 ac 1845.[1] Gof arall, y gwelir rhai o'i offer yn gweithio o hyd ym Mro Morgannwg, oedd Thomas Sant o Dal-y-fan a fu farw tua 1893. Yn y Prysg, ger Ystradowen, yr oedd ei efail ef. Gwelais yn 1938 aradr ddwbl o'i waith yn Llanddunwyd.

Hyd yma soniais yn frysiog am ychydig o ofaint erydr y Deheudir. Ni ellir mewn rhan o bennod gymaint ag enwi'r ugeiniau o grefftwyr cyffelyb eraill a gyd-lafuriai â hwynt. Ni ellir ychwaith ymdrin yn deilwng â'u brodyr yn y Gogledd, gwŷr fel William Davies, Craen, Llandderfel, Llwydiaid Blaen Iâl, Gittins o Garno, John Price, Pont-y-gath, ac Evan Thomas Meifod. Brawd i Ap Fychan oedd yr Evan Thomas hwn ac yr oedd mor enwog fel gof erydr ym Maldwyn ag oedd Josiah Evans Pontseli yn Nyfed.

Fe gofir mai datblygu aradr Rotherham a'i chyfaddasu ar gyfer natur y tir lleol fu'r broblem o flaen saer a gof yn nechrau'r ganrif. Yr un broblem i raddau mawr a oedd o flaen llawer o ofaint yr erydr haearn hyd ganol y ganrif. Ni ellir penderfynu i ba raddau y dylanwadwyd arnynt gan brif wneuthurwyr Lloegr y cyfnod. Y mae'n gwbl sicr wrth gwrs mai o Loegr y daeth y syniad am erydr haearn. Nid oes amheuaeth ychwaith i lawer o ofaint Cymru gael cyfle i weld enghraifft o'r offeryn newydd. Ond eto ni welais ddim sy'n awgrymu iddynt gopïo'r enghreifftiau cynnar yn uniongyrchol. Ni bu raid iddynt wneuthur felly gan fod cyn-ddelwau'r offer haearn o flaen eu llygaid yn feunyddiol. Fel y dywed Passmore[2] ar ddelw erydr

---

[1]John Garsed, *Records of the Glamorganshire Agricultural Society* (1890), td. 30.
[2]J. B. Passmore, *The English Plough*, td. 22.

Rotherham a James Small y lluniodd y Mri. Howard eu haradr J.A. adnabyddus tua 1825, ac y mae'n sicr gennyf mai dyna a wnaeth y gof gwlad cyffredin hefyd. Ond ni cheir ar offer y gof gwlad y gwelliannau a ychwanegodd pobl fel Howards at y gwreiddiol. Yn hytrach fe ddilynodd yn ffyddlon nodweddion y cyn-ddelw pren. Ystyrier y llaw-haeddel, er enghraifft. Fe erys y rhan hon yn ei lle traddodiadol—ynghlwm wrth yr ystyllen-bridd—ar erydr fel rhai Login a Phontseli ; ond pâr o haeddeli yn fforchio o'r arnodd a gafwyd ar yr offer Seisnig fel eiddo Howard a Ransome. O gymharu'r erydr haearn Cymreig a'u cyfoeswyr o ffatrioedd Lloegr ni welir olion copïo yn gymaint â datblygiadau annibynnol o'r un gwreiddiol. Ag arfer ffigur, gellir dweud mai cyfieithu o bren i haearn y byddai'r gofaint Cymreig hyd ganol y ganrif ac mai aralleirio ac ail-lunio a gwella a wnâi'r ffatrioedd Seisnig.

Yn naturiol, yng ngweithfeydd masnachwyr cefnog Lloegr y cafodd yr aradr haearn y cyfle gorau i ddatblygu. Rhydd cyhoeddiadau'r Patent Office syniad o'r sylw mawr a delid i'r pwnc yno. Ni ddaeth llawer o'r gwelliannau dros Glawdd Offa am ysbaid, ond ofer fuasai beio ar ofaint ac amaethwyr Cymru am hynny. Fel rheol bydd yn rhaid cymhwyso tipyn ar rywbeth a ddyfeisir ar wastadeddau dwyrain Lloegr cyn y gweithia'n berffaith ar lethrau Cymru. Ond priddoedd caregog Cymru— y clywsom amdanynt o'r blaen—a gadwodd un o ddyfeisiau gorau Ransome allan o gannoedd o gaeau Cymru. Swch o haearn bwrw oedd honno ac fe'i dyfeisiwyd mor gynnar ag 1803. Gwnaed rhan isaf mold y swch hon o haearn a'r rhan uchaf o dywod. Oherwydd hyn pan dywalltwyd yr haearn tawdd i'r mold fe oerodd y gwaelod yn llawer cyflymach na'r rhan uchaf. Mewn canlyniad yr oedd arwyneb isaf y swch yn galetach na'r gweddill ohoni. Felly, wrth ei defnyddio fe dreuliai rhan uchaf y swch i ffwrdd yn gynt na'r rhan isaf, gan gadw min y swch yn awchlym.

Yr oedd, wrth reswm, lawer o dir yng Nghymru lle gellid defnyddio'r swch hon, ac yn y mannau hynny fe geid gwell aredig o'i harfer ac fe ddarfu hefyd am yr angen o fynd yn barhaus i'r gof â'r heyrn i'w golymu. Ar y llaw arall, fel y dywedais, ceid ardaloedd lle na allai swch o haearn bwrw ddal yn erbyn y cerrig, ac yn y lleoedd hynny parheid i arfer yr hen sychau haearn gyr o waith gof.[1]

Cynhyddodd dylanwad prif wneuthurwyr Lloegr yn ystod ail hanner y ganrif. Ar wahân i ddylanwadu drwy gyfryngau arferol masnach, fe ddefnyddient y cymdeithasau amaethyddol a'r sioeau a'r ymrysonfeydd aredig i ddwyn eu nwyddau o flaen ffermwyr Cymru. Weithiau fe gâi pencampwr adnabyddus o arddwr rodd o aradr newydd gan un o'r gwneuthurwyr ar yr amod y byddai yn ei ddefnyddio wrth gystadlu. Clywais hefyd i ambell bencampwr gael ei gyflogi i deithio o Breimin i Breimin i ddangos aradr ei noddwr wrth iddo ddangos ei grefft wych ei hun. Yn aml, wrth gwrs, ni byddai'r aradr enghreifftiol a droesai cwysi mor rhagorol ar gae gwastad y Preimin, yn gweithio gystal ar ffermydd y llethrau. Dyna paham y cafwyd y cyfaddasu arnynt y soniwyd amdano uchod wrth ymdrin â gwaith gofaint Tal-y-bont ar Wysg. Yn achlysurol fe âi gof i weithio i Loegr am ychydig flynyddoedd ac yna dychwelyd adref i gymhwyso ei wybodaeth newydd at erydr ei ardal. Un felly oedd gof o'r enw Williams yn y Clâs-ar-Wy a dreuliodd peth amser gyda'r Mri. Howard.

Defnyddiai gofaint Cymru y Preimin fel cyfrwng hysbysebu hefyd, ac yn aml fe welid gwell gwaith gan yr offer lleol na chan yr offer estronol. Mae'r aradr o waith gof Llanfihangel-y-Creuddyn a welir yn Darlun XXI yn enghraifft o offeryn a fu'n fuddugol yn erbyn erydr enwocach o lawer. Ond y mae'r aradr hon a'r aradr gan of yr Eglwysnewydd (tud. 134) yn rhai gwahanol iawn i hen offer Login a Phontseli. Nid copïau haearn o erydr pren ydynt. Fe'u gwnaethpwyd gan Gymry ar gyfer priodoleddau pridd eu hardaloedd, y mae'n wir, ond y mae arnynt ddyled drom i offer y Saeson.

Y mae'n amlwg na ellir gorbwysleisio pwysigrwydd yr ymryson aredig, y Preimin, yn y bedwaredd ganrif ar bymtheg. (Darlun XXIII). Fe geid yn y cystadleuaethau hyn arddwyr ac erydr gorau'r ardaloedd yn cystadlu â'i gilydd. Yn aml fe geid yno hefyd arbrofion diweddaraf gwneuthurwyr cefnog o

---

[1]Clywais gan Mr. F. M. Morris, Pontyglasier, Eglwyswrw, yn 1939 ei fod ef yn ail-ddechrau gwneud yr hen sychau. ' Mewn lleoedd fel hyn,' ebr ef, ' gellid torri tair neu bedair swch fodern mewn diwrnod lle y daliai'r hen swch haearn am flynyddoedd.'

bell. Dysgai'r gwneuthurwyr hyn lle methai eu cynhyrchion hwy ar diroedd afrywiog ac fe ddysgai'r gofaint lleol lle rhagorai'r offer estronol ar eu hoffer hwythau. Dylanwadai'r ymrysonfeydd hyn ar bobl eraill heblaw yr arbenigwyr o ofaint ac o arddwyr, sef ar liaws y ffermwyr a'u gweision. Gwelai'r rhain ar gae'r Preimin grefft aredig ar ei gorau. Gosodwyd felly safonau'r arddwyr eithriadol yn safonau i bawb ymgyrraedd atynt.

Ceir yn llyfrau cownt y ffermwyr ddigon o brofion fod y gweision yn mynychu'r cystadleuaethau hyn yn rhan gyntaf y ganrif. Codaf, er enghraifft, yr hyn a ganlyn o restr taliadau o'i gyflog a gafodd gwas fferm yn ardal Llangadog, sir Gaerfyrddin, yn 1838 :[1]

Blaendyffryn Bidding					0	2	6
Tobacco					0	0	4
Premium ploughing match				0	2	6

Ar yr olwg gyntaf fe ymddengys hanner coron yn swm go fawr i wario mewn preimin mewn cyfnod pan gâi dyn gyflenwad o faco am rôt. Mae'n bosibl, fodd bynnag, fod y gwas hwn yn cystadlu canys yn ôl y manylion a roir yn Darlun XXIII hanner coron a godid gan gystadleuwyr nad oeddynt yn danysgrifwyr. Ar y llaw arall gall mai arian cwrw oedd oblegid fe gynhelid llawer o'r gwyliau hyn mewn mannau cyfleus i'r dafarn. Mor ddiweddar ag 1890 fe ddywedir ' mai anhawdd fyddai dadgysylltu yr arfa (h.y. preimin) yn llwyr oddiwrth y dafarn.' Ychwanega'r awdur hwn ' lle byddo y cwrw yn gyfleus, yno y bydd yr edrychwyr a'r segurwyr ar hyd y taleri yn drystfawr ac yn ymyrgar, ac yn achosi llawer o anhwylustod i fyned yn mlaen â'r gwaith.'

Codais y darlun bach trystfawr hwn o'r unig lyfr Cymraeg a ymroddwyd yn gyfan gwbl i'r aradr a'i gwaith. A'r Preimin a'i hysbrydolodd.[2] Dywed yr awdur yn ei ragymadrodd iddo geisio ' cyflenwi, mewn rhan, y diffyg hyfforddiant a deimlir yn mhlith aradwyr ' a bod y llyfr ' wedi ei ddarparu yn uniongyrchol ar gyfer yr arfeydd cystadleuol sydd wedi dyfod yn

---

[1]Dyfynnir o lyfr cownt amaethyddol (Rhif 37.695) yn Amgueddfa Werin Cymru.
[2]Sion yr Arddwr, *Llawlyfr yr Aradwr* : *yn gynnwys cyflawnder o gyfarwyddiadau manwl ar gyfer arfeydd cystadleuol* (*ploughing matches*). Llanelli, 1890.

bethau mor gyffredinol yn y wlad.' Llawlyfr ymarferol ydyw ac yn ei chwe phennod fe rydd yr awdur gyfarwyddiadau manwl ar bob agwedd ar y pwnc.

Felly, drwy gydol ail hanner y ganrif bu'r gofaint Cymreig wrthi yn gwella a pherffeithio eu herydr. Gwelsom eu symbylu gan gystadleuaeth fasnachol a chrefftol. Er hynny, erbyn diwedd y ganrif tuedd mwyafrif mawr yr amaethwyr oedd cefnu ar yr erydr lleol a mabwysiadu offer gwneuthurwyr mawr Lloegr. Yr oedd hyn yn anorfod canys oherwydd adnoddau enfawr y gwneuthurwyr Seisnig yr oedd eu hoffer hwy yn rhagori'n fawr bellach. Eithr ni allai'r erydr Seisnig ddisodli'r erydr lleol ar y tiroedd anodd. Pan ddarfu amdanynt yn y fath leoedd, nid oblegid eu disodli y bu hynny ond oherwydd achosion eraill megis troi llawer o'r tir âr y darparwyd hwy ar ei gyfer yn dir porfa. Ar derfyn y ganrif, dyma'r sefyllfa gyffredinol : Lle gweithiai'r erydr Seisnig yn dda yr oedd yn well gan yr amaethwyr eu cael hwy, ac yn y mannau lle gweithiai'r erydr Cymreig orau fe'u cadwyd. Mewn ugeiniau o blwyfi Cymru fe geid erydr gan Ransome neu Hornsby neu Howard ar y tir gwastad, a'r aradr leol ar y llethrau ac yn y cilfachau anodd.

Ni newidiwyd llawer ar y sefyllfa hyd adeg y Rhyfel Mawr cyntaf.[1] Yr adeg honno y dechreuodd y car modur a'r tractor ddyfod yn bethau cyffredin yn y wlad, a hwy fu'r achos i'r aradr geffyl—Cymreig a Seisnig yn ddiwahaniaeth—ddechrau diflannu. Gwelwn y proses hwn yn parhau ar waith heddiw. Y mae heb ei orffen eto, mae'n wir, ond y mae'r diwedd yn sicr. Megis y diflannodd yr ych o flaen yr aradr haearn felly hefyd y diflanna'r ceffyl gwedd o flaen y peiriant petrol.

Yr erydr lleol a ddiflannodd gyflymaf o 1918 ymlaen, a hynny oherwydd y car modur yn gymaint â'r tractor. Pan roes ffermwr ei gar ceffyl heibio a phrynu car modur, bu un ceffyl yn llai i'w bedoli gan of y pentref. Pan ychwanegwyd *trailer* y tu cefn i'r car, peidiodd y gof â phedoli ceffyl arall. Pan brynwyd tractor i'r fferm fe ddarfu am y gweddill o'r ceffylau ran amlaf, ac fe gafodd y gof golled arall. A hyn yn digwydd

---

[1] h.y. parthed cyfartaledd yr erydr lleol a'r rhai dyfod. Erbyn 1913 fe erddid llai o dir drwy Brydain i gyd nag ers canrifoedd lawer. O 1860 ymlaen fe aethai tir âr y deyrnas yn llai-lai bob blwyddyn.

drwy'r ardal bu raid i'r gof naill ai newid natur ei fusnes neu
ynteu gau'r efail. A'r gof *erydr* oedd y gof hwn. Wrth reswm,
ar ffermydd lleiaf y cylch byddai ffermwyr di-dractor a oedd
wedi cadw gwedd o geffylau. Ond ni châi un felly aradr *leol*
newydd pes mynnai : byddai gefail y gof erydr ar gau neu
wedi ei throi i bob pwrpas yn bwmp petrol. Ond ni byddai
unrhyw rwystr ar ffordd y ffermwr hwnnw pe penderfynai
gael un o'r erydr Seisnig. Nid effeithiodd helbulon y gof
arnynt hwy. Yr oedd busnes eu gwneuthurwyr yn blodeuo, a
hwythau'n cynhyrchu'r erydr peiriant hefyd.

Ni bu i'r erydr lleol ddiflannu â'r un cyflymder ym mhob
man. Yr oedd rhai ardaloedd mynyddig lle'r oedd y ffermydd
yn fychain, ac er i'r car modur ddisodli'r car ceffyl ar y ffyrdd
yno, fe ddaliodd yr erydr lleol yn y caeau oherwydd eu haddas-
rwydd.

Gellid tybio mai dau beth yn unig a fyddai'n debyg o'u
symud oddi yno, sef troi mwy o'r tir âr yn dir glas a phrynu
tractor ail-law gan ffermwyr na allent fforddio un newydd.
Bu'r ddau beth hyn *yn* digwydd, wrth gwrs, ond hyd yn lled
ddiweddar gellid gweld rhai o erydr y gofaint ar waith.
Heddiw, yma a thraw yn yr ardaloedd hyn, gellir dyfod ar
draws rhai ohonynt yn gorwedd dan eu rhwd. Daeth eu
tranc yn sydyn oherwydd troi'r tir a erddid â hwy naill ai'n
saethfeydd i'r fyddin neu ynteu yn blanhigfeydd i filltiroedd
diderfyn o goed.

Diau na ellid anwareiddio mwy na throi erwau'r swch yn
faes i'r cleddyf ac atal yr aradr fel y tyfo'r coed. Trwy gydol
hanes bu'r aradr yn elyn i'r fforest. Hi a ddarostyngodd yr
anialwch a'i gyfanheddu ac a fu'n cynnal y caeau cywair a'r tai
gwyngalch a'r teuluoedd llawen. Ond bellach gwelir dad-
wneuthur llafur yr oesoedd a throi'r cyfannedd yn anialdiroedd.
Dyna paham y rhydodd yr erydr Cymreig olaf,—aradr
Penllwyn-raca, aradr Ty'n-y-Pale, aradr y Cwm.

ATODIAD

(a) Dyfyniad o ddisgrifiad Edward Nicholas o'i aradr amlgwys:

' It is used for the purpose of ploughing land and covering with mould wheat and other grain when sown under furrows. It has five beams, which in the Drawing hereto annexed are marked A, A, A, A, A. To each beam there is a spindle marked F, F, F, F, F, the spindle to the center beam having a ploughsheare affixed to it, which turns the mould to the right hand and to the left. The spindles marked F^1, F^1, have ploughsheares, which turn the mould to the right, and those marked F^2, F^2, have ploughsheares, which turn the mould to the left. Each beam has likewise a colter marked E, E, E, E, E. The letters H, H, H, H, H, H, refer to the plough boards, and to the bottom of which there is a piece of iron, which can be either put deeper or higher by means of a screw, as occasion requires. It goes on three wheels, one on each side, marked B, B, and one before the centre beam marked B^2. These wheels can be made to rise or fall by means of the screws R, R, R, R. The beams are connected together by means of iron sloates marked C, C, C, C, C, C, but those marked C^2, C^2, are double sloates. There are likewise stays marked D, D, D, D, D, D, D, D, which are fixed to the heads of the sloates, and assist in connecting the beams together, and in keeping them down to their work, and which stays are screwed down through the beams, and likewise through the sloates which pass under the beams. There are likewise stays marked I, I, I, I, from the centre beam to each of the spindles, excepting the centre one to keep the spindles steady. G, G, G, G, G, G, are the feathers of the ploughshares ; K is the handle of the plough ; L, L, are harrows for the purpose of settling the ground after the ploughing of the land ; M, M, M, are the hitching hooks. The beams marked A^2, A^2, A^2, A^2, can be widened out to O, O, O, O, O, O, for the purpose of ploughing a greater surface of land. The beams marked A^3, A^3, may be taken off when only the outward wheels are to be used. The centre beam, having a double ploughshare, may be used by itself for the purpose of hoeing, when the two wheels marked B, B, may be used with it. The centre spindle is fifteen inches long, the two spindles marked F^1 and F^2, are thirteen inches and a half long, and the two outward spindles are only twelve inches and a half long. But the whole of the spindles can be made to go on a plain surface by means of the screws marked P, P, P, P, P, P. And, moreover, my said plough may be varied and adapted with regard to dimension and formation, and is connected together by means of various screws, nuts, and rivetts, and other well known devices not required here to be particularized, and which any competent workman, in works of this and the like nature, can devise and execute.'

(b) Disgrifiad o aradr-unffordd Edward Evans, Glanbrogan, y Trallwm :[1]

' a mould-board on each side, both hinged to the plough-foot, are connected inwardly by an iron rail, which in the act of projecting one mould-board out, must necessarily draw the other in. The point of the share is a pivot, turning in the heel of the coulter, for the convenience of having the fin of the share on either side. The beam also, seven feet two inches long, resting upon a bolster two feet five inches in length, by means of a dropper pin, perforating both, turns readily either to the right or to the left : and the beam, in having its direction so changed, by means of strong wire chains moving round a set of trills, acts upon the whole machine, changes the situation of the mould-boards, turns over the fin of the share ; and so the right wrest is instantaneously converted into a left-wrest plough, and vice versa, without hardly any loss of time, while the horses turn at the end of the furrow. The iron rail, connecting the mould-boards, has several niches in its upper edge to regulate the projection ; into which small clickers are dropt to keep the mould-boards steady ; and are lifted up again, by means of a cord, convenient to the ploughman's hand, when the change of sides is to take place. A similar contrivance keeps also the share, and beam, steady in their new situations. The beam may be adjusted so as to take a plit of any width ; or by being fixed in the centre, without any obliquity of direction, and both mould-boards projecting, the plough is serviceable in the hoeing husbandry, or in opening furrows between the butts on wet soils.'

---

[1]Walter Davies, *North Wales* (1810), td. 264.

PENNOD VII

Y WEDD

' PA beth sy'n fyw bob pen, a marw yn y canol? Aradr mewn gwaith.' Dyna rediad hen ' ddychymyg ' plant Morgannwg gynt. Atgoffir ni felly fod i'r aradr ei phennau byw ac â'r rhain, a'r un blaen yn arbennig, y mae a wnelom ni yn y bennod hon.

Cyfeiriwyd at y wedd, sef yr anifeiliaid sy'n tynnu'r aradr, yn fynych yn ystod y penodau blaenorol. O bryd i bryd, er mwyn egluro problemau ynglŷn â'r aradr a'i hanes, bu'n rhaid ystyried agweddau ar y wedd a'i gêr. Gwelsom hefyd fod a wnelai cyfansoddiad y wedd â newid cynllun yr aradr yn y ddeunawfed ganrif. Gan hynny, ni ellir amau fod y wedd yn haeddu adran iddi ei hun mewn llyfr fel hwn. Y mae, fodd bynnag, reswm arall dros ymdrin yn fanwl â'r creaduriaid amyneddgar y bu'r ddynoliaeth mor ddyledus iddynt, sef y sicrwydd y derfydd am anifeiliaid gwedd cyn bo hir iawn. Trist gan wladwr sylweddoli hyn.

(a) Ychen

Onid pêr clywed pori yr ychen ?
  Hir iechyd i'r rheini
  Gwledd ni cheid i arglwyddi,
  Na baich ŷd oni bâi chwi.

O'r dechrau, drwy ganrifoedd dirif, yr ych fu'n tynnu'r aradr ac ni cheid hyd at y Canol Oesoedd neb na chytunai ag ysbryd yr hen englyn uchod. Ac am ganrifoedd lawer wedyn fe roddai fynegiant i farn mwyafrif mawr amaethwyr y byd. Ymddengys bod amryw resymau dros ddewis yr ych fel yr anifail gwedd cyntaf. Ynghyd â defaid, geifr, a moch, fe ddofwyd gwartheg cyn dofi ceffylau, a hynny oherwydd gwerth yr anifeiliaid hyn fel bwyd. A gellid gweithio'r ych am flynyddoedd cyn ei fwyta. Rheswm arall oedd ei fod yn gryfach na cheffyl bychan ysgafn yr oesoedd bore. Yr oedd gan oesoedd diweddarach resymau ychwanegol ac ni ddisodlwyd yr ych nes i'r byd flino ar ei arafwch, a'r ceffyl ddyfod yn fwy nerthol.

Y dystiolaeth gynharaf hyd yn hyn am ychen gwedd yn y rhannau o Ewrop sy'n berthnasol i bwnc y llyfr hwn ydyw darluniau a gerfiwyd ar greigiau yr Alpau Eidalaidd yn Ligwria ac ar greigiau yn Scandinafia yn ystod Oes y Pres a dechrau Oes yr Haearn. Cyfeiriwyd at y rhain yn barod yn y ddwy bennod gyntaf gan bwysleisio (tt. 14, 48) fod yn y cerfiadau Ligwriaidd gyfatebiaethau hynod i'r hyn a ddywedir am y wedd yng nghyfraith Hywel Dda. Bellach, mae'n rhaid ymdrin â hwynt yn fanylach.

Dangosir detholiad bychan o'r cerfiadau hyn yn Darlun I. Nid cerfiadau yn ystyr arferol y gair ydynt oherwydd eu gwneuthur â rhyw fath o bwnsh yn hytrach na chŷn. Ceir ynddynt gymysgedd o realaeth a chonfensiwn. Darlunnir arddwyr a'r erydr yn eu sefyll fel y gwelir hwynt o'r ochr ond tynnir llun yr ychen fel y gwelir hwynt oddi uchod. Gan hynny y cwbl a ddangosir o'r ychen ran amlaf ydyw corff hir-sgwar, cyrn, a chynffon. Weithiau prin y dangosir mwy na'r cyrn. Ceir eithriadau i'r confensiwn hwn megis yn rhif 2 lle ychwanegwyd y coesau mewn modd mor anghelfydd nes peri i'r ychen ymdebygu i chwilennod. Cynrychiolir yr iau gan linell o'r naill bâr o gyrn i'r llall. I deip Døstrup (Ffigur 1) y perthyn yr erydr a ddangosir. Weithiau cysylltid arnodd hir y teip hwn i ganol yr iau, ac fe ddangosir hyn yn glir yn rhifau 1—3 a 5—6. (Annorffen yw rhif 5, a dwy goes ôl ydyw'r llinell sy'n cysylltu pedreiniau'r ychen). Dangosir gwedd o bedwar ych yn rhif 7 : cysylltir yr arnodd â'r iau fôn yn y modd arferol, a dangosir y did sy'n cysylltu'r iau honno â'r iau flaen. Gwelir gwedd arall o bedwar yn rhif 8, ond darlun annorffen arall yw hwn ac ni ddangosir yr aradr. Dywed Bicknell[1] mai gwedd o chwech ych sydd yn rhif 10, eithr yr argraff a rydd ei *rubbing* ef o'r cerfiad ydyw gwedd annorffen o bedwar ac aradr ddau ych ddigyswllt y tu cefn. Yn y cwbl o'r cerfiadau y sylwyd arnynt hyd yma ieuir yr ychen yn ddeuoedd, pa mor niferus bynnag fo'r anifeiliaid yn y wedd. Ond yn rhif 9 fe welir dull arall, sef trefnu pump o ychen yn gyfochrog o dan un iau.

A welir dull arall eto yn rhif 4 ? Dangosir yn y darlun hwn dri ych wedi eu cysylltu ag aradr mewn modd hynod iawn.

[1] *The Prehistoric Rock Engravings in the Italian Maritime Alps* (1902), td. 51.

A chymryd y darlun fel y mae, yr hyn a geir ydyw aradr wedi
ei chlymu wrth gynffon ych, a thid yr iau flaen wedi ei chlymu
wrth gyrn yr ych anffodus hwnnw. Ni raid ymdroi gyda'r fath
bosibilrwydd ofnadwy. Rhaid bod yma un o ddau beth, naill ai
bod darlun tebyg i rif 1 wedi ei ddifetha gan rywun arall yn
cerfio llun ych ar ganol yr arnodd, neu ynteu bod yr ych a'r
aradr wrth ei gynffon yn ddarlun dilys wedi ei gerfio yn rhy
agos at ddarlun annorffen tebyg i rif 1. Os yr ail ddewis sy'n
iawn, dyma enghraifft o 'ieuo wrth y gynffon '[1] dull creulon a
oroesodd yn Iwerddon filoedd o flynyddoedd yn ddiweddarach
sef hyd ddiwedd y ddeunawfed ganrif.

Y mae pwynt ynglŷn â'r ieuau y dylid ei grybwyll yma. Fel
y dywedais, cynrychiolir yr ieuau gan linellau sy'n cysylltu cyrn
yr ychen â'i gilydd.

Gellir gosod iau ar ych mewn dau ddull sef ar ei war ac
wrth ei gyrn. Yr ydym ni yn y wlad hon yn fwy cyfarwydd
â'r dull cyntaf nag â'r ail. Yr iau war oedd yr iau gyffredin
yma o'r Oesoedd Canol hyd y bedwaredd ganrif ar bymtheg.
Cedwid yr iau yn ei lle ar war yr ych gan ddôl a fyddai'n cau
am wddf yr anifail. Dangosir iau felly yn Ffigur 16, a dangosir

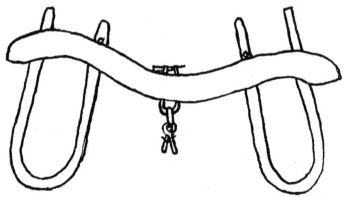

Ffigur 16. Iau ychen. Canol y 19eg ganrif. O Fargam, Morgannwg
Yn Amgueddfa Werin Cymru

(*Trwy ganiatâd Amgueddfa Genedlaethol Cymru*)

[1]Ceir enghraifft o hyn ymhlith cerfiadau cynhanesiol Bohuslän hefyd. Dyledus
wyf i'r Athro P. V. Glob o Brifysgol Aarhus am dynnu fy sylw ati. Wedi sgrifennu'r
uchod cyhoeddwyd llyfr Glob, *Ard Og Plov i Nordens Oltid*. Rhydd yr awdur
enghraifft arall (Ffig. 125, td. 127) o ieuo wrth y gynffon o'r cerfiadau Alpaidd.

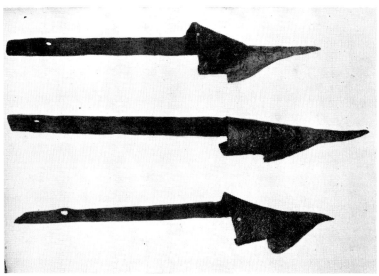

Darlun XVII.
Sychau haearn gyr. Rhan gyntaf o'r 19eg ganrif. O'r Fuallt, Eglwys-newydd,
 sir Faesyfed. Yn Amgueddfa Werin Cymru.

(Trwy ganiatâd Amgueddfa Genedlaethol Cymru)

Darlun XVIII.
Aradr Login, tua 1850, wedi ei gwneuthur gan Thomas Morris, Login,
 sir Gaerfyrddin. Yn Amgueddfa Werin Cymru.

(Trwy ganiatâd Amgueddfa Genedlaethol Cymru)

Darlun **XIX.**

Aradr Pontseli Rhif 7, wedi ei gwneithur gan Josiah Evans.
Yn Amgueddfa Werin Cymru.

(*Trwy ganiatâd Amgueddfa Genedlaethol Cymru*)

Darlun XX. Aradr y Dyffryn, tua 1880. Wedi ei dyfeisio gan David Evans, Rhydlewis,
Ceredigion, a'i gwneud gan John Owens, Aberporth.

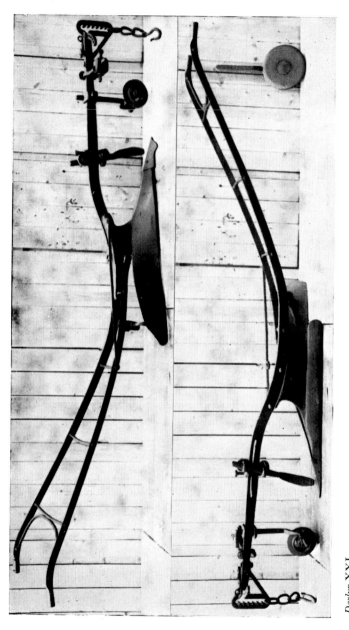

Darlun XXI.

Aradr wedi ei gwneuthur gan W. L. Evans, Llanfihangel y Creuddyn. Yn Amgueddfa Werin Cymru.

(Trwy ganiatâd Amgueddfa Genedlaethol Cymru).

gwedd wedi eu hieuo felly yn Darlun VI. Wrth arfer yr ail ddull gosodid yr iau ar ben yr ych yn dyn wrth fôn y cyrn a'i sicrhau wrth y cyrn â charrai neu ddolen raff. Ar yr olwg gyntaf fe ymddengys yn ofer i geisio penderfynu ai ieuau gwar ai ieuau cyrn a ddangosir yn y cerfiadau hyn. Mae'r cerfiadau yn ddigon anodd, ac yn aml mae'r ychen eu hunain heb fod llawer mwy nag arwyddion confensiynol ; gan hynny a ddylid disgwyl manyldeb *yn lleoliad* yr ieuau ? Y mae'n gwestiwn anodd. Dywedais uchod mai i deip Døstrup y perthyn yr erydr a ddarlunnir. Mae'r cerfiadau yn ddigon manwl inni fedru dweud hynny yn bendant canys fe ddangosir yn glir fod yr haeddel a'r swch yn mynd trwy ben ôl yr arnodd. Mewn un o'r cerfiadau nas printir yma (Bicknell Plate II, d) dangosir y peg neu ddwrn ym mhen uchaf yr haeddel. Dangosir hefyd ym mhob cerfiad bron sut yr ymestyn pen blaen yr arnodd ychydig dros ganol yr iau fel y gellir ei glymu yno. Gan i'r cerfwyr fynd i drafferth i ddangos manion fel hyn yn eu hoffer[1] tueddaf i gredu na ddangosasid yr ieuau mor agos at y cyrn yn rhifau 1—3 a 7, er enghraifft, onid ieuau cyrn oedd ym meddwl cerfwyr y darluniau hyn. Ategir hyn gan enghreifftiau amlwg o ieuau gwar a geir yn llyfr Bicknell (e.e. Plate IVg, y drydedd yn yr ail res yn Plate VII, ac un ar ymyl uchaf Plate VIII) lle cedwir yr ieuau yn hollol glir o'r cyrn.

Trown yn awr at y dynion a welir yn y darluniau hyn. Ni raid ymdroi gyda'r arddwr ; fe'i dangosir yn gafael yn yr haeddel yn hollol glir. Mwy diddorol o lawer ydyw'r dyn sy'n gyrru'r wedd. Lleolir ef o flaen yr ychen gan eu tywys neu eu galw ymlaen.

Gellir crynhoi tystiolaeth y cerfiadau hyn fel a ganlyn : bod yng nghyffiniau gogledd yr Eidal a de ddwyrain Ffrainc yn niwedd Oes y Pres a dechrau Oes yr Haearn, bobl a ddefnyddiai erydr tebyg i rai Døstrup. Arferent ieuo eu hychen i'r aradr mewn dau ddull o leiaf, sef (1) yn ddeuoedd, a drefnid mewn hir-wedd pan fyddai mwy nag un pâr, (2) a'r cwbl o'r ychen ochr yn ochr mewn rhes o dan un iau hir. Mae'n debyg iddynt arfer dull arall, sef cysylltu'r aradr wrth gynffon ych

---

[1]Dangosir cryn fanylder yn y llu cerfiadau o arfau rhyfel a geir ar y creigiau.

pan fyddai un ych yn unig yn y wedd. Parthed yr ieuau eu
hunain, fe arferid eu cau am yr ychen mewn dau ddull, sef ar
y gwar ac ar y cyrn. Safle gyrrwr yr ychen fyddai o'u blaenau
ac yn eu hwynebu.

I'r neb a astudiodd drefniadau aredig y pobloedd Celtaidd
y mae hyn oll yn dra arwyddocaol, canys fe geid ynddynt bob
un o'r manylion a nodir yn y crynhoad uchod. Wrth reswm
fe geid rhai o'r trefniadau hyn ymhlith pobloedd eraill hefyd
ac fe'u ceir yn eu plith hyd heddiw. Er enghraifft, bu ieuo yn
ddeuoedd yn ddull cyffredin Ewrop, Asia ac Affrica erioed.
Cyffredin hefyd ydyw ieuo wrth y cyrn ac ieuo ar y gwar.
Disodlwyd y naill ddull gan y llall mewn rhai mannau,—fe
ildiodd iau'r cyrn i iau'r gwar yn Fflandrys, a digwyddodd y
gwrthwyneb yn yr Ysbaen. Ac fe geir hyd heddiw y ddau ddull
yn cydoesi yn yr Yswistir.

Ond nid ymddengys bod ieuo mwy na dau ych ochr yn ochr
dan un iau, a chathrain gyda'r geilwad o flaen yr ychen, yn
arferion cyffredin. Mewn llawysgrif Ffrengig[1] y ceir yr unig
ddarlun canoloesol o iau bedwar ych y gwn i amdano, ac yng
ngorllewin Ffrainc, o'r Morbihan hyd y Pyrenees, y ceir y
geilwad o flaen y wedd hyd heddiw.[2] Mae'n debyg hefyd mai'r
arfer hon a welir mewn dau grŵp pres hynafol o gasgliad Payne
Knight a ddisgrifiwyd gan J. M. Kemble yn 1863.[3] Yn y
grwpiau hyn ceir ychen dan yr iau gyda'r arddwr a dyn arall yn
sefyll o flaen yr ychen ac yn eu hwynebu. Ymddengys mai
gwaith Etrwscaidd oedd y modelau hyn. Tybed a welir yn y
lleoli daearyddol hyn, gan gynnwys y cerfiadau Ligwriaidd,
olion o'r llwybr y daethpwyd â threfniadau arddwriaethol
nodweddiadol Celtiaid Prydain ac Iwerddon ? Ni ellir ateb
heb lawer mwy o ymchwil. Yr unig beth sydd yn gwbl sicr ydyw
(1) bod trefniadau aredig o fath arbennig ar arfer yng ngogledd
yr Eidal yn niwedd Oes y Pres ac yn Oes yr Haearn. (2) Bod
yr unrhyw drefniadau ar arfer ymhlith y Cymry a'r Gwyddyl
a'r Albanwyr mewn cyfnodau hanes. (3) Bod olion nodwedd-
iadol o'r trefniadau hyn i'w canfod drwy rannau deheuol a
gorllewinol Ffrainc.

[1]Llsgr. Lat. 11560. ffo. 48 yn y Bibl. Nat.
[2]Diolchaf i Mon. P. Flatres am y wybodaeth hon.
[3]*Horae Ferales*, td. 241.

Ni raid ond cyferbynnu'r cerfiadau Ligwriaidd cynhanesiol â'r ymdriniaeth ar gyd-aredig a geir yng Nghyfraith Hywel Dda i weld bod cyfatebiaeth hynod rhwng y naill a'r llall. Sylweddolir hefyd pa mor wironeddol hen oedd dulliau ieuo a chathrain y Cymry hyd yn oed yn oes Hywel Dda ei hun. Trown felly at y Gyfraith.

Gan fod yr ieuau y sonnir amdanynt yng Nghyfraith Hywel yn gwahaniaethu mewn hyd, y mae'n sicr bod mwy nag un dull o ieuo. Arferid pedair iau sef y fer iau o bedair troedfedd, yr ail iau o wyth troedfedd, y ceseiliau o ddeuddeg troedfedd a'r hiriau o un droedfedd ar bymtheg.[1] Gan fod naw modfedd i droedfedd y Gyfraith, mesurai'r ieuau hyn 3, 6, 9 a 12 o droedfeddi modern a bydd yn hwylusach i'w hystyried yn ôl mesur heddiw.

Mae'n amlwg mai iau i ddau ych oedd y fer iau o dair troedfedd. I'r neb sy'n gyfarwydd ag ieuau'r ddeunawfed ganrif a'r bedwaredd ganrif ar bymtheg fe ymddengys bod iau lathen o hyd yn rhy fychan i ddau ych. Pedair troedfedd a phum modfedd yw hyd yr iau ddwbl a welir yn Ffigur 16. Y rheswm dros fychander yr hen ieuau ydyw fod yr ychen yn llawer llai eu maint na'r anifeiliaid yr ydym yn gyfarwydd â hwy yn y dyddiau hyn. Deuwn yn ôl at y pwnc hwn eto.

Pan ieuid yr ychen yn ddeuoedd fel hyn, fe drefnid y naill bâr o flaen y llall gan ffurfio'r "hir-wedd" y sonnir amdani yn y gyfraith.[2] Pan ieuid yr ychen yn yr ieuau eraill, byddai'r anifeiliaid yn bedwaroedd neu chwechoedd neu wythoedd ochr yn ochr. Dyna felly ddau ddull ieuo a welsom yn y cerfiadau ar gael ymhlith y Cymry hefyd.

Rhaid ystyried yn awr y dulliau cau, sef sut y cysylltid yr ychen wrth yr iau. A ganlyn yw'r unig wybodaeth am y weithred honno a geir yn y Gyfraith : 'ekeylguat adele dyguallu epestelyeu ar yeuuedon ar gudyn os hyrguet vyd etorccheu beccheyn aguyell edoleu.'[3] Dyma fel y cyfieithir hyn gan Aneurin Owen : 'The driver is to furnish the bows of the yokes with wythes ; and, if it be a long team, the small rings, and pegs of the bows.' Ofnaf na ellir derbyn y cyfieithiad hwn.

[1]*Llyfr Du o'r Waun*, td. 107 ; *Anc. Laws*, I, tt. 166, 186.
[2]*Llyfr Du o'r Waun*, td. 112 ; *Anc. Laws*, I, td. 322.
[3]*ibid.*

I ddechrau ni wna ' bows of the yokes with wythes ' mo'r tro
fel cyfieithiad o ' epestelyeu ar yeuuedon ar gudyn.' Gair y
Llyfr Du o'r Waun am *bows* ydyw'r un gair a ddefnyddid hyd
y bedwaredd ganrif ar bymtheg, sef *dôl*, lluosog *dolau*. E.e.
' kau dol ar ecchen ' a ' kau dol arnau,' tudalen 108, a gair olaf
y frawddeg dan sylw ' doleu.'

Y mae'n eglur oddi wrth y dyfyniad uchod na ddefnyddid
dolau ond pan drefnid y wedd fel ' hyrguet ' (hirwedd). Gan
hynny iawn mi gredaf yw tybio fod y pethau a grybwyllir yn
rhan gyntaf y frawddeg yn perthyn i drefniad yr *hiriau*.

Dyma a enwir gyda'r hiriau yn rhai o lawysgrifau eraill o'r
Gyfraith :

yr hirieu ae phistlon ...... Wade Evans, p. 107.
Hirieu, a phistolwynneu...... *Anc. Laws*, I, td. 582.
yr hirieu ae phistlon ...... *Ibid*, I, td. 726.
Hiryeu ar pistyllyon ...... *Ibid*, II, td. 865.
Pob jau a phisdljau
Hirjau a'i phisdolwyneu...... Wotton, *Leges*, td. 274.
Hirieu a'e phistlon ......
　　　　　　　　　Williams a Powell, *Llyfr Blegywryd*, td. 97.

Mewn nodyn ar yr enghraifft olaf uchod, awgryma'r Dr.
Stephen Williams ' mai talfyriad o *pystolwyn* oedd *pystlon*, ac
iddo droi'n llu. ar ddelw enwau yn -(i)on, ac wedyn ffurfio
unigol newydd, *pystyl*. Ai llu. pystyl yw *pestelyeu* . . . neu ynteu
pestel yeu ? ' Ymddengys i mi fod y Dr. Williams yn ei le parthed
perthynas *pestelyeu* a *pystolwyn*. Ni fedraf gytuno ag ef, fodd
bynnag, pan ddywed mai tu ôl i'r ychen ' y byddai'r *pistlon*
(pystyl) fel y cambren heddiw.'

Gan fod lleoliad y pistlon yn bwysig, rhaid dangos ar unwaith
na allasai'r pistlon fod tu cefn i'r ychen ' fel y cambren heddiw.'
Ni ddefnyddid unrhyw beth ar lun cambren wrth weithio mwy
nag un ych o dan yr un iau. Os edrychir ar Ffigurau 16, 18 fe
welir pa'ham : un did (neu gadwyn) oedd i bob iau o'r fath ac
wrth *ganol* yr iau y cysylltid hi. Ymestynnai'r did yn ôl yn syth
at glust yr aradr. Nid oes alw am gambren ond pan fo o leiaf
dwy did gyfochrog i'w cysylltu wrth yr aradr, fel y mae gyda
gweddeufe, neu dresi, ceffyl. Y rheol oedd : un did, dim
cambren ; dwy did gyfochrog, cambren. Fel rheol, peth i
weddeufe, neu ystlysdidau, ceffyl ydyw cambren. Weithiau, y

mae'n wir, fe geid (ac fe geir o hyd) cambren tu ôl i ychen ond fe gedwir y rheol bob amser :

(1) Ceid cambren tu cefn i ddau ych pan nad oedd iau o gwbl arnynt. Yr unig gêr ar yr ychen yma fyddai rhaffau o'u cyrn mewnol, h.y. dwy raff gyfochrog, ac felly yn gofyn am gambren.

(2) Ceid cambren tu ôl i ych unigol o dan iau sengl.[1] Rhaid defnyddio ystlysdidau gyda'r fath iau a chan eu bod yn gyfochrog rhaid cael cambren.

(3) Pan wisgid ychen mewn coleri ac ystlysdidau fel ceffylau. Mae'n eglur y gellir anwybyddu y tair enghraifft hyn wrth geisio datrys problem y pistlon canys ag ieuau i ddau neu ragor o ychen y mae a wnelo'r dyfyniad o'r Gyfraith.

Y mae'n amlwg felly fod y pestylyeu, neu'r pistlon, ar yr iau ei hun, hynny yw ym mlaen yr ychen yn hytrach na thu cefn iddynt. Yr anhawster wrth gwrs yw fod *postolwyn* yn ôl y geiriadurwyr yn golygu *olgengl march* neu *crupper*. Ond y mae un enghraifft o'r gair lle rhoir ystyr gwahanol iddo, sef yn llawysgrif Ox. 2, lle ceir *postoloin* fel glos ar *antella*,[2] sef brongengl yn hytrach nag olgengl. Yn awr, fe arferid sicrhau'r iau ar warrau'r ychen â chenglau gwdyn neu ledr am eu gyddfau yn gystal ag â dolau pren. Gan hynny fe ellir gofyn y cwestiwn ai cenglau felly oedd y pistlon ? Ni allaf dderbyn hyn oherwydd y ddihareb ' Pystolwyn i'r allt '[3] a'r llinell yn Englynion y Misoedd : ' Sikra ir allt yw'r pystolwyn.'[4] Ni allaf weld bod iau a chenglau cyffredin yn well ar allt nag iau a dolau. Ond fe geid math o gengl ar iau a oedd yn help mawr i'r ychen ar allt wrth dynnu car neu fen, sef y gengl sy'n clymu'r iau wrth y cyrn : ' Those who used their oxen both for ploughing and for drawing carts preferred the horn attachment : it held the cart back better on downhill gradients.[5]

Yn wir mewn gwledydd mynyddig fel y Swistir, yn yr ardaloedd hynny lle disodlwyd yr iau gyrn gan yr iau war a dolau,

---

[1]Ymddengys mai un iau sengl yn unig a ddarganfuwyd ym Mhrydain. Gweler J. Curle, *A Roman Frontier Post and its people* (1911), td. 312 a Darlun LXIX, 1.
[2]Loth, *V.V.B.*, 205.
[3]*Myf. Arch.*, ail. arg., td. 858.
[4]T. H. Parry Williams, *Canu Rhydd Cynnar*, p. 246.
[5]*The Cambridge Econ. Hist. of Europe I* (1941), td. 134.

fe fu raid i'r ffermwyr ddyfeisio gêr arbennig sy'n cysylltu cyrn
yr ychen a phen blaen paladr y fen fel y gellid dal y fen yn ôl
ar allt. Yn awr y mae'n eglur fod y Cymry yn ieuo eu hychen
mewn ceir a menni yn gystal ag mewn erydr. Sonnir yn y
Gyfraith am 'e car a yeu e dvyn e deodreuen,'[1] a dywed
Gerallt yr ieuid ychen yn y menni.[2] A gwlad a digon o lech-
weddau a llwybrau serth ynddi ydyw Cymru. Oherwydd hyn
oll credaf mai cenglau o ledr neu ryw ddefnydd ystwyth a
ddefnyddid i rwymo'r iau wrth gyrn yr ychen oedd y pestelyeu,
neu'r pistlon. Ymddengys hefyd nad arferid y rhwymiad hwn
wrth aredig gan y Cymry ond pan drefnid y cwbl o'r ychen ochr
yn ochr dan un iau. Ategir hyn i raddau gan y darlun yn y
Bible Moralisée lle dangosir pedwar ych wedi eu cyrn-ieuo
wrth un iau.

Ychydig iawn o hen ieuau ychen a ddarganfuwyd yn yr ynys
hon, ysywaeth, ond fe gafwyd dwy mewn corsydd mawn yn yr
Alban, ac ieuau cyrn ydynt. O Lochnell, Argyll, y daw'r naill
ac y mae'n amlwg mai iau i'r cyrn ydyw. Nis tyllwyd ar gyfer
dolau, ond y mae rhiciau ynddi i dderbyn rhwymau'r cyrn.[3]

Dychwelwn bellach at y pethau eraill y byddai'r geilwad yn
eu 'diwallu' ar gyfer *trefn yr hir-iau*, sef yr 'yeuuedon ar
gudyn.' A bwrw bod yr iau ei hun wedi ei rhwymo wrth
fonau cyrn yr ychen â'r pistlon, y cwbl sydd yn eisiau i gwpláu'r
gêr ydyw'r did sy'n cysylltu clust yr aradr wrth ganol yr iau.
Tid wden fyddai'r did honno, hynny yw math o raff wedi ei
nyddu o wiail irion.[4]

[1]*Llyfr Du o'r Waun*, td. 13 ; *Anc. Laws*, I, td. 80.
[2]Thomas Jones, *Gerallt Gymro* (1938), td. 202.
[3]Rhif MP219 yn y National Museum of Antiquities of Scotland yw'r iau hon.
[4]O'r cyfnodau cynhanesiol hyd y ddeunawfed ganrif gwiail oedd defnydd arferol
tidau a rhaffau'r fferm dros ran helaeth o Ewrop. Darganfuwyd darnau o wdyn
plethedig yn Ynys Afallon, Gwlad yr Haf, mewn anedd-dai a berthyn i Oes yr
Haearn, ac mor ddiweddar â 1895 dywedir y ' plethir gwiail gan amaethwyr
Morganwg yn lle rhaffau gwellt ' (*Geninen* III, td. 20). Parheid i ddefnyddio
tidau gwdyn yn Lloegr hefyd hyd ddiwedd y ganrif ddiwethaf. Clywais gan
Mr. Edward Reed, un o'r gyrwyr ychen olaf yn Sussex mai tidau gwdyn a hyd yn
oed raffau gwair a ddefnyddid i dynnu'r aradr pan ddechreuodd ef weithio fel
gyrrwr gwedd yn Exceat Farm, Seaford, yn 1893. Gwerthwyd ychen gwedd
Exceat ynghyd â'u gêr yn 1928. Gwiail helyg a chyll a ddefnyddid gan mwyaf a'u
plethu yn debyg i'r fel y plethir y gwallt. At hyn y cyfeirir gan Gruffudd ab Ieuan
ap Llywelyn Fychan yn ei Araith i saer Llan-Sant-Sior : ' Plethu eidiondid a
marchdres, nyddu Ragorbraff wialen gegindderw, gwneuthur pob ysmonaidd-
waith gwdengwlwm arbennig . . .' (*Yr Areithiau Pros*, tt. 44-5). Yn ôl Evan Jones,
Ty'n-y-pant, Llanwrtyd, cadwai llawer o amaethwyr gynt ' ardd helyg ' lle tyfid

Yr ieuwedd, wrth gwrs, ydyw'r did hon. Defnyddir ffurf luosog y gair, ' ieuweddon,'[1] yn y frawddeg dan sylw oherwydd bod y frawddeg yn enwi'r gêr y dylai'r geilwad ei gyflenwi ar gyfer y ddau ddull ieuo, ac yn null yr hir-wedd byddai raid wrth mwy nag un ieuwedd. Defnydd yr ieuweddon, wrth gwrs, ydyw'r ' gwdyn ' a grybwyllir yn y frawddeg. Mae'n bosibl hefyd mai hwy fyddai defnydd y pistlon yn ogystal weithiau, canys plethid gwiail irion main at y pwrpas. Gan hynny, dyma fel y trown i ran gyntaf y frawddeg i orgraff heddiw : ' Y geilwad a ddylai ddiwallu y pesteliau a'r ieuweddon â'r gwdyn . . .'[2]

Fel y dywedais uchod ni byddai eisiau mwy nag un o'r ieuweddon wrth arfer trefn yr hir-iau ; ond fe ddefnyddid mwy nag un wrth osod yr ychen dan fyr-ieuau a'u trefnu mewn *hir-wedd*. O dan y drefn honno byddai raid wrth bethau ychwanegol fel y dywedir yng ngweddill brawddeg y Llyfr Du : ' os hyrguet vyd e torccheu beccheyn aguyeyll edoleu.'

Nid oes anhawster ynglŷn â'r torchau bychain. Dolennau gwdyn oeddynt a osodwyd am ganol yr ieuau ac ynddynt hwy ac nid am yr ieuau eu hunain y clymwyd yr ieuweddon a gysylltai'r ieuau wrth ei gilydd ac wrth yr aradr. Fe'u dangosir yn Ffig. 17. Yr oedd yn rhaid wrth y torchau hyn pan drefnid yr anifeiliaid mewn hir-wedd. Trwy eu defnyddio fe ffurfiwyd cysylltiad llac a throsglwyddwyd tyniad yr ychen yn syth o'r naill did i'r llall ac i'r aradr. Heb eu defnyddio, byddai tid yr iau flaen yn tynnu'r ieuau oddi ar warrau yr ychen canol a bôn ac ni throsglwyddid llawn nerth yr un o'r ychen i'r aradr.

gwiail ' at wasanaeth yr amaethwr ei hun at wneuthur cewyll, gwdenni, tyrch a llawer o ddibenion eraill ' (*Cymru*, LXVII, td. 114). Ychwanega (td. 147) mai'r hydref a'r gwanwyn oedd y tymhorau gorau i dorri a thrin gwiail : ' yn nhymor y gaeaf mae y gwiail yn sych, ac anhyblyg, a rhaid yw eu tynnu trwy rysod poeth i'w twymo er eu gwneud yn egwan i'w nyddu yn iawn ; ond yr hen ddywediad yw fod y wialen yn twymno ei hun yn y gwanwyn. I nyddu gwialen gref yn wden ystwyth a gwasanaethgar, rhaid cael crafanc gref, "Hir fydd bys wden gwanwr", meddai yr hen fardd Twm o'r Nant.

Yn yr hydref y torrid coed ynn ieuanc, y glasdderi i wneuthur dolennau yr iau. Caent eu plygu yn îr at ffurf gyddfau yr ychain ; yna rhoed hwynt heibio i sychu ac ysgafnhau, a byddent yn barod i'w rhoddi yng ngwarllost yr iau yn y gwanwyn.

[1]Cym. *gweddeufe* (B.B.C.S., IV, td. 297) a *gweddeifon* (*Glos. Dimet. Dialect*) am ystlysdidau.

[2]Dyma eiriad y prif destun a ddefnyddiodd Wotton : ' Y geilwad a ddyly ddiwallu y pisdleu a'r jewuddon o wdyn.' *Leges Wallicae*, td. 284, §33.

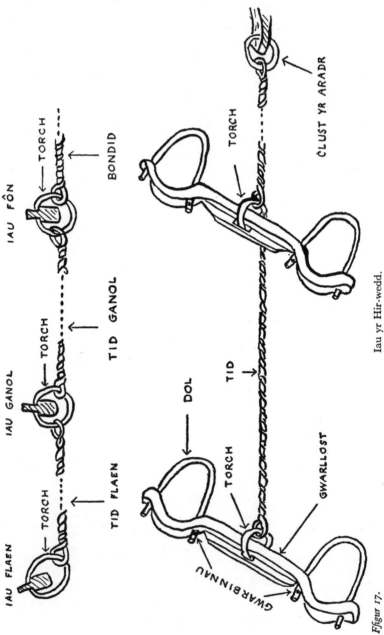

IAU FÔN

TORCH

BONDID

TORCH

TID GANOL

IAU GANOL

TORCH

TID FLAEN

IAU FLAEN

TORCH

TORCH

CLUST YR ARADR

DOL

TORCH

TID

GWARLLOST

GWARBINNAU

Ffigur 17.

Iau yr Hir-wedd.

Y rheidrwydd am gysylltiadau llac neu ystwyth a gyfrif hefyd am ddefnyddio ' guyeyll edoleu '[1] sef gwiail y dolau gyda'r hir-wedd yn lle'r pistlon a ddefnyddid gyda'r hir-iau. Mae'r ieuad wrth y cyrn yn un tynn ac felly yn anaddas i anifeiliaid wedi eu trefnu y naill bâr o flaen y llall. Felly, gosodwyd yr ieuau ar eu gwarrau yn nhrefn yr hir-wedd a'u cau hwynt yn llac yno â dolau gwiail. Trwy hyn, trwy gysylltiadau llac torch a dôl fe sicrhawyd bod nerth unol y parau ychen yn cael ei drosglwyddo ar hyd y tidau yn unig. Pe digwyddai i bâr neilltuol rusio neu lacio nid ymyrrid llawer â'r parau eraill oblegid bod digon o ' heblaw ' yn y dolau a'r torchau ar gyfer hynny.

Yr oedd yn rhaid ymarfer gofal wrth benderfynu'r radd o lacrwydd yn y dolau wrth gau ac fe geir gyfarwyddyd ar hyn yn y Gyfraith : dylai'r geilwad ' kayu arnunt val nabo rekeuyc ac na bo reheag,'[2] h.y. fel na bo'r dolau nac yn rhy gyfyng nac yn rhy eang am yddfau'r ychen. Hefyd, dymunir ar y geilwad ' galu val na torhoent ekaloneu.'

Fel y dengys ei enw, byddai'r geilwad yn blaenori'r ychen gan eu galw ymlaen. Sonnir amdano yno yn y Gyfraith : ' emblaen er ecchen ac ascur er hyryeu enylau,' wrth iddo fesur lled yr erw.[3] Yn y ddeuddegfed ganrif disgrifia Gerallt Gymro ef ' a'r irai yn cerdded o'u blaen, eithr yn wysg ei gefn.'[4] Cyfeiria Gerallt at ganu'r geilwad hefyd : ' Cei weled hwnyma yn cymhwyso'i law i'r aradr, hwnacw fel petai'n annog yr ychen a'r irai, a'r naill a'r llall, fel petai i leddfu'r gwaith,

<hr>

[1]Gofyn Mr. Timothy Lewis (*Glos. Med Welsh Law*, td. 180) ai lluos. gwialen ydyw *guyeyll*, gan nodi mai *gwieil* sydd yn Llan. 116. *Gwiail* hefyd a geir mewn dwy o'r llawysgrifau a ddefnyddiodd Wotton (*Leges*, td. 284). Cyfeiria Aneurin Owen at yr amrywiad *gudyn*. Fel y gwelsom, deallodd ef *guyeyll* fel *gweill* gan ei gyfieithu yn *pegs*, ond y mae'n amhosibl gennyf dderbyn hyn. Disgwylid i'r geilwad gyflenwi'r cwbl o'r gêr ac eithrio'r gwarllostau sef prennau'r ieuau. Felly ni wna *pegs of the bows* mo'r tro fel cyfieithiad o *guyeyll edoleu* oblegid y dolau eu hunain sydd yn eisiau i gwplâu gêr yr hir-wedd. Gan hynny y mae'n sicr gennyf fod Mr. Lewis yn ei le wrth awgrymu mai gwiail ydyw *guyeyll* y Llyfr Du. Ni all fod amheuaeth mai gwiail y dolau, h.y. y dolau eu hunain a olygid, canys hwynt-hwy sy'n cyfateb yn nhrefn yr hir-wedd i'r pistlon yn nhrefn yr hir-iau. O wiail bedw neu onn y gwneid dolau ran amlaf ac ni ddirisglid mwy na'r rhannau a gyffyrddai â gyddfau'r ychen.

Parthed y *pegs of the bows*, chwedl Owen, rhai bychain iawn nad gwerth sôn amdanynt yn y Gyfraith oeddynt. Gwarbinau yw'r enw diweddar arnynt.

[2]*Llyfr Du o'r Waun*, td. 109 ; *Anc. Laws*, I, td. 318.

[3]*ibid*, td. 107.

[4]Thomas Jones, *Gerallt Gymro*, td. 202.

yn cynhyrchu seiniau arferol eu canu gwladaidd.'[1]

Gwelir felly fod gan y Cymry yng nghyfnod Hywel Dda y
ddau ddull ieuo a'r ddau ddull cau a'r dull galw a ddarlunnir
yng ngherfiadau cynhanesiol Ligwria.   Nid oes sôn yn y
Gyfraith am y trydydd dull o ieuo y tybiwyd ei weld yn y
cerfiadau hynny, sef ieuo wrth y gynffon, ond fe'i ceid yn
Iwerddon.

Yn wir fe geid yn Iwerddon yr un dulliau ag yng Nghymru
ac fe barhawyd ag arfer y rhai mwyaf nodweddiadol hyd yn
lled ddiweddar.   Hyd yn oed pan ddisodlwyd ychen gan
geffylau daliwyd i'w gweithio ochr yn ochr a'r geilwad o'u
blaenau.   Er enghraifft, ' They plough all with horses three or
four in a plough, and all abreast.'[2] ' the fellow who leads the
horses of a plough, walks backward before them the whole day
long.'[3] ' They plough all with horses, four in a plough, directed
by a man walking backwards.'[4]   Fel y dywedais, arferai'r
Gwyddyl ieuo wrth y gynffon ac y mae'n debyg fod yr arfer
greulon hon yn un hynafol iawn.   Yn yr unfed ganrif ar
bymtheg fe geisiwyd difodi'r arfer drwy ddirwyo a thrwy gosb
gorfforol[5] ond fe barhaodd i ran olaf y ddeunawfed ganrif[6] ac
yn ddiweddarach.

Parhawyd i ieuo pedwar ych yn gyfochrog yn Ynys Manaw
hyd y ganrif ddiwethaf[7] ac fe gyfeirir yn aml at yr arfer hon yn
yr Alban hefyd yn Adroddiadau amaethyddol ddiwedd y
ddeunawfed ganrif.[8]   Ieuid ceffylau yn gystal ag ychen yn y dull
hwn yn yr Alban ac fe gerddai'r geilwad o'u blaenau yn wysg
ei gefn.

Yn awr, y mae'n amlwg fod y dulliau hyn yn nodweddiadol
o bobloedd Celtaidd yr ynysoedd hyn, ac y mae hyn, ynghyd â'r
ffaith nas ceir hwynt ymhlith y Saeson, yn pwysleisio eu
hynafiaeth.   Pwysleisia hefyd hynafiaeth y rhan o Gyfraith

---

[1]*ibid*, td. 31.
[2]Arthur Young, *A Tour in Ireland* (1780), I, td. 292.
[3]*ibid*, td. 350.
[4]*ibid*, td. 365. Gweler hefyd E. Wakefield, *An Account of Ireland* (1812), I, td.
380 ; *Parochial Survey of Ireland* (1816), tt. 381-2.
[5]*Acts of the Privy Council June-December 1626*, tt. 94, 280.
[6]Arthur Young, *A Tour in Ireland* (1780), I, td. 350.
[7]Joseph Train, *An Hist. & Stat. Account of the Isle of Man* (1845), II, td. 241.
[8]e.e. Angus or Forfar, td. 17 ; Argyll & W. Inverness, tt. 15, 24 ; Northern
Counties & Islands, tt. 203, 251 ; Perth, td. 50 ; Galloway, td. 12.

Hywel y bûm yn ymdrin â hi. Dylid chwilio pwnc yr hynafiaeth yma ychydig yn fanylach. Cofir bod y Gyfraith yn manylu ar bedair iau, ond ni sonnir ond am ddwy o'r rhain gan Gerallt Gymro yn y ddeuddegfed ganrif, sef y fer-iau a'r ail-iau : ' Y mae'r ychen a ieuant wrth yr erydr, neu'r menni, weithiau, y mae'n wir, yn ddeuoedd, ond gan amlaf yn bedwaroedd . . .'[1] A ydyw yn debyg y gallasai Gerallt beidio â son am bethau mor nodweddiadol â'r geseiliau a'r hiriau petasai wedi eu gweld ? Gan na soniodd amdanynt y tebyg yw nad oeddynt ar arfer erbyn y ddeuddegfed ganrif. Os felly, dyma awgrym cryf arall fod cynnwys y rhan hon o'r Llyfr Du o'r Waun yn hŷn o lawer nag oed y llawysgrif ei hun. Megis y parhaodd copïwyr llawysgrifau diweddarach o'r Gyfraith i sôn am geseiliau a hiriau ar ôl iddynt ddiflannu felly hefyd y gwnaethai sgrif-ennydd y Llyfr Du o'u blaenau.

Tybiaf hefyd fod arlliw cyfnod cynharach na'r Oesoedd Canol ar yr hyn a ddywedir am yr amaeth : ' ny dele nep kamryt amayath arnau ony huybyt gueneuthur aradar ay hoylyau kanys ef a dele y gueneuthur en kubyl.'[2] Ni sylwais y disgwylid i'r arddwr canoloesol fod yn saer erydr fel hyn. Disgwylid iddo ei ' hoylyau ' (h.y. hwylio), wrth gwrs, ond ni sonnir ond am fedr i *drwsio* erydr yn y *Seneschaucie*, er enghraifft.[3]

Y mae, bid sicr, rhai cyfarwyddiadau yng Nghyfraith Hywel a oedd yn gyffredin i'r holl hen fyd arddwriaethol. Ni allasai fod yn amgen. Ceir enghraifft lle dywedir na ddylid rhoi na meirch na chesyg na buchod yn yr aradr.[4] O achos y perygl o erthylu y gwaherddid cesig a buchod, wrth gwrs, ond oherwydd yr anhawster o harneisio ceffyl cyn dyfeisio'r goler galed y gwaherddid meirch. Gwaith y ceffyl ar y caeau âr oedd cario tail mewn cewyll teilo a thynnu'r oged. Dyna garthwr a march llyfnu'r Gyfraith. I geffyl, hyd yn oed mewn coler feddal, gwaith digon hawdd oedd tynnu'r hen ogedi ysgeifn ; ond i ychen gwaith blin oedd a dyna paham yr arbedid y dasg iddynt. Chwedl Fitzherbert, ' It is an olde saying, "The ox is neuer wo, tyll he to the harowe goo". And it is bycause it goeth by

[1]Thomas Jones, *Gerallt Gymro*, td. 202.
[2]*Llyfr Du o'r Waun*, td. 111 ; *Anc. Laws*, I, td. 322.
[3]E. Lamond, *Walter of Henley's Husbandry* (1890), td. 111.
[4]*Llyfr Du o'r Waun*, td. 111 ; *Anc. Laws*, I, td. 320.

twytches, and not alwaye after one draughte.'[1]   Sylwodd
Dafydd Nanmor ar y ' twytches ' hyn :

> . . . ai bar ogau llymion
> yn *llamv* dros gwysav[2]

Mewn cymal arall dywedir na ddylai dyn gymryd ei ych o'r
wedd a dodi un arall yn ei le heb ganiatâd y cyfarwyr. Ac
ni ddylid symud ych sydd yn gweithio yn y rhych i ochr y
gwellt heb ganiatâd ychwaith.[3]   Gwelir yma roi grym y
Gyfraith i sicrhau y cedwid at un o arferion sylfaenol arddwr-
iaeth ym mhob oes, sef iawn drefnu'r wedd fel y cymerid
mantais lawn ar nerth unol yr anifeiliaid ac ar alluoedd neilltuol
pob ych ar wahân. Amrywiai'r ychen mewn maint a nerth a
theithi, ac felly wrth eu trefnu mewn gwedd gofelid fod cyd-
wedd neu gymar pob ych yn cyfateb iddo mor agos ag oedd
bosibl mewn maint, nerth, a medr. Onide ni rennid baich y
gwaith yn gyfartal ac ni symudai'r wedd yn gyson ac yn ddi-
drafferth. Cyfarwyddir arddwyr i gyd-ieuo ychen a fo'n
gymharus gan sgrifennwyr bore fel Columella, Varro, a
Palladius ac fe geir yr un cynghorion gan awduron fel Blith yn
1652 a Thomas Hale yn 1756. Sgrifennu gyda golwg ar
nodweddion De Ewrop a wnaeth yr hen awduron clasurol. Yno
gan mwyaf ni ddodid mwy na dau ych mewn aradr, ac felly,
rhybuddio rhag cam-drin ych drwy ei ieuo ag un gryfach yw'r
peth pwysicaf ganddynt hwy. Eithr yng Ngogledd Ewrop yr
oedd y mater yn fwy cymhleth ac o ganlyniad yr oedd y
cyfarwyddiadau yn fwy manwl.

Cawn sylwi ar y broblem fel yr ymddangosai i'r geilwad a'r
amaeth yng Nghymru yn yr Oesoedd Tywyll. A bwrw bod
wyth o ychen wedi eu cyfrannu gan y cyfarwyr a'u bod i'w
gosod ochr yn ochr â'i gilydd o dan yr hir-iau. Mae'n debyg y
byddai'r ychen yn amrywio mewn maint, oedran a phrofiad.
Byddai rhai ohonynt yn gallu aredig yn y rhych ac ar y gwellt.
Byddai eraill wedi ymarfer ag aredig ar un ochr yn unig. Y
peth cyntaf i'w wneud fyddai dewis y rhychor mwyaf a gorau.
Gosodid hwnnw ar y llaw dde i ganol yr iau. Yn nesaf ato ar y

---

[1] *Book of Husbandry*, E.E.T.S. edn., td. 24.
[2] *Gwaith Dafydd Nanmor*, td. 133.
[3] *Llyfr Du o'r Waun*, td. 111 ; *Anc. Laws*, I, td. 320.

llaw chwith i ganol yr iau fyddai lle'r gwelltor gorau. Penderfynid lleoedd yr ychen eraill wedyn yn ôl eu gallu neu anallu i droedio'r âr, canys er na byddai ond un rhychor yn y rhych ei hun, byddai'n well petasai'r tri arall ar ei ochr ef yn gynefin â throedio'r pridd canys yno y byddent yn fuan wrth i'r âr ymledu. Byddai'n fantais hefyd pe digwyddai fod ychen y gwellt heb fod mor uchel a rhai'r rhych. Y drefn yr ymdrechai'r geilwad ati fyddai fel hyn : y pedwar rhychor yn dalach na'r pedwar gwelltor ; y rhychor gorau yn y rhych ei hun a'r gwelltor gorau yn nesaf ato i'r chwith ; y goreuon o'r gweddill ym mhennau'r iau ; y rhelyw yn ffitio i mewn rhyngddynt.

Yn awr, bydd yn amlwg paham y gwaherddid i neb gymryd ei ych o'r wedd a gosod un arall yn ei le heb ganiatâd. Gellid trwy hynny ddifetha cydbwysedd yr holl wedd. A gellid gwneud yn gyffelyb pe symudai dyn ei ych o'r rhych i'r gwellt, —a dyna paham y gwaherddid hynny hefyd. Y mae pwynt arall. Er cael hanner y wedd yn rhychorion a'r hanner arall yna ychen gwellt, onid oedd y cwbl ohonynt (pan arferid yr hir-iau) yn fwy neu lai cydnerth ni byddai'n deg ar eu perchnogion. Byddai'r ychen cryfaf yn cael gormod o'r baich a'r rhai gwanaf yn dioddef—yn cael eu trechu. Byddai perchnogion y naill a'r llall yn cwyno a chwynai'r amaeth a'r geilwad hefyd oblegid y taliadau y gellid hawlio ganddynt pe digwyddai drwg i un o'r anifeiliaid dan eu gofal. Felly dyma'r Gyfraith yn dangos ei doethineb unwaith eto drwy sicrhau, cyn belled ag oedd bosibl, yr anfonai dynion eu hychen gorau i'r cydaredig. Gwnaeth hyn drwy ddatgan y rhennid yr erwau ' o orau i orau i'r ychen.'[1] Gan hynny yr oedd rheswm da dros i bawb anfon yr anifeiliaid gorau.

Pe dewisid ieuo'r ychen mewn hir-wedd lle trefnid hwy yn ddeuoedd o dan fyr-ieuau, y cam cyntaf fyddai eu rhannu yn rhychorion a gwelltorion. Wedyn gofelid ieuo pob rhychor gyda gwelltor cymharus fel y byddai pob pâr yn gydweddus o ran oedran a nerth. Gorau oll fyddai pe digwyddai fod y rhychor ychydig yn dalach na'i gymar. Ar ôl cymharu'r ychen yn foddhaus byddai raid trefnu'r parau. Yn ddieithriad, lle'r pâr cryfaf fyddai'r iau fôn nesaf at yr aradr, canys arnynt hwy

[1] *Llyfr Du o'r Waun*, td. 109, *Anc. Laws*, I, td. 314.

y byddai'r rhan fwyaf o'r baich wrth nesáu at y dalar oherwydd bod y parau blaen yn dechrau troi ac yn llacio yn eu hieuau. A bwrw bod y gweddill o'r parau mor wâr yn y wedd â'i gilydd, fe'u gosodid yn ôl eu taldra gyda'r pâr talaf yn yr iau flaen a'r lleill yn yr ieuau canol.

Wrth gwrs, y mae'r adrannau hyn am iawn drefnu'r wedd yn fynegiant o'r hyn a wnâi unrhyw arddwr mewn unrhyw gyfnod yn reddfol petasai'n gweithio ei anifeiliaid ei hun er ei les ei hun.   Daethant yn rhan o'r gyfraith yng Nghymru oherwydd bod cyfar yn amod rhwng unigolion rhydd a oedd biau eu hychen eu hunain ac oherwydd bod perygl y byddai ymhlith dynion o'r fath rai yn barod i gymryd mantais ar ei gilydd.

Parthed y nifer o ychen a ieuid yn y gweddoedd hyn, y mae'n amlwg oddi wrth yr amrywiol ieuau yr amrywiai'r nifer. Byddai lle i wyth ohonynt yn yr hir-iau, a dyna'r nifer a ddeellir wrth reolau rhannu'r erw yn y Gyfraith,[1] o'r ddeuddeg erw y mae'r cyfarwyr dan amod i'w troi, cymerir pedair ar gyfer yr amaeth, perchennog y swch a'r cwlltwr, y geilwad, a pherchennog yr aradr, gan adael erw bob un i berchnogion wyth ych.   Yn yr Oesoedd Canol ac yn ddiweddarach, fel y cawn weld, fe amrywiai'r gweddoedd o wyth i bedwar.

Efallai yr ymddengys gwedd o wyth yn wastraffus, ond nid felly yr ymddangosai yn y cyfnod yr ymdrinir ag ef yma. Synnwyr cyffredin oedd gosod cynifer yn y wedd ag a oedd yn ymarferol canys felly ni orweithid ych neb, ystyriaeth bwysig i'w berchennog.   Y mae ystyriaeth arall hefyd : nid oedd ychen yr Oesoedd Tywyll a'r Oesoedd Canol mor fawr a nerthol â rhai y canrifoedd diweddarach. Fel y sylwyd eisoes y mae iau i ddau ych o'r bedwaredd ganrif ar bymtheg yn llawer lletach nag iau gyffelyb y Gyfraith. Mae'n amlwg felly fod ychen yr Oesoedd Tywyll yn gulach o lawer ac yn llai nag ychen ein cyfnod ni. Serch hynny, ni ddylid tybio y gallai pob pâr o ychen yn y cyfnodau cynnar ffitio i mewn i iau lathen o hyd. Yr anhawster yw fod ieuau'r Gyfraith yn unedau mesuroniaeth hefyd, ac fel unedau eraill yn yr un fesuroniaeth, e.e. palf, naid, etc., gallent amrywio. Fel y dengys tystiolaeth hen ieuau eu

---

[1] *Llyfr Du o'r Waun*, td. 107 ; *Anc. Laws*, I, td. 314.

hunain, ni ellid cydymffurfio'n fanwl â llythyren y Gyfraith
wrth ddefnyddio iau i ieuo ychen yn hytrach na fel uned
mesur. Er enghraifft, byr-ieuau ydyw'r ddwy a ddarganfuwyd
yn yr Alban, ac y mae'r naill yn 33 o fodfeddi o hyd a'r llall yn
41½. Ceir hefyd yn Amgueddfa Genedlaethol Iwerddon bedair
ber-iau o'r Oesoedd Tywyll sy'n amrywio o 35 i 45 modfedd.
Tystia'r ffigurau hyn fod yr ychen yn amrywio mewn maint.

§

Buddiol, efallai, fydd ystyried am ychydig yr hyn a wyddys
am wartheg Prydain yn y cyfnodau bore. Cafodd y pwnc sylw
gan yr archaeolegwyr a ddarganfu eu hesgyrn a chan y
soölegwyr a'u hastudiodd. Ymddengys bod gwartheg Prydain,
wedi disgyn o ddwy rywogaeth wahanol, sef gwartheg hirgorn
mawr, gwyllt (*Bos primigenius*) a gwartheg byrgorn, bychain
(*Bos longifrons*). Ceir olion y rhai hirgorn o gyfnod Oes Gynnar
y Cerrig[1] ac o'r rhywogaeth hon y tardd y cwbl o'r gwartheg y
ceir eu gweddillion yn nhrigfannau Oes Newydd y Cerrig.
Ni wyddys pa bryd y darfu am y brid hwn, ond fe ddywedir y
ceir rhai o'i nodweddion ar y gwartheg gwyn, hanner gwyllt, y
ceir ychydig ohonynt ym Mhrydain hyd heddiw. Tybir
ymhellach fod disgynyddion y brid hwn ym mysg hynafiaid rhai
o fridiau hirgorn y wlad.

Ceir olion cynharaf yr ail rywogaeth (*Bos longifrons*) yn
nhrigfannau a berthyn i Oes Ddiweddar y Pres. Gwartheg
bychain, byrgorn oedd rhai y rhywogaeth hon, a hwy yw'r
gwartheg y ceir eu gweddillion yn gyffredinol yn nhrigfannau
Oes yr Haearn a'r cyfnod Rhufeinig er bod tystiolaeth i
anifeiliaid hirgorn i'w chael yma a thraw.[2]

Digwydd gwartheg digorn, gwartheg moel, yn gynnar iawn
hefyd. Darganfuwyd rhan o benglog un felly a ddyddir i'r
bumed neu'r chweched ganrif C.C. yn All Cannings Cross[3] a
chafwyd penglogau tebyg a berthyn i ddau deip gwahanol yn y
gaer Rufeinig yn Newstead ac yn Bar Hill.[4]

Fel crynhoad o'r farn ddiweddar ar y pwnc dyfynnaf o

[1] e.e. yn Ogof Paviland yng Ngŵyr.
[2] e.e. Ynys Afallon ; Newstead ; *villas* Rhufeinig Nuthills, Wiltshire, a Park
Street, ger St. Albans.
[3] A. Keiller, *All Cannings Cross*, td. 44.
[4] J. Curle, *A Roman Frontier Post & its People*, td. 375.

adroddiad Syr Bryner Jones ar weddillion gwartheg a ddarganfuwyd mewn *crannog* yn Ballinderry, Westmeath, Iwerddon. Gan fod y drigfan hon yn perthyn i'r wythfed ganrif O.C. ac allan o gyrraedd dylanwadau tybiedig y Saeson cynnar (y clywir amdanynt hyd yn oed ar y pwnc hwn) y mae'r hyn a ddywedir o ddiddordeb arbennig. Dywed Syr Bryner : ' In Britain and Ireland, domesticated cattle from Neolithic to comparatively modern times . . . were, from the point of view of the modern breeder, a mixture of various types, in the main small in size . . . Generally speaking . . . the common domesticated cattle were of much the same variable type, both in Britain and Ireland, those on good land being no doubt bigger and heavier than those in the poorer districts. . . . As far as skull formation is concerned, there is hardly a modern breed that does not find its prototype among the remains found at various sites from Windmill Hill to the Irish crannogs. Among the Ballinderry group of skulls . . . may be discerned the types represented by the modern Kerry, the Longhorn, the Hereford, the Shorthorn, and the Aberdeen-Angus or Red Poll. There is not much to distinguish them generally from the skulls of the Roman and the earlier periods in Britain.'[1]

Fel y gellid disgwyl, fe geir yng nghyfreithiau a llenyddiaeth gynnar Cymru, ac yn ein llên gwerin hefyd, gyfeiriadau at yr amrywiaeth rhywogaeth a brid y sylwyd arni uchod. Cymerwn i ddechrau yr ych enfawr, yr *Urus* neu *Bos primigenius.* Y mae'n lled sicr mai ef neu'n hytrach ei ddisgynydd Neolithig ydyw ych bannog, h.y. ych hir ei gyrn, ein llên gwerin. Sonnir amdano yn Culhwch ac Olwen.[2] Yn y chwedl honno y mae dau ych bannog wedi eu gwahanu gan Mynydd Bannawg a'r gamp ydyw eu dwyn at ei gilydd a'u hieuo, gyda phedwar ych arall a enwir, wrth yr aradr. Y mae amryw bwyntiau diddorol yn hyn. Yn gyntaf yr awgrym (a geir bob tro yn ein llên gwerin) am brinder ychen bannog. Dim ond dau ohonynt sydd yn Culhwch a'u bod wedi eu didoli. Yn ail, y posibilrwydd o'u dofi, a'u cyd-ieuo ag eraill i aredig. Yn drydydd, eu cyd-oesi ag ychen o liw a rhywogaeth arall. Du oedd lliw yr

---

[1]*Royal Soc. Antiq. Ireland,* LXXIV, Pt. III, tt. 142-3.
[2]*The White Book Mabinogion,* tt. 240-1.

Darlun XXII.   Aradr wedi ei gwneuthur gan John James, Tal-y-bont ar Wysg, Brycheiniog Tua 1890.

Parish of Llanelly.

THE
PLOUGHING
MATCH
FOR THE YEAR 1855
WILL BE HELD
On TUESDAY, the 27th day of MARCH, 1855,
ON
BRYNYGROES-FAWR FARM,
NEAR CAPEL CLEMENT.

Each Ploughman will be required to complete his work, a quarter of an Acre, in 4 hours. Ploughmen who have gained a First Prize at any Match whatever, will not be allowed to compete. Any Ploughman who has taken a Prize must advance upon the last Prize taken by him.

1st Prize	2 0 0	3rd Prize	1 5 0
2nd do.	1 10 0	4th do.	1 0 0

Unsuccessful Competitors, a Dinner.

All Persons paying Rates in Llanelly Parish may bring or send Ploughs to compete.

All Subscribers of Five Shillings are allowed to send one Plough Free of Entrance; and all Non-subscribers to pay the Sum of Two Shillings and Six-pence before they will be allowed to compete for the above Prizes.

All Ploughs to be on the Field at half-past 9 o'Clock, and prepared to start at half-past 10 precisely.

Notice of the Intention to Compete should be given to Mr. W. Rees, Soho; Mr. David Humphreys, Machynis; Mr. W. James, Llanelly; or Mr. Moodie, Penyfan: and to either of whom the Entrance Fee may be paid. Cash in Treasurer's hand since last year £3 16 0.

Notice must be given and the Entrance Fee Paid on or before the Twenty-Sixth day of March instant.

AN ORDINARY WILL BE PROVIDED AT Mr. E. JONES, FARMER'S ARMS, CROESLAW MOUNTAIN.

W. JAMES, Secretary.

Llanelly, March 20th, 1854.

THOMAS, PRINTER, LLANELLY.

Darlun XXIII.

Hysbysiad Preimin, 1855.
Yn Amgueddfa Werin Cymru.

(*Trwy ganiatâd Amgueddfa Genedlaethol Cymru*)

Urus,[1] ond ' melyn gwanwyn ' a ' brych ' oedd dau o'r ychen
a oedd i'w hieuo â hwy. Dau ych, goroeswyr unig, yn marw ar
ôl eu didoli a geid yn y stori yn ardal Llan-bryn-mair, a
phwysleisir maint yr ychen. Dywedir bod cylch o gerrig sydd
ar Newydd Fynyddog wedi ei osod i farcio maint croen un
ohonynt.[2] Dau ych eto sy'n y fersiwn o'r stori a gysylltir â
Llyn yr Afanc[3] ar afon Conwy. Y maent wedi eu dofi i'r iau a
phwysleisir eu nerth a'u maint. Dangosir eu maint gan Bwll
Llygad Ych, pwll a ffurfiwyd pan gollodd un o'r ychen ei
lygad ! Dau ych eto, a'r naill yn marw sydd yn y stori fel y
ceid hi o gwmpas Tregaron.[4] Ychen gwaith ydynt a dangosir
eu cryfder anghyffredin gan Gŵys yr Ychen Bannog, clawdd a
red dros y mynydd. Ac yn yr ardal hon ceir tystiolaeth sy'n
cysylltu ych bannog ein llên gwerin â'r *Urus* cyntefig yn
bendant. Bu gynt ar gadw yn eglwys Llanddewi Brefi gorn,
neu'n gywirach mabcorn, ych o faint anferth. Dug yr Esgob
Gibson sylw ato yn ei argraffiad o Camden yn 1695. Yn 1866
yr oedd darn o'r mabcorn ym meddiant y Parchedig James
Hughes, Glan Rheidol, ac yn y flwyddyn honno fe'i astud-
iwyd gan Boyd Dawkins a ganfu mai mabcorn 'the great
Urus—*Bos primigenius*' ydoedd.[5] Yn 1953 fe roddwyd y crair
diddorol hwn i Amgueddfa Werin Cymru gan Mr. G. W. R.
Marriott Parry, Llanilar.

Y mae llên yr ychen bannog yn enghraifft dda o hynafiaeth
fawr peth o'n llên gwerin. Y mae'r manylion a adroddir am yr
ychen hyn,—eu prinder yn y wlad, y ffaith eu bod wedi eu dofi
i'r iau a'u bod yn oroeswyr unig mewn cyfnod pan geid ychen
llai eu maint, gwahanol eu lliw, o rywogaeth arall,—y mae'r
manylion hyn yn cyfeirio'n gryf at y cyfnod a elwir yn Oes
Ddiweddar y Pres.

Megis y mae llên gwerin yn trysori cof am yr ychen cyntefig
hyn felly hefyd y mae, mewn haenau diweddarach, yn cofnodi
eu disgynyddion mewn oes ddiweddarach. Fe gofir inni weld

---

[1]*Enc. Brit.*, 11fed. arg., *s.v. aurochs.*
[2]Richard Williams, *History of Llanbrynmair* (1889), td. 138. Dyledus wyf i'r
Dr. I. C. Peate am y cyfeiriad hwn.
[3]Rhys, *Celtic Folklore*, I, td. 130.
[4]*ibid* II, 579.
[5]W. S. Symonds, ' Notes on a portion of the Matgorn-yr-ych canawg ' yn
Arch. Camb., 1868, tt. 85—89.

fod y gwartheg duon Cymreig a'r rhai gwyn hanner gwyllt yn disgyn mewn rhan o'r *Urus.* Ymddengys bod y rhai olaf yma yn gangen *albino* o'r rhai duon.[1] Fel y dywedais fe gofnodir hwynt yn ein llên gwerin ac, megis gyda'r ychen bannog, eu cofnodi yn y cyd-destun iawn.

Yr enghraifft fwyaf nodedig ydyw chwedl Llyn-y-fan Fach. Amserir y stori yn ei ffurf hysbys yn y ddeuddegfed ganrif, a hynny, efallai, am resymau a nodir isod. Ond nid oes amheu-haeth ei bod yn hŷn o lawer na hynny ac nid â Meddygon Myddfai y buasai pobl y ganrif honno yn ei chysylltu. Chwedl am bobl a breswyliai mewn *crannog* ydyw, math o drigfan na ddisgwylid ei chael yma ar ôl dechrau'r Oesoedd Tywyll. Ni raid ymdroi gyda manylion y stori : y peth pwysig inni yma ydyw'r disgrifiad o'r gwartheg :

> Mu wlfrech, moelfrech
> Mu olfrech, Gwynfrech
> Pedair cae tonn-frech
> Yr hen wynebwen
> A'r las Geingen
> Gyda'r Tarw Gwyn
> O lys y Brenin
> A'r llo du bach
> Sydd ar y bach
> Dere dithau, yn iach adref

A dyma'r ychen a oedd yn aredig :

> Pedwar eidion glas
> Sydd ar y maes
> Deuwch chwithau
> Yn iach adre.

Gwelir yma gymysgedd brid a lliw diddorol iawn : gwartheg brych, gwyn, du a glas (= llwyd), a chynrychiolir brid moel, di-gyrn, a brid tebyg i rai sir Henffordd. Yn y tarw gwyn fe geir un o'r gwartheg hanner gwyllt y soniwyd amdanynt uchod sy'n disgyn o'r *Urus.* Mae'r ' llo du bach ' yn cynrychioli disgynyddion o bell fel rhai Castell Martin, neu fe allasai fod yn un o'r lloi duon a ddigwydd weithiau yn y brid gwyn, rhyw *reversion to type.*[2] Dywedir bod y tarw gwyn yma ' o lys y Brenin '

---

[1] *Enc. Britt.*, 11fed. arg. *s.v. aurochs.*
[2] Genir lloi duon i wartheg gwyn Chillingham o bryd i bryd. Fel y ' llo du ar y bach ' eu lladd a wneir.

Darlun XXIV.

Gwartheg gwyn 'gwyllt' ar dir Castell Dinefwr, sir Gaerfyrddin.

(Trwy ganiatâd Miss M. Wight)

ac fe geir goleuni ar hyn yng Nghyfraith Hywel lle ymdrinir â
sarhaed Brenin Aberffraw : ' can myhu urth pop cantref . . . a
tharv gwyn eskyuar llennyc urth pob canmuw onadunt . . .'[1]
Pwysicach i'n pwrpas, fodd bynnag, yw'r hyn a gâi arglwydd
Dinefwr dros ei sarhaed, sef ' gwarthec gwynnyon clust
gochyonn . . . a tharw un lliw ac wynt y gyt a phob vgeint o
honunt.'[2]

Ni ellir dweud pa mor gynnar yn hanes chwedl y Llyn y
cysylltwyd y tarw gwyn â theirw gwynion llys yr arglwydd, a
hynny oherwydd ein hanwybodaeth o wir hynafiaeth y rhan
hon o'r Gyfraith.   Ond erbyn yr Oesoedd Canol y mae'n
debyg fod rhyw gysylltiad ym meddwl y werin rhwng tarw
Llyn-y-fan a theirw llys frenhinol gyfagos Dinefwr.   A rhyw
gysylltiad felly rhwng y chwedl a'r llys yn bod, hawdd gweld
sut y gallai cysylltiad diweddarach rhwng ardal y llyn a'r llys—
sef hwnnw rhwng y Meddygon a Rhys Gryg—ddyfod (mewn
cyfnod diweddarach fyth) yn rhan o chwedl y llyn.   Ac yna,
wedi i'r meddygon ddyfod i mewn i'r stori, dyna amseru'r
cwbl yng nghyfnod Rhys Gryg.   Hwylusid clytio hen chwedl
gynhancsiol wrth stori ddiweddarach y meddygon (a hefyd yr
ail-amseru yn eu cyfnod hwy) gan elfen barhaol y gwartheg
gwyn.   Bu gyrr o'r gwartheg hyn ar dir Dinefwr ers cenedlaeth-
au.   Sonia Fenton amdanynt rhwng 1804 a 1813.[3]   Dangosir
rhai o'u disgynyddion yn 1947 yn Darlun XXIV.

Ceir ym ' Moelfrech ' gynrychiolydd brid digorn.   Fel y
gwelsom eisoes, darganfuwyd penglog un o'r fath a berthyn i'r
bumed neu'r chweched ganrif cyn Crist ac fe ddarganfuwyd
eraill a berthyn i'r cyfnod Rhufeinig ac i'r Oesoedd Tywyll
Cyfeirir at wartheg moel yn Llyfr Taliesin[4] ac yn y Gyfraith.[5]
Hyd y sylwais, un cyfeiriad at ych du sydd yn y Gyfraith.[6]
Mae'n bosibl mai anifeiliaid tebyg i rai Henffordd a gynrych-
iolir gan ' yr hen wynebwen,' ac, a barnu wrth eu lliw, y mae'n
bosibl hefyd mai math o wartheg byrgorn oedd ' y las Geingen '
a'r pedwar ' eidion glas.'   Cyfeirir at rai byrgorn yn y Gyfraith.[7]

[1]*Anc. Laws*, I, td. 6.
[2]*ibid*, td. 346.
[3]*Tours in Wales*, arg. 1917, td. 62.
[4]td. 39, ' Nyt yscafael yneb dwyn biw moel.'
[5]*Anc. Laws*, I, tt. 562, 714 : ' eidon moel.'
[6]*ibid*, td. 316 : ' eru er hecc dw.'
[7]*ibid*, td. 88 : ' eydyon kehyt eu corn ac eu eskeuarn.'

I ba gyfnod, ynteu, y dylid priodoli cynnwys gwreiddiol
chwedl Llyn-y-fan ? Ymddengys i mi y gallai fod mor gynnar
ag Oes yr Haearn. Mae'r mathau o wartheg a ddisgrifir ynddi
yn cytuno â'r hyn a wyddys am rai Prydain o'r cyfnod hwnnw
hyd yr Oesoedd Tywyll. Dyna hefyd gyfnod y *crannog*, trigfan
mewn llyn.

Gellid bod yn lled sicr fod yn y defnyddiau y sylwyd arnynt
yma ddarlun cywir o'r rhywogaethau gwartheg a feddai'r
Cymry cynnar. Y maent yn help inni wisgo â chig a blew a lliw
y gweddillion esgyrnog a ddarganfuwyd gan yr archaeolegwyr.
Y maent felly yn help inni synio'n gywirach am yr ychen
amrywiol a dynnai erydr yr Oesoedd Tywyll.

§

Nid ymddengys bod gwartheg yr Oesoedd Canol yn wahanol
i'r rhai a ddisgrifiwyd uchod. Anodd fuasai gwella arnynt yn
amgylchiadau'r cyfnod.   Meysydd agored yn hytrach na
chaeau parhaol a oedd arferol ac ni ellid rheoli epilio. Fel y
cawn weld, fe geir yng nghywyddau'r bymthegfed ganrif a'r
unfed ganrif ar bymtheg dystiolaeth fod rhywfaint o ymdrech i
ddewis teirw, a diau bod yn y canrifoedd hynny adnabyddiaeth
o nodweddion anifeiliaid da. Ni ellir, fodd bynnag, ganfod
olion o hyn yn yr Oesoedd Canol.

Parhawyd drwy'r cyfnod, ac am ganrifoedd wedyn, i ieuo
nifer mawr o ychen mewn aradr. Yn 1287 deddfwyd gan yr
Esgob Bell mai wyth ych a oedd i dynnu pob un o'r ddeuddeg
aradr ar hugain ar ystadau esgobaethol Tŷ Ddewi. Yn 1379
lleihawyd nifer yr erydr ond fe gadwyd wyth ych yn y wedd.[1]
Ar y maenorydd gweddoedd o chwech neu wyth a oedd yn
arferol Er enghraifft, ceid chwech yn Llanfihangel, sir Fynwy,[2]
wyth yn Tidenham[3] a chwech yng Nghastell-y-maen.[4] Sonnir
am wedd o chwech mewn dogfen gyfreithiol o'r bedwaredd
ganrif ar ddeg.[5] Ceid gweddoedd o wyth yn Nhre-fin, sir

---

[1]§17, Statutes of Thos. Bell 1287, §3, Statutes of Adam Houghton, 1379. Dyledus
wyf i Mr. J. Conway Davies am y cyfeiriadau hyn.
[2]William Rees, *South Wales & the March*, td. 158.
[3]*ibid*, td. 165.
[4]*ibid*, td. 255.
[5]*Anc. Laws*, II, td. 458.

Benfro, yn yr un ganrif.[1] Yn 1536 gadawodd Thomas Phillip,
tad Hopkin Thomas Phillip, y bardd, yn ei ewyllys ' to ho'l
my eldest son a plow VI of oxen . . . also to Watkyn . . . VI
oxen . . . wth the plow.'[2] Yn 1598 gadawodd Morgan Nicholas,
Gwenfô, Morgannwg, ' six oxen . . . wth the yockes and other
things belonginge to the oxen.'[3] Weithiau fe geir gwedd o
bedwar, e.e. yn 1584 yn rhestr eiddo John Stepleton, Llan-
bryn-mair.[4]

Er na newidiwyd nemor dim ar yr ychen eu hunain yn yr
Oesoedd Canol, fe ymddengys i rywfaint o newid yn nulliau
ieuo ddigwydd erbyn dechrau'r cyfnod hwnnw. Fel y gwelsom,
dywed Gerallt Gymro i Gymry'r ddeuddegfed ganrif ieuo gan
amlaf yn bedwaroedd ac weithiau yn ddeuoedd. Hynny yw,
parhawyd i ddefnyddio'r ailiau a'r fer-iau ond nid oes sôn am
y geseiliau a'r hir-iau. A ddarfu amdanynt ymhell cyn rhan
olaf y ganrif pan sgrifennai Gerallt ? Yn araf iawn y newidiai
arferion amaethyddol yn y dyddiau gynt. Ymddengys oddi
wrth a ddywed Robert Vaughan o Hengwrt i iau boblogaidd
y ddeuddegfed ganrif,—yr ail iau—barhau yn y caeau am dair
canrif ar ôl marw Gerallt. Sôn y mae Vaughan am ieuau'r
Gyfraith mewn llythyr at yr Archesgob Usher a sgrifennodd yn
1652. Ebr ef : ' the first was such as we use now a days for a
couple of oxen. The second was that mentioned by Giraldus,
serving four oxen, the third I suppose suitable to those two for
six oxen ; and the fourth consequently for eight oxen, the two
last are clean forgotten with us, and not so much as a word
heard of them, saving what is in that old law, but of the second
mentioned by Giraldus, we have a tradition that such was in
use with us about six-score years ago ; and I heard (how true I
know not) that in Ireland the people in some places do yet, or
very lately did the same . . .'[5]

Felly, rywbryd tuag 1530 y darfu am yr iau a gymerai
bedwar ych ochr yn ochr. Ceir cyfeiriad pendant ati mewn
cywydd i erchi ychen gan Ieuan Deulwyn a ganwyd rhwng 1474

[1]*Pembrokeshire Antiquities* (1897), td. 36.
[2]L. Hopkin James, *Hopkiniaid Morganwg* (1909), td. 21.
[3]Mathews, *Cardiff Records*, III, td. 114.
[4]*Mont. Coll.*, XXIII, td. 287.
[5]*Cambrian Register*, II, td. 476. Diolchaf i'r Athro Thomas Jones am dynnu fy
sylw at y llythyr hwn.

a 1492.[1] Erchir yr ychen dros Syr Rhys ap Tomas. Chwech ych sydd arno eu heisiau god fod ' par gan y barwn ' eisoes. Erchir ychen i'r iau fôn gan Dafydd Llwyd, abad Aberconwy, a'r Deon Kyffin :

> os dechray llyfray u llann
> u iay von yra yvaynan
> lle cyntaf yw r maister Davydd
> llwyd yn roi lladin yn rydd
>
> . . . . . .
>
> troi rwyf u tyray oy ran
> tid u iay at u dyan
>
> . . . . . .
>
> uchen u gewch u no a gwin
> eythyr koffa athro kyffin

Llanwyd yr iau fôn gan ychen y ddau ŵr yma. Mae'n amlwg oddi wrth weddill y cywydd mai pedwar ych oedd cyfraniad yr Abad a'r Deon at y wedd ac i'r pedwar fynd o dan un iau. Nesaf fe ofynnir am ddau ych gan Wiliam ap Gruffydd ap Robin o'r Penrhyn a'r ddau yn rhychorion :

> day uchen u ssiamerlen sant
> uw day rychwr ydrychant

a'r ddau yn mynd i'r un iau :

> ar wiliam yra r ailiay.

Yn awr ni roid dau *rychor* o dan yr un iau onid oedd yn iau i bedwar ych ac, wrth gwrs, ' ailiay ' ydyw enw iawn y fath iau. Mae'n amlwg y llanwyd y gwagle ynddi gan y pâr a oedd gan Syr Rhys yn barod.

Dyma ni ynteu gyda phâr Syr Rhys a pharau'r tri gŵr arall, neu, a dyfynnu'r bardd :

> waithan y bydd wyth ar bar

Ond nis hieuid hwynt yn ddeuoedd eithr yn bedwaroedd :

> eythyr y bod wyth ar bedwar.

O'r cywyddau ychen a welais dyna'r unig un sy'n sôn am drefnu'r ychen yn bedwaroedd, ac fe ganwyd ef ryw ddeugain mlynedd cyn yr amser y dywed Vaughan i'r ailiau ddiflannu.

---

[1]Ifor Williams, *Gwaith Ieuan Deulwyn* (1909), td. 42.

Yn y cywyddau eraill trefn yr hir-wedd gyffredin a geir, a'r ychen yn ddeuoedd y naill bâr o flaen y llall. Cymerer er enghraifft gywydd arall gan yr un bardd[1] lle erchir dros Wallter Hafart i chwech o bendefigion sir Gaerfyrddin. Gofynnir yn gyntaf am ddau ych gan ddau fab Gruffudd ap Niclas :

> dwy ddol at lin nikolas
> y ra vry ar iay vras
> troir offer at blant ryffydd
> tid u iay von y tad vydd.

Mae'n eglur mai dolau i ddau ych oedd ar iau fôn y wedd hon. I lenwi'r iau nesaf o flaen hon, yr ' iay genol,' fe droir yn gyntaf at Rhys ap Morgan o Landdeusant :

> may rychor ywch u gorwydd
> mawr gann rys ymorgan rwydd

Troir wedyn at Wallter ab Ieuan Glas o Langadog am gydymaith yr ych hwn :

> mi u gaf heb ddim travael
> welltwr hwn gan wallter hael.

Ni raid trafferthu gyda'r pâr olaf gan ei fod yn ddigon amlwg mai chwech ych wedi eu trefnu mewn hir-wedd a geir yma.

Chwech ych a erchir dros Tomas o'r Yslwch ger Aberhonddu gan Hywel ap Dafydd ab Ieuan ap Rhys[2] ac fe ddywedir bod tair iau a dau ych i bob iau :

> o chyffroan chweffrior
> vwch ywr kyrn no chwech or kor
> bob chwech y kyd ymdrechant
> bob ddav yr vniav y rant
>
> . . . . . .
> Trichwpl ynt or tir vwchel
> tairiav yn ddarnav pan ddel.

Mewn cywydd arall gan yr un bardd[3] gofynnir am wyth ych dros Gwilym ap Rhys o Gastell Madog, Brycheiniog. Mae'n amlwg ei ganu yn ystod Rhyfel y Rhosynnau. Erchir ' wyth dragwn ar waith dreigiav ' ac unwaith eto mewn hir-wedd y

[1]*ibid*, td. 44.
[2]E. Stanton Roberts, *Peniarth Ms. 67*, td. 89.
[3]*ibid*, td. 91.

trefnir hwynt,—pedair ber-iau y naill o flaen y llall ynghyd â'r dolau arferol :

> dav a dav n tynny r did ol
> wyth dol ar waith y delynn
> yn yr wyth dol annrraith dyn
> bid aradr wr bedeiriav
> bid ar hvr bedwar yw hav.

Erchi ychen drosto ef ei hunan a wna Llawdden mewn cywydd i Watcyn Fychan o Hergest.[1] Sonia amdano'i hun yn aredig â dau ych a chael nad oeddynt yn ddigon at y gwaith :

> Bvm yn aredig brig bron
> wrth did o nerth dav eidion
> od erddir crindir croendwnn
> ni ddaw had newydd o hwnn
> aed iav iddaw a dwyddol
> nid ardd ddim o dir y ddol

ac felly, ebr y bardd :

> archwn help ir ychen hynn.

Y mae am roi'r gorau i glera, a byw ar ei dyddyn :

> llafûrio ywn holl fwriad
> bara heb gelera gwlad.

Henaint yw'r rheswm dros hyn fel y gwelir tua diwedd fy cywydd :

> henawdûr hv iawn ydwyf
> fal ar dy dad arnad wyf.

Ymddengys mai gwedd o bedwar ych sy'n ddigon ar ei dir ef canys dau a erchir

> dav ychen ail Dydecho
> od ardda fyth dy rodd fo.

Dywed He mae'r ychen a ddeisyf i'w cael :

> mae n Hirddowel fûgelydd
> ychen siop ywch yno sydd.

Mynydd ym Maeliennydd, enwog am ei borfeydd (ac am ei

---

[1]Llsgr. Llanstephan 128, td. 197 & llsgr. Mostyn 160, td. 258.

niwloedd) yw Hirddowel.[1] Rhydd Llawdden ddarlun byw ac amheuthun o'r sut y gofelid am yr ychen gan dyddynnwr a oedd hefyd yn fardd :

> bardd od ardd broydd ei daid
> bid gall rhag byd y gwilliaid
> lle r nos ar y llawr nesaf
> at y gell im ty a gaf
> gwely r amaeth ar geilwad[1]
> wrth y kor fal eirth i cad
> da gallwn a digellwair
> canv gwawd hwyntav n cnoi gwair
> cnoi cil megis canv caink
> wych a wna ychen ievaink
> ai dav anal a dynnant
> yma wrth waith mor a thant
> o chair y ddav garcharawr
> ai cyrn fal mer esgyrn mawr.

Wyth o ychen a erchir gan Guto'r Glyn.[3] Ni fanylir llawer arnynt, ond oherwydd eu herchi mewn cyplau gan bedwar gŵr a disgrifio un cwpl fel ' dau eidion bôn ' a sôn am y bedwaredd iau, mae'n amlwg mai trefn yr hir-wedd a geir yma eto.

Erchir gwedd o chwech gan Dafydd ab Edmwnt[4] mewn cywydd i feibion Dafydd ab Ithel o Laneurgain. Ni ellir bod yn sicr sut y trefnid hwynt gan brinned y manylion a roir ; ond fe elwir un ych yn ' ych kymar ' gan awgrymu eu hieuo yn ddeuoedd.

Chwech eto a erchir gan Huw Cae Llwyd[5] dros Wallter Hafart. Ceisir yr ychen gan chwe gŵr o gwmpas Cregruna a Glascwm yn Elfael, ac fe ddywedir bod gan Wallter Hafart fuchod eithr na ellid eu hieuo hwy :

> Er bod buchod heb ychen
> Nid a un fuwch dan y fen

---

[1]Trowyd yr enw yn ' Rhyddhowel ' ar y mapiau am ryw reswm. Dywed Leland : ' Ther is in Melennith plenty in sum places of corn, and great plenty of gress. In melennith is a good breed of horse on a mountain caullid Herdoel. Ther be left al maner of catail al winter, and prove welle.' Toulmin Smith, *Leland's Itinerary in Wales*, td. 109.

[2]Ymddengys fod tŷ Llawdden yn un o'r ' tai hirion ' yr ymdrin Dr. Peate â hwynt yn *The Welsh House*. Cyfeirir at dŷ cyffelyb mewn cywydd a briodolwyd i Dd. ap Gwilym yn arg. 1789, td. 318.

[3]*Gwaith Guto'r Glyn* (1939), td. 250.

[4]Ifor Williams, *Gwaith Dafydd ab Edmwnt* (1914), td. 115.

[5]Llsgr. Caerdydd, 18, td. 17.

Ni chai eidion ym chwedol
Nid arddai wyr dir y ddol
Eidionnau gwar dan y gwedd
A dry aradr oi orwedd.

Gwelir felly fod yr hen waharddiad ynglŷn â buchod dan yr
iau yn parhau yn y bymthegfed ganrif. Trefnir yr ychen mewn
hir-wedd eto canys tair iau sydd :

Ar ieuau ill tair ar wellton.

Gofyn Tudur Aled[1] am bedwar ych dros ryw Rhys ap
Dafydd a gafodd anffawd ddigon cyffredin :

Ehud fûm, symud o'm swydd,—
Eisieu oedran a sadrwydd ;
Mach fûm—nid mwy ŷch i fen,—
Ag wrth fach, gwerthu f'ychen.

Yn ddeuoedd y trefnir gwedd y gŵr hwn eto :

Dau bâr a oedd raid eu bod

Chwech ych i 'ddiwyllio gwyllt' yn Nantcriba ger Tre-
faldwyn a ofyn Owain ap Llywelyn Moel[2] gan chwe gŵr ym
Meifod, Garthbeibio, a Llwydiarth. Gwedd o wyth a erchir
gan Gruffudd Hiraethog[3] mewn cywydd i wyth o wŷr Môn, ac
fe drefnir yr wyth yn yr hir-wedd arferol :

wyth eidion llawnwaith ydynn
a than bob iau dau a dynn.

Yn y cywydd i ofyn aradr gan Roger Cyffin yr ymdrini wyd ag
ef mewn pennod arall fe ofynnir am ieuau i chwech o ychen
yn ddeuoedd :

mae ar hwn hoff fryttwn ffraeth
eisiav Ievav ysowaeth
rhowch Ievav tri dav ai dwg
a dolav mae n ydolwg.

Mae'n eglur o'r dyfyniadau uchod mai'r hir-wedd lle
trefnir yr ychen yn ddeuoedd o dan byr-ieuau a oedd yn
arferol yn ystod y bymthegfed ganrif a'r ganrif nesaf. O'r

[1] T. Gwynn Jones, *Gwaith Tudur Aled*, II, td. 440.
[2] Llsgr. Peniarth 86, td. 276.
[3] Dyfynnir o Draethawd M.A. Mr. William Richards.

deuddeg cywydd a ddyfynnir (sy'n cynrychioli Gogledd a
Deheudir yn gyfartal), un yn unig sy'n disgrifio ieuo yn
bedwaroedd. Gwelir hefyd fod tystiolaeth y cywyddau parthed
maint y wedd yn cytuno â'r hyn a gafwyd mewn cofnodion
mwy rhyddieithol. O'r deuddeg wedd a ddisgrifir y mae
pedair ohonynt yn cynnwys wyth ych, chwech yn cynnwys
chwech, a dwy yn cynnwys pedwar.

Er bod yr hir-iau a'r geseiliau wedi diflannu cyn yr Oesoedd
Canol, a'r ail-iau bron â diflannu erbyn yr unfed ganrif ar
bymtheg, fe arhosodd arferion traddodiadol yr arddwyr yn
ddigyfnewid. Gellir olrhain yn y cywyddau ychen yr un
manylion defodol ag a welsom yn y Gyfraith. Er enghraifft
fe gofir inni weld bod iawn drefnu anifeiliaid y wedd yn ddigon
pwysig i gael sylw cyfreithiol. Parhaodd hyn yn bwysig o hyd
a dyna paham y sonnir yn y cywyddau ychen am welltor a
rhychor, a phaham y mynnai Hywel ap Dafydd ab Ieuan ap
Rhys gael ' chwech go gytrech.'[1] Fel y gwelsom yng nghywydd
Huw Cae Llwyd uchod fe geid yn y bymthegfed ganrif yr un
gwaharddiad yn erbyn dodi buwch yn yr aradr ag a gafwyd
yng nghyfnod Hywel Dda. Arhosai oriau gwaith yr ychen yr
un. O'r bore hyd echwydd y dylid eu gweithio yn ôl y Gyfraith,
a dyna'r arfer o hyd : gweithio'r bore, gorffwys a bwyta'r
prynhawn. Chwedl Tudur Aled :

> tynnu'r did hyd hanner dydd[2]

Dywed Ieuan Deulwyn yr un peth, yn yr un geiriau mewn
rhan :[3]
> tewi gann vaint y hawydd
> tynny r did hyd hanner dydd
> u boray mywn kwyssay y kair
> brynawn mywn brwyn a henwair

A dyna Gruffudd Hiraethog :[4]
> borau maith kydwaith i kair
> pyrnhawn i poran henwair

[1]*Peniarth 67*, td. 89.
[2]*Gwaith Tudur Aled*, II, td. 442.
[3]*Gwaith Ieuan Deulwyn*, td. 47.
[4]Dyfynnir o Draethawd M.A. Mr. William Richards.

Parheid i alw'r wedd yn yr hen ddull. Ebr Guto'r Glyn wrth erchi ychen :[1]

> A gorau gŵr o'r graig ym
> A'u geilw, Gruffydd ab Gwilym

A dyna Ieuan Deulwyn eto :[2]

> may gailwad mi u gwelas
> yn galw ych mab ievan glas

A chyfeirir at ganu'r geilwad gan Dafydd ap Gwilym :[3]

> Yr ydym yn aredig,
> Wrth gywydd, beunydd i ben,
> Er achub gwaith yr ychen.

Fe dynnir gan Huw Cae Llwyd ddarlun o'r geilwad a'i gêr yn barod i ieuo :[4]

> Mae'r geilwad ar caeadau
> Yn i law n anelu iau
> Wrth i iau mae ierthywenn
> Rhy sych i aros ychen
> Ar ieuau ill tair ar wellton
> Heb un ddol hyd pan ddelon.

Fel esboniad ar hyn, dyma ddisgrifiad o'r un weithred yn nechrau'r ganrif hon yn Sussex : 'The process of being yoked . . . was an interesting sight, each beast answering to his name and walking slowly to his position in the span, would lower his head just sufficiently for the yoke to be placed on his neck and the bow fixed . . .'[5]

Ategir tystiolaeth y cywyddau ychen uchod parthed y wedd a'i threfn gan rai o'r cywyddau mawl[6] lle molir yn nhermau'r maes aredig gan fanylu ar y manylion technegol. Yn aml yn y cywyddau hyn fe ymrithia'r bardd fel y geilwad, fel y gwna

[1]*Gwaith Guto'r Glyn*, td. 252.
[2]*Gwaith Ieuan Deulwyn*, td. 46.
[3]*Barddoniaeth Dafydd ab Gwilym* (1789), td. 400.
[4]Llsgr. Caerdydd 18, td. 17.
[5]*Sussex County Magazine*, January 1939, td. 20.
[6]A chan rai o'r marwnadau hefyd, e.e. Marwnad Ieuan ap Hywel Swrdwal gan Hywel ap Dafydd ab Ieuan ap Rhys. Fel ych a gollwyd o'r iau y cwynir ar ôl Ieuan, ac fe gedwir at yr un gonfensiwn gan Llewelyn Coch y Dant a Gruffudd ap Dafydd Fychan yn eu hatebion i'r farwnad honno. Gweler Llyfr Hir Llanharan, tt. 158a—159b.

Hywel ap Dafydd ab Ieuan ap Rhys wrth foli meibion Rhys ap Siancyn o Lyn Nedd :[1]

> a'u gailwad hwynt ar glod hir
> y'm gailw y sawl a'm gwelir

Y mwyaf diddorol o'r cywyddau hyn ydyw 'Cywydd y cathrewr yn cathrain cerdd' gan Bedo Philip Bach.[2] Canu mawl pedwar mab Morgan ap Syr Dafydd Gam o Landdwy, Brycheiniog, a wna'r bardd, ond fe gymer arno mai ychen gwedd ydyw'r meibion ac yntau'n eilwad neu'n gathrewr iddynt. Fel bardd y mae ganddo'r cymwysterau cerddorol a ddisgwylid gan eilwad gynt :

> Geilwad gwŷr goludog wyf,
> Geilwad awdl a'r glod ydwyf,
> Geilwad gorwyrion Gwilym,
> Gwialen o'r awen rym.

Pedwar ych yn gwneuthur cyfar gyda'i gilydd ydyw'r meibion :

> Cyfeiriais hwy, cyfrwys ŷnt,
> Cyfar pedwar, pwy ydynt ?
> Meibion, blinion y blaned,
> Morgan crair meiri gwyn Cred.

Dyma hwy ar y maes, pob un wrth ei gymar yn ddeuoedd :

> Bob bedwar ymgymharant,
> bob ddau o'u blaen bawb ydd ânt.

Mae'r ddau gwpl i'w hieuo dan ddwy iau :

> Meibion dur llymddur Llamddwy,
> Meddiant teg, mae iddynt hwy
> Ddwy iau irion ddihareb,
> A'u dal a wnaf cyn dêl neb.

Yn awr y mae'r geilwad yn estyn un o'r ieuau i'r pâr hynaf yn y modd a ddisgrifiwyd eisoes :

> Estynnu iau Awst a wnaf
> O'r ddwy hyn i'r ddau hynaf.

Gelwir arnynt wrth eu henwau yn y modd arferol. Ieuan yw'r cadarnaf a'r mwyaf gwâr, felly o dan pen deau'r iau—h.y.

---

[1]D. Rhys Phillips, *The History of the Vale of Neath*, td. 492.
[2]Llsgr. Llanstephan 133, td.5 , a Llyfr Hir Llanharan, td. 233a. Diweddarwyd yr orgraff.

yn y rhych—y gosodir ef. Y mae Gwallter yn wylltach, yn
' ych ' llai teithiog, felly ar ochr y gwellt y mae ei le ef. A chan
mai'r ddau hyn yw'r ddau hynaf, ym môn y wedd y bechir eu
hiau hwy :

> Aed Ieuan i'r pen deau,
> Iefan a dynn fwy na dau ;
> Gwylltach a thaerach na thân,
> Gwallter yw gwelltor Ieuan.
> Dau a dynn, Duw a dynion
> A ry y farn, o'r iau fôn.

Rhaid dal ac ieuo'r pâr ieuengaf sionc yn awr. Yr iau flaen
yw eu lle hwy wrth reswm :

> Pan ddaliwyf y ddau ieuaf,
> Dilyn nos i'w dal a wnaf.
> Mynd a wna Maredudd
> I ben yr iau ni bu Nudd.
> Galwaf, a mi yw'r geilwad,
> Gwilym deg, un glaim â'i dad.
> Aed nowpar hyd yn Epynt,
> Ar iau flaen o ryfel ŷnt.

Bellach y mae'r wedd yn gyfan—y dolau wedi eu cau a dwy did
yn cysylltu'r ieuau â'i gilydd ac â'r aradr. Ac wrth edrych
arnynt yn eu dolau fe gofia'r bardd am ' ddol ' aur marchog eu
taid, Dafydd Gam, gan ddymuno y deuant hwythau yn farch-
ogion hefyd :

> Marchogion a ddôn' bob ddau,
> Myn Duw, i mewn eu dwyiau ;
> Dolau pur a dâl eu pwys
> A dwy did eu dau dadwys.
> Ysdofed, megis Dafudd,
> Aerwyau'r rhain o'r aur rhudd.

Fel y dywedodd y geilwad yn nechrau ei gywydd nid cerddi
ychen cyffredin a glyw ei wedd ef eithr clod cerdd dafod. Ac
y mae gwin y gerdd honno yn effeithio arnynt :

> Torri a wna'r anturwyr
> Tir newydd ar gaerydd gwŷr ;
> Cwyso wnânt, cawsant win,
> Cwys o dawn meibion Cystennin.
>
> . . . . .
>
> Ffordd yr ardd pâr fy marwn,
> Fyth o Gred ni fetha grwn.

§

Hyd yma fe ddilynasom hanes y wedd hyd ddiwedd yr unfed ganrif ar bymtheg. Gwelsom i ail-iau'r Oesoedd Canol ddiflannu tua diwedd y cyfnod megis y diflannodd y geseiliau a'r hir-iau erbyn y ddeuddegfed ganrif. Ond hyd y gellir canfod fe arhosodd y cwbl o arferion traddodiadol eraill y maes aredig yn ddigyfnewid. Buasai amaeth a geilwad cyfnod Hywel Dda yn gwbl gartrefol wrth ddeupen hir-wedd yr unfed ganrif ar bymtheg. A welent ragoriaeth ar yr ychen eu hunain o'u cymharu ag anifeiliaid eu cyfnod pell hwy ? Gwelent yr un hen fridiau yn parhau yn y wlad, y mae'n wir. A phe baent yn aredig â'r gweddoedd a erchir yn y cywyddau a ddyfynnir uchod fe sylwent eu bod bron i gyd yn ychen duon. Dyna eu lliw ym mhob cywydd ond un lle disgrifir y lliw yn bendant. Yn yr eithriad, y cywydd i erchi ychen i Gastell Madog, Brycheiniog, ' ar waith dreigiau,' h.y. cochion ydynt. Cochion hefyd oedd yr anifeiliaid a archwyd gan Llawdden mewn cywydd nas dyfynnir[1] yma, ond fe ymddangosai fod y rhai duon yn fwy niferus neu'n fwy dymunol na'r rhai cochion.

Ar wahân i liw ni fanylir llawer ar nodweddion corfforol yr ychen yn y canu hwn, ond fe geir aml awgrym yr adnabyddid nodweddion anifail da. Gwelir hyn gliriaf, fodd bynnag, yn y cywyddau teirw. Wrth eu dyfalu hwy fe fynegid syniadau'r cyfnod am wartheg delfrydol. Sylwn i ddechrau ar nodweddion y teirw duon. Archodd Tudur Aled darw du yn sir Ddinbych a dyma'r fath un ydoedd :[2]

> Tew ar fath y teirw o Fôn,
> Ffyrf, ar ddŵr a phorfa'r ddôl,
> Ffroen arth a'i ffriw yn nerthol ;
>
> .   .   .   .   .   .
>
> Tarw trwm yn troi at tri ych,
> Twlc ewin-graff, talcen-grych ;
> Tarw gewyndew trwy'r gweundir,
> A'i flew clyd o flac y lir.

Fel hyn y disgrifia Tudur Penllyn darw o sir Fflint :[3]

[1]Llsgr. Mostyn 160, td. 259.
[2]T. Gwynn Jones, *Gwaith Tudur Aled*, II, td. 437.
[3]Ifor Williams, *Gwyneddon 3*, td. 159.

> trom dar yn ei dabar dŷ
> tabwrdd dadwrdd Cwm Dadŷ
>
> . . . .
> Bwla ceu-rwth boly cerwyn
>
> . . . .
> blew dy ffris fel dwbled ffwl
> bwrdais toron-bais trwyn-bwl.
> Dwyfron laesgron fel ysgraff
>
> . . . .
> Dau bost ẏng-wastad ei ben
> Mal yn dyrau m mlaen derwen.

Du hefyd yw'r tarw a archodd Owain Gwynedd yn Llan-uwchllyn dros Siôn ap Huw o Fathafarn yng Nghyfeiliog :[1]

> Maer dadwrdd mawr da ydyw
> meyrwys gwyllt mwyarwisg yw

Ac y mae'r ' twrc rhawnllaes dv ' hwn :

> gyfled a maer gwefldew mawr.

Yn yr un ' Mathafarn wen ' y gwelodd Huw Arwystl darw, ' doron mawr o darw in mysg,' a'i erchi dros ryw Domas ap Olfir. Un du oedd eto :[2] ' tlws fforest, was teils ffris du.'

Tarw du rhonwyn, h.y. a chynffon wen, a rhywfaint o liw llwyd rhwng ei goesau a erchir gan Hywel ap Syr Mathew.[3] Un yn pori ar Fforest Golunwy ydoedd :

> Llew dann ffens llwyd yn i ffwrch
> Llo rhonwyn a lliw r heniwrch
> Lleidr glew a wisg lliw dv r glo
> Llew a deugorn llei digio
>
> . . . .
> Rhonwyn boldyn mewn baldog
> Nod rhawn oedd nid rhawn eiddil
> nod y rhawn aed ar i hil
>
> . . . .
> Muchvdd yw devrudd y das
> Morlo gregeiddfro gyddfras
>
> . . . .
> Bwrdies ni fynn i bardwn
> Baedd koed yn llabyddio kwn
> Brest dewrgarw ysbryw sdarged

[1]Llsgr. Caerdydd 16, td. 52.
[2]ibid, td. 16.
[3]Llsgr. Llanstephan 30, td. 375.

Erchir teirw cochion hefyd fel yr un a ddyfelir gan Huw
Arwystl,[1] rhyw ' Iddew cuchiog ' o darw, mor goch â fflaim,
neu gyllell, y meddyg anifeiliaid wrth ollwng gwaed :

> ffwriwr mewn ffairiau'r mynydd
> fflaim ai gwisg fain fflamgoch fydd.

Dyma a ddywed Rhys Nanmor am un tebyg o Forgannwg :[2]

> eithr moes wr a threm saryc
> ywch y grest no choch y gryc
> gwas prydd llawesrydd llaysrawn
> gwadnoc glyst gydenoc glawn
> y drwyn yw kefn dwrn yn kay
> . . . . . .
> aldar man tew ayldrwm mewn tarth
> a thabwrdd jaith ddehaybarth
> . . . . . .
> klayrch trwm kapandrwm pendrist
> kyfliw gwin kay fal y gist
> . . . . . .
> ar y ffriw siyrl may ffrys hyll.

Ym Morgannwg hefyd y gwelodd Llawdden y tarw coch hwn :[3]

> Twrci o rasbi'r Yspaen
> ai grys o sangwyn y graen
> . . . . . .
> I'r carl mae blew yscarlad
> . . . . . .
> Blew ei glust a dwbl ei glog
> braich hwn fel pridd Brecheiniog
> Ei gyrn ef fel gwern ne onn
> ac a'i dâl fel gwaed eilon
> Boly oedd fel bual iddaw
> a phen trwm elephant traw
> Gwddwf tebig i Iddew
> a rhawn llaes, fel i'r hen llew.

Ym Morgannwg unwaith eto yr archodd Deio ab Ieuan Du
darw ac anner o'r un lliw.[4] Disgrifir y tarw fel :

[1]Llsgr. Caerdydd 16, td. 42.
[2]E. Stanton Roberts, *Llanstephan 6*, td. 119.
[3]Ifor Williams, *Gwyneddon 3*, td. 146.
[4]Rhys Jones, *Gorchestion Beirdd Cymru* (1773), td. 174.

Gŵyr ei bardwn, gwarr bwrdais,
Egroes byw, ei groes, a'i bais.

.   .   .   .   .   .

Y Tarw cu, o'r tîr y câd,
A wîsg eurliw, ysgarlad :
Cyrn, mal yn dëyrn y dŵg
Mawr gwynnion, ym Morgannwg.
Gwalltgrych, i'r edrych lle'r êl,
Golwg Carw, dann glôg cwrel.

O'r ' un rhieni ' y daeth y tarw a'r anner ac y maent o'r un lliw
â'i gilydd ac eithrio bod i'r anner wyneb wen :

Hi, a'i gŵr, dann Hûg euraid.
Lluniaidd ysgub Haidd o'r penn,
Llûn abid, llo wynebwen.

Gellid meddwl fod y brid hwn ymhlith hynafiaid gwartheg
coch wynebwen Henffordd. Beth bynnag am hynny y mae'n
amlwg yr archwyd y ddau er mwyn sefydlu gyrr :

Dreigiau ŷnt o rywogaeth
I ynnill ynn' Lloi, a Llaeth.

.   .   .   .   .   .

Nês bod, yn un nôd, dan Iau
Lloi gant, un lliw ag yntau.

Parhaodd hefyd yr hen wartheg brych ac fel hyn y disgrifia
Siôn Ceri darw a gafodd yn Llan-bryn-mair[1] :

trilliw gwych troellawg oedd
Brauchiau ir clai brych i'r clôg
broch glân brych gwialenog

.   .   .   .   .   .

Mad tâl, a gwalld mwtlai gwych
Mewn towyllfron mantellfrych
Mae yt cefn ymrig cyfnos
Melyn a rhydd ymlaen rhos
Mân gwiel aur mewn i glôg
a man towyll mewn tauog

Nid tarw byrgorn mohono :

I ddau gorn a ddŵg arnaw
ddwy lath drwy r iâd ddeulwyth draw.

[1]Llsgr. Caerdydd 16, td. 89.

Y mae'n darw mawr trwm â chorff solet fel tŷ neu goffr,
pwysfawr ei symudiad fel Sais mewn Sesiwn :

> Llwyth ir braisg wrth llethr bryn
> llûn tu rhoed llawn to rhedyn
>
> . . . .
> kyff ir a dull coffr dillad
> crom yw cuwch y trvmog hwn
> trem Sais yn tramwy sesiwn
>
> . . . .
> y tarw penfras trapinfrych.

Ymddengys mai anifeiliaid llydan, trwm, oedd teirw dewis y
cyfnod. Cyffelybir eu cyrff i das, i dŷ to rhedyn, i gist, i goffr
dillad. Tebyg yw'r bol i fol bual neu i gerwyn. Y mae i'r tarw
dewisol ddwyfron fawr ddofn, ' llaesgron fel ysgraff ' chwedl
Tudur Penllyn. ' Capandrwm ' yw a phen trwm eleffant arno.
Mawr yw ei gyrn uwchben ffris gwalltgrych ei dalcen, ac y
mae ei drwyn pŵl fel cefn dwrn caeëdig. Gyda'i wddf tew,
bras y mae'n debyg i forlo neu i Iddew. Â'r un gair ' bwrdais '
fe'i darlunnir yn gynnil gan un bardd, ac fe geir yr un syniad
gan eraill :

> Bwrdais toronbais trwynbwl
>
> Aldarman tew aeldrwm mewn tarth
>
> Gyfled â Maer gwefldew mawr
>
> Crom yw cuwch y trumog hwn
> trem Sais yn tramwy Sesiwn.

Darluniau cyfan, cryno cywir. Y mae'r disgrifiadau o fuchod
yn brinnach yn y cywyddau, ond fe ymddengys bod rhai o'r
brid brown, a adweinir fel buchod ' cwrw a llaeth ' oherwydd
eu lliw, ar gael. Archodd Lewis Glyn Cothi ddwy ohonynt yn
rhan ddwyreiniol Elfael Is Mynydd :[1]

> Heb liw lai no Gweble lynn.

Ategir yr hyn a ddywedir yn y cywyddau am liwiau
gwartheg Cymru hyd ddiwedd yr unfed ganrif ar bymtheg gan
ddogfennau mwy rhyddieithol. Cymerwn, er enghraifft,
lyfrau toll rhai o hen ffeiriau gogledd sir Benfro rhwng y

---

[1]E. D. Jones, *Gwaith Lewis Glyn Cothi*, (1952), td. 132.

blynyddoedd 1599 a 1603.[1] Cofnoda tri o'r llyfrau yr hyn a werthwyd yn Ffair Feugan, ffair enwog Eglwyswrw, yn 1599, 1600 a 1602. Yn y pedwerydd ceir cofnodion Ffair Gurig, Trefdraeth, am y flwyddyn 1603. Gyda'i gilydd fe werthwyd 805 o wartheg o bob math yn y ffeiriau hyn ac fe ddisgrifir lliwiau 767 ohonynt yn eglur. Gellir eu dosbarthu fel a ganlyn :

Du	454
,, ynghyd â pheth gwyn,[2] e.e. wynebwen, gwyn ar hyd y cefn, bolwyn, brithwyn	11
Brown	103
,, ynghyd â pheth du, neu â gwyn ar hyd y cefn	4
Coch	100
,, ag wyneb wen, neu frithgoch neu frychgoch	9
Brych	74
,, ag wyneb wen neu gefn gwyn	3
Melyn	4
Llwyd	3
Gwyn	1
Dwn	1

Dyma ystadegau'r teirw a'r ychen wedi eu tynnu o'r uchod :

Teirw	
Du	9
,, bolwyn	1
Brown	1
Brych	1
Ychen	
Du	33
,, a chefn gwyn	1
Brown	15
Coch	4
,, ag wyneb wen	2
,, brithwyn	2
Brych	3
Melyn	2
Llwyd	1

Gwelir wrth y ffigurau hyn nad oedd gwartheg gorllewin Cymru mor unsut ag a dybir yn gyffredin.

---

[1]*B.B.C.S.*, VII, td. 284.

[2]Saesneg yw iaith y llyfrau ac fe ddefnyddir y gair *hawked* am wynebwen a *rugged* (ffurf ar *rigged*) am linell wen ar hyd y cefn.

§

A ninnau wedi cael golwg ar y bridiau o ychen a fu yn y wedd hyd 1600, rhaid inni yn awr ddychwelyd at hanes y wedd a'i threfniant o'r dyddiad hwnnw ymlaen.

Sylwasom eisoes ar ddiflannu graddol yr ieuau hirion, a'r arfer cyffredinol o'r fer-iau a threfn yr hir-wedd. Ac yn awr yn niwedd yr unfed ganrif ar bymtheg dechreuwyd torri ar draddodiad Celtaidd hynafol arall drwy ychwanegu ceffylau at y wedd aredig. Y mae'n wir bod sôn am geffylau gwedd yn nogfennau maenorydd yr Oesoedd Canol, ond nid ymddengys fod mynych arfer o geffylau mewn gweddoedd *aredig*. Gellir dweud i'r wlad yn gyffredinol barhau i arfer ceffylau ar y tir yn ôl yr hen arfer oesol sef fel carthwyr, h.y. anifeiliaid i ddwyn tail i'r âr, ac i dynnu'r ôg. Dywed y Gyfraith yn bendant nad oedd a wnelai'r ceffylau hyn â'r cyd-aredig.[1] Ond er i'r gweddoedd cymysg o ychen a cheffylau ddyfod yn fwy niferus drwy gydol yr ail ganrif ar bymtheg fe barhaodd y gweddoedd ychen traddodiadol hefyd. Gan hynny bydd yn fwy cyfleus i ddilyn hynt y rhai olaf hyn gan adael y wedd gymysg i'r naill du am ychydig.

Dengys ewyllysiau a rhestri eiddo ffermwyr yr ail ganrif ar bymtheg y parheid i ieuo yr un nifer o anifeiliaid yn y wedd â chynt, sef wyth, chwech, a phedwar. Er enghraifft, gadewir ' fortie kien ' a ' sixe oxen ' yn ewyllys Henry Mathew o'r Radur, Morgannwg, yn y flwyddyn 1600.[2] Dywed beili Syr John Prys o'r Drenewydd mewn llythyr at ei feistr yn 1640 iddo brynu nifer o ychen iddo : ' and then you will have two sufficient teemes (XII oxen).'[3] Amrywiodd costau'r ychen hyn o wyth bunt i ddeg gini y pâr. Yn 1644 gadawodd William Philpot o Gaerdydd ' 4 oxen and 6 kine ' yn ei ewyllys.[4] Yn rhestr eiddo Frances Cuny, Golden, ger Penfro, yn 1694 cofnodir am wyth o ychen gwerth pedair punt ar hugain.[5]

Hyd y gwelais i y mae'r cofnodion uchod yn nodweddiadol o'r ganrif. Yn aml iawn, wrth gwrs, gwelir ffermwyr bychain

---

[1]*Llyfr Du o'r Waun*, td. 109 ; *Anc. Laws*, I, td. 318.
[2]*Cardiff Records*, III, td. 117.
[3]*Mont. Coll.*, XXXI, td. 86.
[4]*Cardiff Records*, III, td. 125.
[5]*West Wales Hist. Records*, XII, td. 180.

a thyddynwyr yn gadael un iau o ychen yn unig, ac nid oes
amheuaeth mai hwy oedd y bobl a fyddai'n ychwanegu ceffylau
neu fuwch at eu gweddoedd, oni pharhaent i gymhortha â'i
gilydd adeg aredig yn ôl yr hen arfer.

Ceir yn nyddiadur Bulkeley o Dronwy, sir Fôn,[1] nifer o
gofnodion am ei ychen gwedd. Er enghraifft, yr oedd ganddo
ddeunaw ohonynt ym mis Mai 1634, pedwar ar ddeg ym mis
Tachwedd yr un flwyddyn, ac un ar bymtheg ym mis Mai
1635 a 1636. Ni ddywedir wrthym pa nifer ohonynt y byddai
yn eu hieuo gyda'i gilydd. Ond fe geir ambell gofnod yn y
dyddiadur hwn am arferion byd diflanedig yr ychen. Er
enghraifft ar y 12fed o Awst, 1632, sgrifenna Bulkeley : ' I gaue
ye boy 6d yt did vse to graze ye oxen.' Y mae cofnod fel hyn
yn dwyn o flaen ein llygaid y tiroedd agored a'r bugeiliaid
gwartheg a oedd mor gyffredin gynt. Sonia George Owen am y
bugeiliaid gwartheg hyn ar y meysydd agored yn sir Benfro.[2]
Yn ôl Owen yr oedd tair mil ohonynt yno. Ar y 15fed o
Orffennaf, 1634, dywed Bulkeley : ' aboute noone I drive ye
oxen to ye sesside to bath,' cofnod sy'n ein hatgoffa o'r gofal
mawr a charedig a gâi'r ychen gwedd gynt.

Yn y flwyddyn 1631 fe adeiladodd Bulkeley dŷ ychen
newydd. Ar y pumed o Awst yn y flwyddyn honno fe gofnoda :
' Hugh ap Robt ap Howell yn gwnio Cyplau for tuy r ychain.'
Ar y chweched : ' Hugh probt set up ye Beames.' Tri diwrnod
yn ddiweddarach yr oedd ' w/ prich yn kledry tuy r vchain &
begins to thatch.' Gwelir o hyd yma a thraw yn y wlad
enghreifftiau o'r tai ychen hyn a nodweddir gan eu drysau
llydain ar gyfer cyrn hirion yr ychen. Ar y nawfed o fis Rhagfyr,
1633, sgrifenna Bulkeley : ' all day raynie, we put in the oxen,
god blesse them.'

Haedda'r fendith fach hon sylw. Nid diystyr mohoni.
Fel y dywedwyd yn barod, anifail pwysicaf y fferm oedd yr
ych yn yr hen fyd. Un o golofnau cymdeithas oedd. Dywed
Columella mai trosedd cynddrwg â llofruddiaeth oedd lladd
ych, ac fe adroddir gan Pliny[3] sut yr alltudiwyd gŵr a laddodd
ych yn afreidiol : ' fe'i halltudiwyd fel gŵr a laddasai ei

[1]*Trans. Anglesey Ant. Soc.*, 1937.
[2]*Descr. Pemb.*, I, td. 42.
[3]*Nat. Hist.*, VIII, cap. XLV.

arddwr.' Fe barhaodd yr arfer o ofyn bendith ar yr ychen
drwy'r canrifoedd, a cheir adleisiau ohoni mewn llenyddiaeth.
Er enghraifft :

> y mae gantho fo i'w fen
> (Duw a ro iechyd) yr ychen[1]
>
> Onid pêr clywed pori yr ychen ?
> Hir iechyd i'r rheini !

Ceir olion hyn yn ein dyddiau ni hefyd. Yn 1926 yr oeddwn i
yn helpu ffermwr yn Nyffryn Golych, Morgannwg, i droi nifer
o fustych i borfa newydd, ac wrth iddynt fynd drwy'r llidiard fe
gododd y ffermwr ei het gan ddweud ' bendith arnoch i gyd.'
Arferai ei dad wneud yr un peth gyda'i ychen gwaith, meddai'r
ffermwr wrthyf, ac fe gadwai yntau'r arfer ynglŷn â'r bustych
' rhag ofn . . .' Parhaodd yr ychen gwaith yn ddiweddarach
ym Mro Morgannwg nag yn unman arall yng Nghymru ac y
mae'n debyg mai dyna'r rheswm fod olion arferion byd yr ych
wedi aros yno cyhyd. Tua'r un adeg adwaenwn ysbaddwr o
Lancarfan. Wrth i bob llo ddianc o'i ddwylo fe godai ei gap a
tharo cis ysgafn ar gefn y creadur, gan ddweud : ' Twenty
pound ox, good luck ! ' Er bod y gŵr hwn wedi colli iaith ei
fro yr oedd, fel yr addefodd, wedi glynu wrth un o'i hen
arferion sef i beidio â gwneud dim ag eidion heb ddymuno'n
dda iddo. Sonnir am olion yr arferion hyn ym Morgannwg gan
ohebydd yn *Bye-Gones* yn 1882.[2] Dywed fod hynafgwyr y Fro
yn hyddysg yn nulliau traddodiadol dofi, bwydo a thrin ychen
gwaith. Dywed fod y gwŷr hyn yn credu fod gan yr ych ' a kind
of occult intelligence somewhat resembling that which old
villagers ascribe to bees. He had to be informed of the death of
his master, and of any important event in the family of his
owner—such as a marriage—with some small form and
ceremony before all would be well ; else would he " grieve,"
pine, lose flesh, and perhaps die.'

Yn rhyfedd ddigon y mae'n anodd cael hyd i wybodaeth
fanwl am nifer yr ychen yn y wedd yn y ddeunawfed ganrif.
Sonnir am weddoedd o bedwar ych yn sir Fôn yn 1799.[3]

---

[1] Llsgr. Caerdydd 2.616, td. 142b.
[2] *td.* 8.
[3] Walter Davies, *North Wales* (1810), td. 339.

Dywedir yn Adroddiad 1796 ar amaethyddiaeth Morgannwg
fod gweddoedd ychen a rhai cymysg yn y sir ond ni fanylir
arnynt. Dywedir bod dwywaith mwy o weddoedd ychen nag
o rai ceffylau yn sir Frycheiniog[1] ond ni ddisgrifir maint y
wedd. Gweddoedd cymysg a geid fynychaf yn sir Fynwy erbyn
diwedd y ganrif ond fe ddefnyddid ychen yn unig weithiau,
pedwar neu chwech ohonynt mewn gwedd.[2] Yn sir Faesyfed
yr oedd ychen yn fwy poblogaidd na cheffylau, ond unwaith
eto ni fanylir dim.[3] Gweddoedd cymysg a geid yn siroedd
Penfro, Ceredigion a Chaerfyrddin, a chawn sylwi arnynt yn
nes ymlaen. A barnu wrth yr Adroddiadau hyn, prin oedd
ychen gwedd yn y Gogledd ac eithrio yn siroedd Trefaldwyn a
Meirionnydd. Sonnir am ' the multiplicity of horses used in a
plough ' yn sir Fflint.[4] Prin oedd ychen gwedd yn sir Fôn :
' the servants have a great aversion to the using of them, being
long accustomed to horses.'[5] Ategir hyn gan a ddywed William
Bulkeley, Brynddu, yn ei ddyddiadur : ' 1748. Nov. 9. Today
I began anew to plow with oxen after I had disused them for
above twenty years.'[6] Dywedir yr un peth am sir Gaernarfon,
yr ychen yn brin a'r gweision yn erbyn eu gweithio.[7] Prin oedd
gweddoedd ychen yn sir Ddinbych hefyd.[8] Gweithid ychen yn
gystal â cheffylau yn sir Drefaldwyn, ond y ceffylau a oedd
fwyaf niferus.[9] Ceid y ddau fath o wedd yn sir Feirionnydd
ond y cwbl a ddywedir amdanynt y dyw eu bod yn ' very badly
managed.'[10]

Yn y Deheudir parheid i gadw'r gweddoedd traddodiadol yn
siroedd Brycheiniog, Maesyfed, Morgannwg, ac i raddau llai
yn sir Fynwy. Fel y gwelsom, pedwar neu chwech o ychen a
ieuid yn sir Fynwy, ac y mae'n debyg mai dyna'r niferoedd
arferol yn y siroedd eraill a enwir. Pan sgrifennai Gwallter
Mechain ei gyfrolau ar Dde Cymru arferid ieuo o bedwar i

[1]Clark, *Gen. View*, td. 23.
[2]Fox, *Gen. View*, td. 16.
[3]Clark, *Gen. View*, td. 21.
[4]Kay, *Gen. View North Wales* : *Flintshire*, td. 9.
[5]*ibid*, *Anglesey*, tt. 18—19.
[6]*Trans. Anglesey Ant. Soc.*, 1931, td. 78.
[7]Kay, *op. cit.*, Carnarvonshire, td. 20.
[8]*ibid*, Denbighshire, td. 14.
[9]*ibid*, Montgomeryshire, td. 17.
[10]*ibid*, Merionethshire, td. 15.

wyth ym Morgannwg ond chwech gan mwyaf.[1] Fel y gwelsom mewn pennod arall yr oedd erydr rhan olaf y ddeunawfed ganrif yn haws eu tynnu ar y cyfan, ac ni byddai cymaint o alw am wedd wyth y canrifoedd cynt. Fel y dywedais, y ddelfryd drwy gydol y ganrif oedd cael gwared o'r gweddoedd mawr costus.

Ym Morgannwg ceisiodd Cymdeithas Amaethyddol y sir berswadio'r ffermwyr i gael gwared o'r iau a gwisgo'r ychen mewn coleri lledr ac ystlysdidau fel ceffylau a thrwy hynny leihau'r nifer yn y wedd i bedwar. Canys fe gredid gan lawer fod pedwar ych mewn coleri yn gallu tynnu cymaint â chwech mewn ieuau. Cynigiodd y Gymdeithas wobrau o bum gini i hyrwyddo hyn rhwng 1778 ac 1794.[2] Parhawyd â pholisi y Gymdeithas yn y ganrif nesaf, ond yn awr anogwyd y ffermwyr i ymwrthod â phedwar ych mewn coleri ac aredig â dau geffyl heb eilwad. Ond fe ymddengys nad oedd ffermwyr y sir yn gyffredinol yn fodlon i ymwrthod â'r ych canys o 1819 hyd tua 1832 cynigiwyd gwobrau am aredig â dau ych hefyd.[3] Yn wir, yn 1829 cynigiwyd gwobr am aredig â phedwar ych. Y mae newid polisi'r gwobrwyo fel hyn yn awgrymu'n gryf fod amaethwyr y sir yn anfodlon i weithio gweddoedd bychain mewn coleri. Diau eu bod yn iawn. Gwyddent nad oedd yr erydr newydd mor dda ag y mynnai'r Gymdeithas, a gwyddent na ellid trin ych fel ceffyl. Mae'n debyg nad oedd ymateb yr amaethwyr i'r amodau newydd yn foddhaol canys yn 1832 ni chynigiwyd gwobr am aredig ag ychen o gwbl. Dau geffyl neu ddim oedd arwyddair y Gymdeithas o hyn ymlaen. Eithr fe barheid i droi erwau Morgannwg ag ychen mewn ieuau.

Ar ôl 1850 dechreuodd yr ych ddiflannu o weddoedd y sir. Erbyn 1880 prin y gwelid gwedd ohonynt. Yn y flwyddyn honno yr arddwyd ag ychen am y tro olaf ar fferm Doghill, Dyffryn Golych. Chwech o ychen a fu yn y wedd yno, ac yn 1937 rhoddwyd eu hieuau i Amgueddfa Genedlaethol Cymru. Dywedodd y rhoddwr, Mr. Robert Thomas, wrthyf iddo ef ieuo'r ychen am y tro olaf ychydig yn ddiweddarach yn y ganrif. Ar yr achlysur honno defnyddiwyd hwynt i dynnu

---

[1]*South Wales*, I, td. 289.
[2]John Garsed, *Records of the Glam. Agric. Soc.*, tt. 15—17, 20.
[3]*ibid*, tt. 24-26.

men i Gaerdydd. Sonia gohebydd yn y *Western Mail*[1] am yr olaf o'r arddwyr ychen yn Llanilltud Fawr yn 1884 ac am ychen yn aredig yn Ogwr yn 1889.

Diflannodd gweddoedd ychen digymysg yn gynharach yn siroedd eraill Cymru. Erbyn 1802 ychydig o ychen a weithid yn rhan uchaf sir Faesyfed a chyffelyb oedd yng ngweddill y sir erbyn 1805.[2] Y mae yn Amgueddfa Werin Cymru iau a ddefnyddid yn Llancaeo, Gwehelog, sir Fynwy, mor ddiweddar ag 1840 ac y mae hefyd yn y casgliad dair iau o Lanwinney, Llangofan, yn yr un sir a ddefnyddid ychydig yn ddiweddarach. Yn sir Drefaldwyn ymddengys bod ychydig o ychen yn gweithio tua chanol y ganrif. Dywedir i Mr. Joseph Jones, Pantredynog, Llangadfan, a fu farw tua 1923, gofio am ychen yn aredig yn Ffriddgowny, Llangadfan.[3] Cofnodir hefyd am wedd o chwech a fu'n aredig yn Nhyn-y-maes, Llanrhaeadr-ym-mochnant tua 1815.[4] Ymddengys mai eithriadol oedd gwedd o ychen heb geffylau tu allan i Forgannwg ar ôl 1830—40.

Erbyn canol y bedwaredd ganrif ar bymtheg yr oedd yr ychen eu hunain wedi newid yn fawr. Effeithiwyd arnynt gan y wybodaeth newydd am fridio a ledaenwyd yn araf drwy'r ddeunawfed ganrif. Ymddengys i lawer o'r hen fridiau leihau neu ddiflannu yn ystod y cyfnod hwnnw. Erbyn 1790, a barnu wrth yr Adroddiadau sirol, yr unig wartheg o bwys yn y Gogledd oedd y rhai duon. Yn rhan gyntaf y ganrif disgrifiwyd ychen sir Fôn gan Dafydd Thomas yn ei *Hanes Tair Sir ar Ddeg Cymru* fel

> Ychain mawrion o liw'r fagddu,
> Goreu o'u huchder sydd yng Nghymru.

Ond erbyn diwedd y ganrif, a'r ych yn diflannu o'r wedd, nid uchter ond y gallu i besgi a throi'n gig da oedd y nodwedd ddymunol ar ych. Yr unig fan yn y Gogledd y cofnodir lliw arall ar wartheg ydyw sir Drefaldwyn. Dywed yr Adroddiad y ceid yno fuchod cochion ag wynebau dwn. Du gan mwyaf oedd gwartheg tair sir orllewinol y wlad ond fe geid olion yr hen gymysgedd yn sir Benfro, sef ychydig o anifeiliaid brown tywyll

[1] 30 Sept., 1949.
[2] Walter Davies, *South Wales*, I, td. 291.
[3] Diolchaf i Mr. Charles Humphreys am y manylion hyn.
[4] *Bye-Gones*, 1882, td. 38.

ac enghreifftiau o'r hen wynebwen a'r llinell wen ar hyd y cefn. Beirniadir gwartheg Brycheiniog ond nis disgrifir, eto ni cheir awgrym fod yr hen frid coch wedi darfod yno. Coch hefyd oedd gwartheg Maesyfed gan mwyaf er bod rhai brych i'w cael yno hefyd. Ceid y ddau fath hyn yn rhan ogleddol sir Fynwy hefyd, ond yn y gweddill o'r sir yr oedd y gwartheg 'of the Glamorganshire kind . . . mostly of a dark brown colour.' Sonia Gwallter Mechain hefyd am y gwartheg hyn fel rhai nodweddiadol o sir Forgannwg[1] a dywed y cafwyd y brid hwn drwy groesi'r hen rai coch â rhai duon Bro Gŵyr. Ond ni ddarfuasai am hen fridiau'r sir a ddisgrifiwyd gan Dafydd Thomas tua 1750 fel

Gwartheg mawr yn goch a brithion
A blew crin a phennau crynion.

Fe â Gwallter Mechain ymlaen i sôn am anifeiliaid coch golau Glyn Nedd a Glyn Tawe a rhai coch tywyll Bro Morgannwg. Yn y Fro, meddai, ceid pob arlliw ar goch a brown, ynghyd â gwartheg brith a rhai a oedd bron yn wyn. Gwelsom yng nghywyddau'r beirdd fod y rhai cochion yn nodweddiadol o'r sir yn y bymthegfed ganrif. Hen frid oedd y rhai brith hefyd a pharhaodd rhai o'u disgynyddion hyd ganol y bedwaredd ganrif ar bymtheg. Gwelais luniau dau ych o'r brid hwn a fagwyd gan Thomas Thomas o'r Walas, Ewenni, ac a enillodd wobrau mewn sioeau yn y Bont-faen yn 1843-4.[2] Yn ôl y lluniau, nodweddid y brid hwn gan gorff brith o goch a gwyn, llinell wen ar hyd y cefn, cynffon wen a bol gwyn a'r wyneb yn wynnaidd. Mae'r cyrn yn fain, o hyd gweddol, ac yn troi i fyny. Ceir yn Adran Soöleg, Amgueddfa Genedlaethol Cymru, baentiad arall o wartheg a fagwyd yn Nhre-guff, ym Mro Morgannwg, ac y mae'n bosibl eu bod hwy yn nodweddiadol o'r brid brown. Amrywia lliw y gwartheg hyn o frown disglair bron i ddu, ac fe geir arnynt y lliw gwyn ar hyd y cefn ac ar y gynffon a'r bol y sylwyd arno o'r blaen.

Ymddengys felly fod dosbarthiad bridiau ychen Cymru yn y ddeunawfed ganrif yn ôl y patrwm y gellid ei ddisgwyl. Lle

---

[1]*South Wales*, II, td. 206.
[2]Mae'r lluniau wedi eu peintio ar baneli copr, ac y maent yn awr (1951) ym meddiant Mrs. Austen, Lampha, Ewenni.

buasai'r gwartheg duon yn fwy niferus hwy oedd y prif frid
bellach, ond yn siroedd Morgannwg, Mynwy, Brycheiniog a
Maesyfed fe geid fel cynt wartheg coch, brown, brith, a brych.
Tynged y rhain oedd cael eu colli mewn brid newydd Hen-
ffordd. Mae'n bosibl mai hwy a roes i'r brid hwnnw y rhannau
gwyn nodweddiadol.

§

> Dau ych yw Silc a Sowin,
> Un yn goch a'r llall yn felyn ;
> Pan yn aredig yn eu chwys
> Hwy doran' gwys i'r blewyn.

Fel yr eglurwyd, lle bynnag y cadwyd yr ych fe gadwyd hefyd
yr arferion hynafol a oedd yn briodol iddo. Sylwasom ar rai o'r
arferion hyn eisoes, ac y mae'r triban uchod yn dyfod â ni at
ddwy arfer arall a arhosodd hyd y diwedd sef enwi'r ychen a'u
galw ar gân. Chwedl Richard Carew am ychen Cernyw yn
1602 : ' Each Oxe hath his seuerall name, vpon which the
driuers call aloud, both to direct and give them Courage as
they are at worke.'[1] Hen arfer ganoloesol oedd enwi'r ychen
ar ôl yr apostolion ac y mae'n debyg mai oherwydd mai ych
oedd arwydd Sant Luc y bu hyn. Ceir olion hyn yng Nghymru
hyd ddiwedd teyrnasiad yr ych. Er enghraifft, dywed Gethin
mai Marc, Meiri, Luc, a Darby oedd enwau ychen gwedd olaf
y Benar, Penmachno.[2] Enwir Marc, ac o bosibl y ' Meiri '
uchod mewn hwiangerdd o Sir Forgannwg :

> Marc a Meurig ble buoch chi'n pori ?
> Ar y Waun Las tuhwnt i 'Berhonddu.

Cedwir llawer o enwau yng nghanu'r geilwad a'r arddwr.
Er enghraifft, ceir Moelyn, Mab y Fall, Siencyn, Mwynyn,
Carlwm, Trwyngoch, Hirgorn, Corniog yn nhribannau
aredig Glyn Nedd.[3] Ych gwyn, wrth gwrs, oedd Carlwm :

> Ma'r efnych bannog gwyn i liw
> I enw yw y Carlwm.

[1] *The Survey of Cornwal* (1602), td. 23.
[2] *Gweithiau Gethin* (1884), td. 259.
[3] D. Rhys Phillips, *The History of the Vale of Neath*, tt. 592-4.

Digwydd enwau ceffylaidd Saesneg weithiau megis y Darby uchod o Benmachno. Ceir yr enghraifft gynharaf o enwau Saesneg a welais i yn ewyllys Evan James, Cefn-y-faesdref, Ceri, a brofwyd yn 1626.[1] Enwir ynddo ddau ych, Swann a Gallant. Ond y rheol, wrth gwrs, oedd enwau Cymraeg ar wartheg o bob math. Dyma enwau buchod o ewyllys a brofwyd yn 1730 :[2] Cefnwen, Rossi, Pengron, Ceiros, Twbi, Tali, Gwine. Ceir Ceyros Vach a Seran mewn ewyllys o 1734,[3] a Browny, Cefnwen, Pinkan, Hoywen, Taly mewn rhestr o eiddo a sgrifennwyd yn 1773.[4] A dychwelyd at yr ychen, ymddengys iddynt golli eu henwau traddodiadol i raddau yn niwedd eu cyfnod. Lle edrychid arnynt fel cyd-weithwyr y ceffylau mwy poblogaidd, dodid enwau Saesneg arnynt ; ond pe digwyddai eu perchennog synied amdanynt fel preswylwyr y beudy fe allent gael enwau benywaidd Cymraeg yn rhwydd ddigon. Goroeswyr mewn byd anghydnaws oedd yr olaf o'r ychen a chaent fenthyg enwau rhyw greaduriaid pwysicach eraill nes eu diraddio i fyd dienwau y bustych.

Eithr tra daliai'r ych mewn bri gan gyd-dynnu â'i gym-heiriaid o dan yr ieuau fe gâi ei barchu a'i enwi, a chaneuon i liniaru poen ei lafur. Disgrifir gwedd draddodiadol o chwech ynghyd â'r geilwad a chynorthwywyr yn aredig yn Nhyn-y-maes, Llanrhaeadr-ym-mochnant tua 1775.[5] Eiddo ficer y plwyf oedd yr ychen. Y geilwad oedd Edward Humphreys, Frongoch, a chydag ef i'w gynorthwyo oedd Edward Powell, Efail Rhyd, a Robert Davies, The Green. Thomas Roberts, Pen-y-bryn, oedd yr arddwr. Canai'r geilwad yn ddibaid, a dyma ran o'i ganu :

Yn syth ac yn union
O dan y coed ceimion,
Fy ngweision aur i,
Tair blynedd i hyn
Buoch yn yfed y llefrith gwyn.

Ac, yn achlysurol, fe siaradai'r geilwad wrth y wedd : ' Dowch druain, dowch druain. Heddiw fel doe, a doe fel y diwrnod o'r

[1]*Mont. Coll.*, XXIII, td. 53.
[2]*Cardiff Records*, III, td. 168.
[3]*ibid*, td. 169.
[4]Yn Amgueddfa Werin Cymru, Rhif 37.37/99.
[5]*Bye-Gones*, 1882, td. 38.

blaen.' Cedwid yr hen reol bwysig o ollwng yr ychen o'u hieuau ganol dydd am mai poenus iddynt fuasai aredig yng ngwres y dydd. Ni pharchai'r Ficer y cwbl o'r hen reolau, ysywaeth, canys yr oedd ganddo darw a ddofwyd i'r iau hefyd.

Erbyn diwedd y ganrif fe gollwyd rhagor o'r arferion traddodiadol fel y gwelir wrth y disgrifiad hwn o aredig yn sir Gaerfyrddin yn 1796 : ' A man holds the plough drawn by four horses, but oftener by six oxen, and a girl drives them, so metimes she rides upon one of them.'¹ Dyna ganlyniad t rosglwyddo hen swydd y geilwad i ddwylo plentyn. Aethai'r geilwad yn arweiniwr neu'n yrrwr, ac wrth iddo flino, yn farchogwr. Druain o'r ychen. Erbyn canol y bedwaredd ganrif ar bymtheg bron yr unig un o'u hen fwynderau a gâi'r ychen tu allan i Forgannwg oedd y canu. Yn ôl ffermwr o Langynnwr, sir Gaerfyrddin, a fu'n ' galw ' y wedd pan yn blentyn tua 1840—50 ni weithiai'r ychen oni chenid iddynt yn barhaus : ' I had to sing for them all day long, and was so hoarse when night came that I could hardly speak. . . . They would not work if you did not sing for them.'² Un o'r hoff alawon i ganu'r tribannau ychen arni oedd honno y cenir y geiriau ' O Mari, Mari, cwyn ' arni heddiw,³ ac ar ddiwedd pob pennill fe alwai'r geilwad ' Hw mlaen.'⁴

Ym Morgannwg, fel y dywedais, y cadwodd yr ych rywfaint o'i hen ysblander hwyaf, ac yn y sir honno fe gadwyd ar gof hyd ddiwedd y ganrif ugeiniau o dribannau a genid i'r ychen gynt. Efallai mai'r gân fwyaf nodedig a gadwyd ydyw honno sy'n clodfori Mwynyn, a'i gymar Carlwm, dau ych gwyn ym Mhen-rhiw-menyn, Glyn Nedd.⁵ Dyma ychydig o'r ugain pennill :

> Mewn mwynder y mae Mwynyn
> Yn pori ar y bryncyn,
> Do's yn y shir o ben i ben
> Ail Mwynyn Pen-rhiw-menyn.

.   .   .   .   .   .

¹*Trans. Carm. Antiq. Soc.*, XVIII, td. 15.
²*ibid*, VI, td. 5.
³Yn ôl y diweddar Mr. William Harry, Dyffryn Golych.
⁴' a-hoi-mlaen ' oedd galwad geilwaid Brycheiniog. Gw. *Jour. Welsh Folk Song Soc.*, II, td. 135 am gân o'r sir honno.
⁵*History of the Vale of Neath*, tt. 593-4.

Lliw bloda gwyn Mehefin
Ne eira ydyw Mwynyn,
Ni cheir yn unlle dan y nen
Ail Mwynyn Pen rhiw-menyn.

. . . . . .

Y pêr afala melyn
A fwyti megis plentyn,
Ma rhan o ffrwyth afala'r pren
I Mwynyn Pen-rhiw-menyn.

'R un hil â'r teirw'n llinyn
O Aberpergwm ddilyn ;
O'r dreigiau hyn yn hil ddilen
Daw Mwynyn Pen-rhiw-menyn.

Ma'n bengrych ac yn benwyn,
'R un lliw â'r eira claerwyn,
Ma cyrn yn ddwylath ar ei ben
Gan Fwynyn Pen-rhiw-menyn.

Ma'r Carlwm goesa cyndyn
A Mwynyn yn bâr purwyn,
Yr ych a'r arian glych yw'r pen
Sef Mwynyn Pen-rhiw-menyn.

. . . . . .

(b) Gweddoedd Cymysg

Er i hoffter cynnes at yr ych a pharch tuag ato aros mewn
ambell ardal hyd ganol y bedwaredd ganrif ar bymtheg, byd
digon blin a gawsai mewn mannau eraill ers cenedlaethau.
Dodi ceffylau yn y wedd fu gwreiddyn y drwg.

Amrywiol oedd y rhesymau dros gymysgu ychen a cheffylau
yn yr un wedd a gallai'r naill reswm fod yn bwysicach na'r
llall mewn cyfnod arbennig neu mewn ardal neilltuol. Diau
bod a wnelai colli'r hen arfer o gyd-aredig â chymysgu anifeil-
iaid yn y wedd ; byddai'n rhaid i unigolyn fachu ei geffylau o
flaen ei ychen oni châi gymorth ychen ei gymydog. Mewn rhai
mannau yr oedd y pellter oddi wrth gyflenwadau o galch yn
ffactor bwysig. Lle bu raid wrth deithio hir ar y ffyrdd fe orfu
ar y ffermwyr gadw mwy o geffylau gwedd a llai o ychen. Dyna
eto duedd y ddeunawfed ganrif i geisio gwedd gyflymach a
defnyddio llai o anifeiliaid yr un pryd. Yn ychwanegol at
resymau fel y rhain byddai tlodi—parhaol neu achlysurol—rhai

o'r tyddynwyr yn eu gorfodi i lunio gwedd yn cynnwys ych a chaseg a buwch ac anner, neu beth bynnag a fyddai ar gael. Yng nghyfnodau'r cyd-aredig buasai cymorth y cymdogion yn cadw'r fath wedd druenus o'r maes.

Hyd y gwelais i, yng ngorllewin Cymru y ceid y gweddoedd cymysg gyntaf. Erbyn diwedd yr unfed ganrif ar bymtheg dyna wedd nodweddiadol gogledd sir Benfro. A dyfynnu George Owen : ' The Welshmen plowe comonlie with two oxen and two horses before them . . . amonge the Englishe diverse have plowes of horses alone & oxen alsoe but commonlie sixe beastes in their plowe.'[1] Ni thâl yr awgrym a geir yma mai rhywbeth Cymreig oedd y wedd gymysg. Fe'i cafwyd yn gynharach o lawer yn Lloegr. Yn wir, fe geir gerfiad yn Eglwys Gadeiriol Caerlwytgoed a berthyn i'r bedwaredd ganrif ar ddeg sydd yn darlunio dau geffyl o flaen dau ych yn tynnu aradr.[2] Mae'n debyg mai hen arfer oedd hyn mewn rhai mannau, ond yn sicr nid oedd yn gyffredin yng Nghymru cyn oes Elisabeth. Sut bynnag, o'r oes honno ymlaen dau ych yn cael eu blaenori gan ddau geffyl oedd gwedd gyffredin siroedd Penfro a Cheredigion a rhan fawr o sir Gaerfyrddin. Erbyn 1794 yr oedd y wedd gymysg yn gyffredin ymhlith mân ffermwyr gorllewin sir Frycheiniog : ' Two little ponies and two cows often in calf compose the team . . .,'[3] ond ar diroedd bras y gweddill o'r sir fe gadwai'r ych ei le gan mwyaf. ' The small farmer, however, who has only one team must have that a horse one.'[4] Oherwydd cyflwr drwg y ffyrdd y bu hynny ; ond ni chymysgid y wedd yng ngwaelodion y sir. Erbyn yr un amser yr oedd y wedd gymysg wedi cyrraedd gogledd-orllewin sir Faesyfed ac am yr un rhesymau : ' the distance from lime and coal compels them to keep at least one horse team.'[5] Yn ôl yr Adroddiadau fe geid gweddoedd cymysg yn sir Fynwy ac ychydig ohonynt yn sir Forgannwg.

Y mae patrwm lledaeniad y wedd hon yn y Deheudir yn ddigon amlwg. Dechreuodd ymhlith mân amaethwyr a

---

[1]*Desc. Pemb.*, I, td. 62.
[2]Darlunnir ef yn *The Field*, June 8, 1940.
[3]Clark, *Gen. View*, td. 36.
[4]*ibid*, td. 23-4.
[5]Clark, *Gen. View . . . Rads.*, td. 21.

thyddynwyr y gorllewin ar ôl rhwygo'r gymdeithas amaethydd-
ol draddodiadol. Ymledodd i'r siroedd dwyreiniol yng
nghyfnod y calch a'r glo drwy eu hamaethwyr bychain, ond
cefnocach, hwy. Ond ni ddaeth yn boblogaidd ar diroedd bras
eu dyffrynnoedd. Yno fe barhawyd i gynnal yr ych yn ei
rwysg, a chedwid gweddoedd o geffylau yn ogystal yn ôl yr
angen. Dyna'n fras a ddigwyddodd.

Nid mor hawdd yw dilyn hynt y wedd gymysg yn y Gogledd.
Nid ymddengys iddi fod mor boblogaidd yno ag mewn rhannau
o'r De. Gellid tybio i ffermwyr y Gogledd droi eu gweddoedd
yn rhai ceffylau digymysg yn aml. Gwelsom uchod i Bulkeley,
Brynddu, sir Fôn ymwrthod yn llwyr ag ychen rhwng 1720 a
1748, a gwelsom fod Adroddiadau 1794 yn tystio i hir boblog-
rwydd y ceffyl yn y rhan fwyaf o'r Gogledd.

Er hynny, gwelir yn y tudalennau blaenorol fod ychen yn
gweithio mewn rhai mannau yno hyd y bedwaredd ganrif ar
bymtheg. Yn ôl Gethin[1] ym Mhenmachno fe gâi'r ych yr
orchwyl anghydnaws ac anhraddodiadol o dynnu'r og. Ni
welais, fodd bynnag, lawer cyfeiriad at y wedd gymysg yn y
Gogledd. Y dystiolaeth gynharaf a welais ydyw cân a sgrifen-
nwyd ar derfyn yr ail ganrif ar bymtheg, sef ' Dyrie i ofyn
rhodd o ddole ychen ' gan Thomas Prus :[2]

> Hwu hai fo aeth y byd ar diben
> tyred Sionyn caes yr ychen
> cwed Cadi caes yr Jerthu
> hi aeth yn fadws i franaru
>
> Tyred tyred tyred Siani
> cerdd yn fyan galw Gadi
> ci[r]wch gweiddwch ewch yn fowiog
> fo aeth y borfa fawr yn hafog
>
> .   .   .   .   .   .
>
> ple y mae yr arad ple mae yr carthbren
> ple y mae yr forion ple mae yr wialen
> ple y mae yr lincie ple mae yr pethe
> Dyma Jau heb ddym or dole

[1]*Gweithiau Gethin*, td. 260.
[2]Llsgr. Bodewryd 3, tt. 4—5.

Ple mae yr gwyel sydd yw nyddu
ple mae dol yr eidion glanddu
moeswch gael pob peth yn dalgrwn
cyrwch yma Richard maswn

Richard fenaed dowch yn hwylus
rowch y wedd ynyd yn drefnys
madws bechall gael rhuw ddiben
trewch y march o flaen yr ychen

. . . . . .

bron a glanddyn gyr yn ddiwyd
cadw yr blaen ar bon oddiwrthyd
fo aeth y swch yn groes ir arad
cerdd yn ol a chyrch yr hatsad

chwilio am ordd yr ydwi yn greilon
ysdyn bawl i wneithyr cynion
hybia yr bon a gad nhw i sefyll
ar pin bach mi ai gwnawn yn gandrill

Cryo dyfl a chynio yr arad
ryo yr ychen cyro yr geilwad
plygu yr cwlldwr tori yr tide
neidio yr ceffyl or poriane

gwyr iw yr hen ddihareb eglyr
lle bo ffrwst fo fydd rhyw rwistyr
yn ol hyn o drablyn greilon
fo dorodd wyth om dole cryfion

ag yno fo aeth y par ar wascar
heb un ych yngyd ai gymar
myned adre yn wr anyddyg
heb na dol na modd i redig

. . . . . .

Thomas Prus origwr diwad
sydd yn danfon hyn o ganiad
attoch dafydd drwi lawenydd
i ofyn rhodd o ddole newydd

nid rhy lydain nid rhy laision
nid rhy gyfung nid rhy gaithion
nid rhy sal nyd garw i naddiad
ond or gore i gwneithyriad

I gwneithuried esmwyth ddole
da duw fyth ir gwr ai llinie
ag ai rho nhw o fodd i galon
na bo fyth heb ychen ddigon.

Dyfynnais gymaint o'r dyriau hyn am eu bod yn darlunio'r hyn a allai ddigwydd wrth weithio'r wedd gymysg. Y mae'r gân yn esboniad byw ar y protestiadau a wnaethpwyd o dro i dro yn erbyn y gor-yrru ar yr ychen a welid pan fyddai ceffylau o'u blaenau. Ceir calon y peth yn y llinellau sy'n disgrifio'r ychen yn rhuo a'r geilwad yn eu curo, hwythau'n sboncio ymlaen a'r cwlltwr yn taro ar graig a'r tidau yn torri o'r herwydd. Ac fel canlyniad pellach fe neidia'r ceffyl o'i dresi gan dynnu a thorri'r dolau am yddfau'r ychen. Gwir y ddihareb a ddyfynnir gan yr awdur : ' lle bo ffrwst fe fydd rhyw rwystr.' A gwir y ddihareb arall a wyddai pob amaeth gynt : ' nid ar redeg y mae aredig.'

Gwelir cadw rhai o'r hen arferion yn y wedd newydd hon,— y gwiail yn cael eu nyddu'n didau, er enghraifft, a'r manylu am faint a gwneuthuriad y dolau newydd. Mae'r rhybudd ' nid garw eu naddiad ' yn cyfeirio at y dirisglo lle cyffyrddent â chroen yr ychen. Gwelir hefyd y dirywiad yn swydd y geilwad y cyfeiriwyd ato droeon o'r blaen : y ferch Cadi sy'n symbylu â'r ierthi.

Yr oedd y dirywiad hwn yn gyffredinol. Gwaith i ŵr profiadol oedd galw yn ôl yr hen ddull. Cerddai'n wysg ei gefn fel y gallai gadw ei lygaid ar yr aradr ac fe ddibynnai unionder a dyfnder y gŵys ar gyd-weithio deallus rhyngddo ef a'r arddwr. Ni allai plant reoli gwedd, yn arbennig gwedd gymysg fel hyn. Yr oedd eu byd hwy mor ddrwg â byd yr ychen. Disgwylid o hyd iddynt fod ' yn gyfrifol am bob lawr a fyny anffodus yr aredig. . . . Cyfrifid y wasanaeth hon yn ddiarhebol o atgas ; pa waith diraddiol a gyflawnid gan ferched yn gystal a chan fechgyn.'[1] Lle ymwthiodd y ceffyl fe raddol ddarfu am y caneuon galw. Yma a thraw, mae'n wir, fe barheid i'w canu ar ôl i'r ychen ddiflannu o'r wedd ; ond erbyn hynny yr arddwr ei hun oedd y cantor : ' Fe gân yr arddwr wrth ei waith 'run hen gân stil, a dyma hi :

[1]Evan Davies, *Hanes Plwyf Llangynllo* (1905), td. 177.

　　　Yn araf deg heb un gair dig,
　　　Wath nid ar redeg ma aredig.'[1]

Ond bellach nid oedd i'r ychen ddim cysur yn yr hen eiriau hyn fel y brysient yn chwyslyd yn sgil y ceffylau.

(c) Gweddoedd Ceffylau

Nid oes amheuaeth am boblogrwydd y ceffyl ymhlith y Cymry o'r amserau bore. Yr un mor boblogaidd oedd ymhlith eu hynafiaid yn y cyfnodau cyn-hanesyddol. Ond drwy'r rhan fwyaf o'i hanes fel anifail dof nis defnyddid ond i orchwylion neilltuol. Anifail y cyfrwy a'r cerbyd rhyfel oedd y ceffyl i ddechrau, ac nid ychwanegwyd llawer at ei waith cyn yr Oesoedd Canol. Yn ôl Cyfraith Hywel disgwylid i geffyl gwaith lusgo car ag ôg, ond ni ddisgwylid iddo aredig.

Yr oedd dau brif reswm dros arbed i'r ceffyl waith trwm yn yr hen fyd. Yn gyntaf oll, anifeiliaid go fychain oeddynt. Er eu bod yn fuain ac yn chwim ac yn wydn, nid oedd ganddynt nerth yr ychen. Ni fuasai eu bychander na'u gwander yn ddigon i'w cadw o'r wedd ; yr oedd rheswm arall. Ni allai ceffyl dynnu â'i holl nerth a'i bwysau nes dyfeisio'r goler galed rywbryd tua'r ddegfed ganrif.[2] A'i bwysau yn erbyn yr hen goler feddal yr oedd yn anodd gan geffyl anadlu'n iawn. Dyna sy'n esbonio'r dull yr ieuid ceffylau yn yr hen gerbydau rhyfel. Delid paladr, neu bolyn, y cerbyd rhyfel i fyny ag iau ysgafn a orffwysai ar gefnau'r pâr ceffylau. Ni thynnid y cerbyd drwy gyfrwng yr iau hon eithr â thresi a gysylltid â brongengl yn lle coler.

Yn yr Oesoedd Canol tynnid yr aradr gan geffylau yma a thraw, ond eithriadol oedd hyn. Dros ran fawr o Ewrop cadwai'r ych ei le yn y wedd ; yr oedd ei ragoriaeth yno mor amlwg â chynt. Mae'n debyg mai ar rai o'r maenorydd Normanaidd yr arddwyd â cheffylau gyntaf yng Nghymru. Fel y gwelsom, yn yr unfed ganrif ar bymtheg y derbyniwyd ceffylau i'r wedd yn sir Benfro, gan mwyaf gydag ychen, ond weithiau, yn nehau'r sir fe erddid â cheffylau yn unig. Diddorol yw esboniad George Owen ar yr arfer o geffylau yn Ynys Pyr :

---

[1]W. J. Davies, *Hanes Plwyf Llandyssul* (1896), td. 245.
[2]*The Cambridge Econ. Hist. of Europe*, I (1941), td. 134.

' Caldey . . . is verie fertile and yeldeth plentie of corne all their plowes goe wth horses, for oxen the inhabitants dare not keepe, fearing the purveyors of the pirates.'[1] Fel y gwelsom ni ddechreuodd y Cymry yn gyffredinol weithio gweddoedd digymysg o geffylau tan y ddeunawfed ganrif, ac yn y Gogledd y daethant yn boblogaidd gyntaf. Yn ôl Adroddiadau 1794[2] trefn y wedd fain, lle gosodir y naill geffyl o flaen y llall, a oedd yn arferol yno. A dywed Gwallter Mechain yn gyffelyb yn 1810.[3] Bachwyd o dri i bedwar ceffyl yn y gweddoedd hyn. Ceid yr un gweddoedd main yn siroedd Maesyfed, Brycheiniog a Morgannwg erbyn 1815.[4] Ychydig cyn 1810 y dechreuwyd i ' droi sgots,' sef aredig â dau geffyl ochr yn ochr, yn y Gogledd[5] ac fe ddengys yr enw o ba ran o'r Ynys y daeth y drefn hon. Ni ddaeth y pâr o geffylau yn boblogaidd yn y Deheudir mor fuan. Ceisiodd y Cymdeithasau Amaethyddol berswadio'r ffermwyr i'w fabwysiadu. Yn 1817 cynigiodd Cymdeithas Morgannwg wobrau i arddwyr â dau geffyl cyfochr heb neb yn arwain.[6] Ond fel y pwysleisiais mewn pennod arall, yr hyn a rwystrai'r ffermwyr rhag derbyn y wedd ddau geffyl oedd yr aradr gyffredin. Gyda dyfod yr aradr haearn yr oedd tymor y wedd fain ar ben.

Erbyn 1867 fe ddywedir am siroedd Môn, Caernarfon, Dinbych a Fflint ' It is the universal practice to plough with two horses and reins, so that ploughboys are not required nor are young boys ever employed with horses.'[7] Yn siroedd Penfro a Chaerfyrddin ' the ploughboy system is very little practised . . . and where it is, no boy under 12 . . . is expected to draggle through sticky land at the side of a horse.'[8] Yn siroedd Maesyfed a Mynwy ' the old system of taking a little boy to lead the horse . . . has almost entirely gone out : pair-horse ploughing, has almost entirely superseded the old tandem ploughing.'[9]

[1]*Descr. Pembroke*, I, td. 110.
[2]e.e. *Flint*, td. 18.
[3]*North Wales*, tt. 113, 342.
[4]*South Wales*, I, td. 289.
[5]*North Wales*, td. 112.
[6]Garsed, *Records Glam Agric. Soc.*, td. 24.
[7]*Commission on Employment of Children . . . in Agric. 1867 : Third Report* (1870), td. 32.
[8]*ibid*, td. 41.
[9]*ibid*, td. 61.

Felly fe welir o hyd olion amharodrwydd y Deheudir i gefnu ar ei arferion amaethyddol.

Dirywiad eithaf hen swydd y geilwad oedd y ' ploughboy system,' chwedl y Comisiwn. Er mai *arwain* y ceffylau a wnâi 'r plant hyn fe gedwid yr hen enw ' galw.' A dyfynnu disgrifiad gan Gweirydd ap Rhys am ei waith ar fferm yn Llandrygarn, sir Fôn, tua 1817 : ' Cadw'r gwartheg ar hyd y caeau y byddwn yn yr haf ; a "galw", sef gyrru'r ceffylau i aredig, yn y gauaf . . .'[1] Ond ni chedwid mwy nag enw'r hen swydd.

Trosglwyddwyd un arfer o fyd yr ychen i fyd y ceffylau. Yn yr hen fyd byddai'r geilwad proffesedig yn cysgu yn ymyl ei wedd. Chwedl Llawdden, ar ôl canu iddynt drwy'r dydd câi wrando ar gân eu hanadl pêr gyda'r nos :

cnoi cil megis canu cainc
wych a wna ychen ieuainc
a'u dau anal a dynnant
yma wrth waith môr a thant.

Ond erbyn y bedwaredd ganrif ar bymtheg, yn yr ardaloedd lle teyrnasai'r ceffyl yr oedd yn sarhad ar ddyn i ofyn iddo weithio ychen, heb sôn am gysgu yn eu hymyl. Ond parod ddigon oedd ' geilwaid ' bach y ceffylau, a'r arddwyr ieuainc hefyd, i gysgu yn llofft y stabl. Felly fe barhaodd yr arfer o gysgu o fewn clyw i'r wedd i'r ganrif hon mewn rhai mannau. Fe'm synnwyd gynifer o weision ieuainc Ceredigion a Phenfro a gysgai yn llofft y stabl mor ddiweddar â 1930 ; ond ni byddai yr un ohonynt yn cysgu yng nghyfyl y beudy o'i fodd. Cyfrifid hynny yn ddiraddiol.

Fel y gwelsom, o chwe-degau'r ganrif ymlaen hyd ein dyddiau ni pâr o geffylau a yrrir gan yr arddwr ei hun ydyw'r wedd aredig gyffredin. Y wedd honno a roes derfyn ar y ' geilwaid ' bychain ac, unwaith eto, yr unig beth a erys i gofio amdanynt ydyw enw,—yr enw a roir ar y ceffyl sy'n cerddéd ochr y gwellt, sef ' y ceffyl dan llaw.'

Bellach, yn ein dyddiau ni, wele ddisodli'r pâr o geffylau gan y tractor.[2] Ac ni fydd yr un enw yn aros yng nghymhlethdod

---

[1] *Y Geninen*, XII, (1894), td. 253.
[2] Yn ôl y Weinyddiaeth Amaethyddiaeth yr oedd 125,371 o geffylau a 1703 o dractorau yng Nghymru yn 1939. Erbyn 1952 nid oes ond 49,100 o geffylau, a'r tractorau wedi cynyddu i 27,047.

ei beirianwaith i'n hatgoffa am yr anifeiliaid tawel a fu yn
troi'r tir cyhyd,—yr ych am filoedd o flynyddoedd, y ceffyl am
ganrif neu ddwy. Drwy drugaredd fe erys yr arddwr, er ei
weddnewid. Ni ŵyr ef rin a hud ei ragflaenwyr yn nhawelwch
y meysydd âr gynt ond bydd ganddo byth falchder a boddhad
y neb a dynno gŵys union, gan borthi'r byd.

> Yr arddwyr biau'r urddas
> A'r grawn a'r egin a'r gras,
> O'r bydd dyn o'r byd yma
> Eithr er Duw wneuthur da.
> A phwy biau nef hefyd,
> Lle bôn, ond llafurwyr y byd ?[1]

[1]*Llanstephan Ms. 6.*, td. 153.

MYNEGAI